KB087828

김익권 장군 자서전 1

사단장 시절의 김익권. 1962-1965.

김익권 장군 자서전 1

金益權 將軍 自敍傳

참군인을 향한 나의 길

열화당 영혼도서관

일러두기

- 이 책은 저자 김익권(金益權)이 남긴 자전적(自傳的) 기록을 중심으로, 유교적 가치관과 불교 신앙에 관한 성찰적 기록, 여행기, 그 밖의 수필 등 유고(遺稿) 열여덟 편을 각 글의 내용과 성격에 따라 여섯 부로 구성하여 편집한 '김익권 장군 자서전' 의 첫번째 권이다.
- 원문을 그대로 수록하는 것을 원칙으로 삼았으나, 다만 각 글의 제목은 글 내용과 이 책의 구성에 맞게 다듬었고, 본문 중 일부 옛 문투를 오늘의 어법으로 고쳤으며, 명백한 오자(誤字)는 바로잡았다.
- 저자가 남긴 시(詩)와 시조(時調), 그리고 제목만 써 놓고 미처 집필하지 못한 글에 대해 저자의 둘째딸 김형인(金炯仁)이 작성한 설명적 기록을 부록으로 실었다.
- 각 글의 집필 또는 발표 시기, 발표된 단행본이나 잡지 등의 서지사항은 책 말미의 '수록문 출처 및 집필연도' 에 밝혀 놓았으며, 더불어 저자의 삶을 간추린 '김익권 연보' 를 덧붙였다.
- 「뿌리를 찾아서」에는 저자의 선대(先代)에 관한 이해를 돕기 위해 '김익권 가계도(家系圖)' 를 새로이 작성하여 수록했다.
- 「한국전쟁의 사선(死線)을 넘나들며」에서, 저자는 모든 인물들을 'K중령' 'M소령' 과 같이 표기했으나, 여러 기록과 주위의 증언을 토대로 확인된 사람에 한하여 실명으로 바꾸었다.
- 저자 주(註)는 별도의 표시 없이 달았고, 부연설명과 어휘풀이 성격의 편자 주는 '—편자' 라고 표시했다.
- '편자 주' '김익권 가계도' '수록문 출처 및 집필연도' '김익권 연보' 는 김형인이 작성했으며, 이를 포함한 모든 편집은 김형인과 열화당 편집실의 공동작업으로 이루어졌다.

서문
아버지의 자서전을 출간하며

2006년 6월 6일 현충일(顯忠日)이었다. 그날 우리 식구들은 시곡농장(柿谷農場)으로 나들이를 가기로 했다. 아버지의 자식들은 물론이고 손주, 증손주들을 포함한 직계 집안 식구들과 나의 고등학교 때 친구와 지인들 몇 명이 광주(廣州) 농장을 방문하기로 되어 있었다. 매실도 따고 야외에서 고기도 구워먹고 밭에서 딴 푸성귀로 점심을 먹으며 즐거운 한때를 보낼 생각으로 마음이 들떠 있었다.

바로 그 전날 오후쯤, 아버지께서는 꼭꼭 잘 싸 둔 군복을 찾으셨다. 군대 작업복(전투복)을 모자부터 군화까지 다 착용하고 거실 마루를 걸어 보시더니, "나는 내일 아침에 대전 국립묘지에 참배 간다"고 말씀하시는 게 아닌가. 사실 이 나들이 계획은 한 이 주일 전부터 아버지와 확실히 잡아 놓은 바였고 당신도 이를 기뻐하셨는데, 막상 그날이 닥치자 이렇게 마음을 달리 잡수시니 난감하기 짝이 없고 서운한 마음이 들었다.

아침 일찍 군복을 입고 대전으로 향하셨던 아버지는 오후 다섯시가 다 되어서야 농장으로 오셨다. 나들이는 아버지 없이 우리끼리 싱겁게 마쳤다. 돌아오신 뒤 여쭤 보니, 육이오 때 전사(戰死)한 전우(戰友)이자 가장 친했던 사관학교 동기생인 장철부(張哲夫) 중령과 몇 년 전에 타계하신 동기생 박재곤(朴宰輥) 대령의 묘지에 참배하고 왔다고 말씀하셨다. 장 중령님은 사관생도 시절부터 서로 존경하고 절

친했던 친구로, 육이오 때 장렬히 전사하셨고, 박 대령님은 육이오 때 아버지의 전령 임무를 협조하다가 그의 부하를 두 명 잃고 죽을 고비를 같이 넘긴 분이다. 박 대령님은 전역 후에도 아버지와 친하게 지내셔서, 매화가 필 적이면 손수 그린 사군자를 들고 시곡농장을 찾아와 함께 매실주를 기울이며 매화음(梅花飮)을 즐기곤 하셨다. 두 분 다 광복군 출신으로 현충원 애국지사 묘역에 묻히셨다.

그해 국군의 날, 10월 1일 아침이 밝을 녘 오전 일곱시 오분에 분당 서울대학교병원에서 아버지께서는 별세하셨다. 이제와 뒤늦게 생각하니, 아버지에게는 이 세상에서 마지막 맞는 현충일에 무엇보다도 전우에게 하직인사를 드리는 것이 급선무이셨구나 하고 가늠하게 되면서, 섭섭히 여기던 마음이 부끄러워진다. 아버지는 자신의 앞길을 예감하실 정도로 영혼이 맑으셨고, 마지막까지 전쟁을 함께 겪은 전우에 대한 신의를 지키셨다. 무려 반세기에 이르는 세월 동안에도 저세상에 먼저 간 전우의 우정을 못 잊고 간직하시다니…. '군인이 전쟁터에서 나눈 우정은 이렇게 깊고도 묵직한가' 하고 고개가 숙여졌다.

그렇다. 아버지께서는 무엇보다도 군인이셨고, 군인이었음을 자랑스럽게 생각하셨다. '남달리 명예로운 최고 학부를 나오시고 왜 하필이면 군인이 되셨을까' 하는 궁금증이 계속 남아 있다가, 이 자서전의 원고를 정리하면서 그 수수께끼가 풀렸다.

아버지의 학창시절에 경기도 광주군(廣州郡) 전체에서 대학에 다니던 사람은 아버지 단 한 사람뿐이었다고 한다. 현재의 명문대학들이 당시는 대부분 전문학교였다. 아버지는 경성제대 법문학부 법학과에 재학 중이던 1943년 일제로부터 학도병 영장을 받아 일단은 도망갔으나 결국은 끌려가 일본인이 시키는 대로 할 수밖에 없었다. 그런 굴욕적인 처지에서 많은 것을 느끼셨을 것이다. 해방이 되자 대학에 복학하여 졸업했지만, 그 무렵 한반도는 좌우 충돌, 신탁 · 반탁운동 등으로 독립 국가를 세우는 것이 불투명해 보였다. 이에 우리 민족의 힘으로 민주독립국가를 세울 것을 염원하셨고, 그렇게 될 것을 굳게 믿으셨다. 일단 건국이 되면, 새 나라에는 나라를 지키는 국군이 무엇보다 최우선적으로 필요함을 절실히 느끼고, 민족과 국가에 봉사하기 위해 군인의 길을 택하셨던 것이다.

자서전 출판 진행 중에 아버지께서 오래도록 간직해 오셨던 조선경비사관학교 생도 시절의 일기가 유품 중에서 발견되었다. 열화당 이기웅(李起雄) 사장님으로부터, 스스로 정리해 놓으신 원고 외에도 보존된 서한(書翰)이나 서류에 아버지의 삶이 잘 담긴 것들이 있을지 모르니 세밀히 찾아보라는 말씀을 듣고 난 후였다. 하마터면, 이 소중한 기록이 잡동사니 유품들과 함께 태워져 버릴지도 몰랐다. 아버지 생전부터 지금까지 어머니께서 병석으로 오래 자리보존을 하고 계셔서, 아버지의 유품 일부는 어머니 영면 때 함께 처분하기 위해 다행히 소각하지는 않았다. 아버지께서 육십 년 동안 소중히 간직하셨던 기록은 이렇게 빛을 보게 됐다. 바다에서 몇백 년 묵은 보물을 캐낸 듯이 여간 기쁜 일이 아니다.

생도 시절의 일기를 보면, 독립된 자기 나라를 떳떳하게 가져 보는 것이 그 당시 젊은이들의 뼈 속에 사무쳤던, 얼마나 간절한 소원이었는지가 잘 묻어난다. 나와 나의 후세들은 대한민국이 저절로 세워진 것인 줄 알고 부끄러울 정도로 무심하지 않았던가. 마치 공기의 고마움을 모르듯이. 그러나 오늘날의 대한민국은 이런 우리의 아버지, 할아버지 세대들의 피나는 염원과 인고와 노력 위에 세워진 것이다.

사관생도 김익권의 화두는 독립국가를 세우고 올바로 지키는 것이었다. 그래서 한평생 군인으로 살아왔다는 것에 대하여, 민족과 국가를 위해 올바른 길을 걸으셨다는 자긍심이 대단했다. 아버지께서는 장례식 때 쓸 영정사진도 군복을 입으신 예전의 모습으로 스스로 준비해 놓으셨다. 돌아가시기 십 년 전쯤의 일이었다. 그때 이미 이십여 년 전의 모습이었던, 마지막 임지 육군대학 총장 시절의 사진이었다. 아버지에게는 그 시절이 군인으로서 지휘관의 포부를 한껏 발휘하여 우리 군(軍)의 발전에 가장 많이 기여했다고 느끼셨던, 이를테면 자신의 군인 시절 및 인생의 황금기로 여기셨던 것 같다.

아버지의 군에 대한 생각이 이 정도였으니까, 국군의 날에 돌아가신 것도 예삿일이 아니다. 대한민국을 지키는 영원한 군인이기를 바랐던 그분의 영혼은, 그날이 영면일이 되도록 간절히 원했을 게다. 나라 사랑의 마음으로 초지일관한 사람들의 서거일이 뜻깊은 국경일이었던 예가 역사상에도 있다. 미국의 훌륭한 두 건국조부(建國祖父), 존 애덤스(John Adams) 제이대 대통령과 토머스 제퍼슨(Thomas Jefferson) 제삼대 대통령은 정적이었지만, 공교롭게도 같은 해의 독립기념일에 서거했다. 아버지가 돌아가시고 장례식장을 찾은 가까운 후배이자 벗인 백석주(白石柱) 대장은 휴대폰에 저장해 두었던 군인행진곡을 영정 앞에 틀어 주며 잘 가시라는 예를 표했다.

이 자서전의 가치는 세 가지로 압축될 수 있다. 첫째는 우리나라의 전통적인 가정교육의 면모가 어떠했나를 가늠할 수 있고, 둘째는 일제강점기와 대한민국 건국 시절에 청년들의 나라 사랑하는 마음을 살펴볼 수 있으며, 셋째는 유교와 불교의 고전적 가치관으로 다져진 한

인간의 삶에서, 매사에 정성을 다하고 달관을 향한 인격수양을 꾸준히 하면서 흡족하게 살다 간 모습을 엿볼 수 있는 것이다.

아버지의 글에서는 강직하고 충직하면서도, 다른 한편으로는 자상하고 감상적인 면모를 겸비하신 성품이 잘 나타난다. 그래서 경치 좋은 곳에 가거나 어떤 일로 흥이 나면 시 한 수를 읊곤 하셨다. 이 점은 학산(鶴山) 할아버지의 기품을 그대로 물려받으신 것이다. 지금은 잊혀져 가는 예전 우리 조상들의 고상한 정취를 이어받았다고 할 수 있다.

아버지는 퇴임 이후 삼십 년을 거의 하루도 빼놓지 않고 예불(禮佛)을 올리셨다. 오랫동안 불도(佛道)를 닦으신 때문인지 모든 일에 남다른 혜안(慧眼)을 지니셨으며 소탈하기 그지없으셨다. 돌아가시기 바로 전까지만 해도 상당히 건강해서 누구든지 백수(白壽)를 하실 것 같다고 여겼으나, 팔십오 세 되던 가을 어느 날 아침 자리에서 일어나기 힘들어 하셔서 곧바로 병원으로 모셨는데, 뇌경색과 뇌출혈이 동시에 일어났다는 진단이 내려졌다. 병원 도착 후 세 시간 만에 엠아르아이(MRI) 촬영을 하다가 혼절하셨고, 그 후 수술을 받았으나 회복하지 못하고 그대로 잠드셨다.

돌아가실 당시에는 더 이상 뵙지 못하는 것이 마냥 서럽기만 했으나, 돌이켜 보면 혼절하기 직전까지도 일상사에 관해서만 이야기하실 뿐 고통을 호소하시지 않아, 큰 통증 없이 복 되게 생을 마감하신 것 같이 여겨져 그나마 위안이 된다. 아버지께서는 쉰넷에 「여생(餘生)의 소원」이라는 시를 쓰셨는데, 소원하시던 바대로 이루어진 것이다.

차근차근 갈 차비 하고
소리 없이 살다

화로에 불 사위듯
조용히 가고 싶다

애석(哀惜)도 허무(虛無)도 모른 채
후회도 미련도 없이
황혼에 해 지듯이
아름답게 가고 싶다

긍지를 느끼시던 군인으로서 국군의 날에 돌아가셨으니 더없이 영예로웠고, 장례식도 추석 연휴라 한가할 때이며 날씨도 청명했다. 불교 예식(禮式)으로 매주 절에 가서 올린 사십구재(四十九齋)도 자연히 토요일이어서 사후에도 남은 사람들을 편안하게 해주고 가셨다. 보통 덕이 높은 분들은 돌아가실 때도 주위를 편안히 해주며 가신다는데, 아버지의 도력(道力)이 이런 것에도 작용하지 않았나 생각된다.

아버지께서는 건강하셨으나, 삶의 최후가 가까워 오면서 어떤 느낌이 들었는지 이세상을 하직할 마음의 준비를 차근차근 하셨다. 돌아가시던 해의 식목일과 석가탄신일(釋迦誕辰日)에는 훗날 당신 유골의 일부를 농장 내에 수목장(樹木葬)을 하라고 장지(葬地)를 정해 주면서, 그곳에 나무들을 심고 법화경비(法華經碑)를 세우셨다. 그리고 현충일에는 전우의 묘를 참배하신 데 이어, 여름에는 가까웠던 작은 누나의 묘를 나의 고종사촌들을 불러 모아 함께 참배했다. 분재(分財)에 대해서도 대강은 그보다 일이 년 전쯤 미리 정리를 해 놓으신 터였다.

아버지는 슬하에 일남삼녀를 두셨고 모두 건강히 살고 있으며, 손주가 다섯, 증손주는 넷이다. 외아들 형신(炯信)과 그의 아내 현기옥(玄基玉) 사이에 두 아들 성규(聖圭)와 현규(賢圭)가 있다. 장녀 형열(炯烈)은 부군 김경진(金慶鎭)과의 사이에 출가한 수연(秀蓮), 지연(志蓮)을 두었다. 차녀인 나는 현재 한국외국어대학교 사학과 겸임교수로 있고, 삼녀 형의(炯義)는 부군 유공식(劉公植)과의 사이에 아들 성훈(城勳)을 두고 있다.

현재 아흔둘이신 어머니는 아버지께서 일흔여섯 되던 해에 중풍으로 몸져누워서 지금도 아버지와 함께 살던 집에서 아버지 생시와 별다름없이 살고 계신다. 어머니 발병 후, 아버지는 속죄하는 의미에서 어머니의 병환을 잘 보살피겠다고 했고 실천에 옮기셨다. 팔 년 동안 아내의 병을 간호하는 것이 결코 쉬운 일이 아니었을 텐데 묵묵히 잘 견뎌내셨다. 아버지께서 우스갯소리로 말씀하신 죄란 몇 토막 단막극 같았던 '로맨스' 때문이었는데, 아버지 시대에는 우리나라 가장들이 아내들의 마음에 그런 부담을 주는 일이 흔히 있었다.

'김익권 장군 자서전' 은 모두 세 권으로 구성되어 있다. 첫번째 권에 해당하는 이 책은 아버지의 유고를 바탕으로 엮고, 두번째 권인 『우리 아버지 이야기』는 아버지께서 회갑 무렵 학산 할아버지에 대해 회상하며 출판했던 『우리 아버지』를 새로이 정리했으며, 세번째 권인 『사진 앨범』은 아버지 일생의 사진을 간략한 설명과 함께 편집한 것이다.

아버지께서는 이 책의 원고를 손수 써서 정리해 놓고, 제목을 '시곡한화(柿谷閑話, 시곡이 한가로이 써내려 간 이야기)' 라고 붙이셨으며, 목차까지 만들어 놓으셨다. 그것은 본문이 총 열다섯 장으로 구성되어 있었고, 백두산과 인도 여행 때 쓰신 기행문과 한시(漢詩)를 포함한 부록이 두 장 덧붙여져 있었다. 이렇게 정갈하게 정리해 놓으신 원고 외에도 조선경비사관학교 생도 시절에 쓰셨던 일기, 잡기장(雜記帳)에 초고로 남겨 놓으신 글과 시 몇 편이 발견되어 본문에 삽입하면서, 내용에 따라 총 여섯 부로 다시 구성했다. 열다섯 장 중 제목만 적어 두고 내용은 쓰지 못하신 넉 장의 원고에 대해서는 내가 아버지의 속내를 헤아려 가며 간략하게 부기(附記)하였다. 이로써 아버지께서 직접 쓰신 모든 글을 이 책에 싣게 됐다.

원래의 육필 원고는 거의 반이 한자(漢字)로 씌어 있었는데, 필요한 한자만 괄호에 병기하고 옛 문투는 현행 어법으로 약간 고쳤다. 그러나 내용에는 손을 안 대고 그대로 출판함으로써 아버지의 체취를 보존하려고 했다.

이 책이 탄생한 데는 열화당 이기웅 사장님의 이끄심과 격려가 핵심적 원동력이었다. 나는 일 주기에 아버지께서 정리해 놓으신 원고로 조그만 책자를 내려고 작업 중에 있었다. 그러나 원고 정리가 지연되었고, 그러던 중에 이 사장님과 인연이 맺어져 그분의 열정으로 말미암아 더욱 꼼꼼하게 기획되었다. 자서전의 내용이 이같이 충실해졌을 뿐 아니라 예술적 경지의 모양새를 갖추어 세상에 선보이게 된 것은 모두 이 사장님 덕분이다. 아버지께서는 인연을 무척 중요하게 여기셨는데, 사후에도 이 사장님 같은 분과 인연이 계속 뻗어 가다니, 지극히 행복한 분임에 틀림없다.

나에게도, 열화당에 이 년여를 다니며 일했던 시기는 감동 그 자체였다. 출판철학을 가지고 꼼꼼히 장인정신으로 책을 만드는 모습을 지켜보는 것은 아무나 갖는 행운이 아니다. 거기서 책을 만드는 일에 묻어나는 진지함은 내 삶의 태도 일반에도 널리 영향을 주었다. 훌륭하게 선친의 자서전을 만들어 주신 이기웅 사장님의 은혜를 무엇으로 갚을는지, 나에게는 인생의 숙제가 하나 더 늘었다. 이 책이 나오기까지 오랜 기간을 함께 애써 주고 열화당이 있는 파주출판단지로 작업하러 가는 길을 즐겁게 해주신 백태남(白泰男) 편집위원님, 조윤형(趙尹衡) 편집실장, 이수정(李秀廷) 기획실장, 공미경(孔美璟) 디자인부장, 황윤경(黃尹京) 님, 엄세희(嚴世喜) 님, 박세중(朴世仲) 님, 그리고 그 외의 열화당 여러분에게 이 자리를 빌려 고마움을 표한다. 또 바쁜 와중에도 원고 정리에 도움 주기를 마다하지 않았던 이동길(李東吉) 님, 최금좌(崔錦座) 교수님, 남정옥(南廷屋) 박사님, 황해두(黃海斗) 교수님, 차장섭(車長燮) 교수님과, 사진 정리를 도와주신 김동수(金東秀) 대령님께도 깊은 감사의 마음을 전한다. 혹시라도 내용에서 어떠한 잘못이라도 발견된다면 그것은 모두 나의 책임이며, 독자 제현(諸賢)께서는 망설이지 말고 질정(叱正)해 주시기를 부탁드린다.

2011년 7월
김익권 장군의 둘째딸 김형인(金炯仁)

차례

여행과 순례(巡禮)

시곡단상(柿谷斷想)

부록

나의 전사(前史),
그리고 청년 시절

뿌리를 찾아서

사람이란, 자기를 낳아 주시고 키워 주신 부모님을 비롯해서 면면히 이어 온 먼 조상님들의 내력까지 알 수 있는 한 알고 싶어하는 것이 본능된 일일지니, 나도 후손들에게 우리 집안의 뿌리에 관해서 일러 주고자 한다. 배타적인 우월감에서가 아니라, 조상님께 부끄럽지 않은 인간이 되라고 함에서이다.

우리 겨레 이천 년 문화사에서, 민족의 발전과 복지를 위해 한평생을 헌신하신 으뜸가는 성군(聖君)을 꼽으라면, 조선 초기에 우리 겨레의 한글〔訓民正音〕을 창제하신 세종대왕(世宗大王)이실 것이다. 그 어른께서 왕위에 오르신 후 당신 조상님들의 은덕을 칭송하고 기리신 글〔詩〕이 「용비어천가(龍飛御天歌)」이다. 나의 연상의 친구 되는 퇴역 군인 안동준(安東濬) 선생은 한학자요 명필로 나와는 서로 존경하던 사이인데, 바로 그 글을 묵필로 써다 주심에, 그 뜻이 깊고 글씨 또한 아름다우므로 액자를 만들어 자손대대로 물려주려고 나의 생활공간에 걸어 놓았다. 내용인즉 다음과 같다.

根深之木은 風亦不扤이요
有灼其華하며 有蕡其實이라
源遠之水는 旱亦不渴이요
流斯爲川하며 于海必達이라

번역하면,

뿌리 깊은 나무는 바람에도 쓰러지지 않고
그 꽃이 빛나며 올몽졸몽 열매 탐스러워라.
근원이 먼 물은 가물어도 마르지 않고
흘러서 내가 되고 기필코 바다에 이르는도다.

얼마나 아름다운 자연의 이치더냐! 우리네 인생도 자연의 이치를 깨닫고 본받아, 이에 순응하며 살아 나가는 것이 복된 도리일 것이다.

우리 집안의 성은 김(金)이요, 김해(金海)의 옛 이름인 김녕(金寧)이 본인데, 신라의 마지막 임금이신 경순왕(敬順王)의 후예이다. 시조 김알지(金閼智)에 관한 전설 같은 얘기는 『삼국사기(三國史記)』나 『삼국유사(三國遺事)』에 적힌 것이 대략 이러하다.

신라 넷째 임금 석탈해왕(昔脫解王) 9년(서기 65년) 삼월의 어느 날 밤, 현존하는 경주(慶州) 시림(始林) 숲 속에서 닭이 우는 소리를 듣고, 왕은 날이 밝자 신하를 보내 살펴보고 오라고 했다. 신하가 가 보니, 금빛의 작은 궤짝이 나뭇가지에 걸려 있고 흰 닭이 그 아래에서 울고 있는지라, 이 사실을 아뢰니 왕은 사람을 시켜 그 궤짝을 가져오도록 했다. 궤 속에 용모가 뛰어난 옥동자가 있으므로, 왕은 "하늘이 나에게 주신 것이 아니냐!"며 기뻐하시고 거두어 길렀다. 장성하면서 지략이 뛰어나고 총명했다. 알에서 나왔다고 알지라 이름하고, 성은 금빛 궤짝에서 나왔다고 김씨로 했다. 시림을 계림(鷄林)이라 부르고, 한때 계림을 국호로 삼기도 했다. 바로 이분이 신라 계통의 김씨의 시조이시다. 석탈해왕은 그를 태자로 삼고, 섭정(攝政)에 해당하는 대보(大輔) 벼슬을 주었으나, 왕위 계승은 사양하고 오르지 않았다. 석탈해왕의 왕자인 각간(角干) 강조(康造)의 따님과 결혼하였는데, 시조이신 이분의 칠세손인 미추왕(味鄒王)이 신라 열세번째 임금이시고, 팔세손인 내물왕(奈勿王)이 열일곱번째 임금이 되신다. 신라 마지막 임금 오십육대 경순왕이 시조님의 이십팔세손이 되신다. 참고로 신라 천 년의 왕 쉰여섯 분 중 박씨가 열 분, 석씨가 여덟 분이고, 김씨가 서른여덟 분이었다.

경순왕은 신라 건국 구백구십이 년 만에 시운(時運)이 다하고 나라가 기울어, 더 이상 천년사직(千年社稷)을 지탱하기 어려움을 깨달았다. 전란 속에 무고한 백성을 살려야겠다는 자비심으로 군신회의에서 당신의 뜻을 밝히고 동의를 얻어 신흥 고려의 태조 왕건(王建)에게 나라를 바쳐 귀부(歸附)했다. 경순왕은 왕족, 신료백관(臣僚百官)을 데리고 경주를 떠나 개성(開城)으로 옮겼다. 왕건 태조는 예로써 후히 맞이했으며, 정승(政丞)의 벼슬을 내리고, 경주를 식읍(食邑)으로 삼아 주었다. 또 자신의 장녀인 낙랑공주(樂浪公主)를 넷째 비(妃)로 맞도록 하여 그를 사위로 삼았다. 이에 경순왕은 자기 백부의 딸을 왕건왕의 후궁으로 들여보내, 국혼을 통하여 경순왕의 후손들이 고려조에서 귀족 대우를 받으며 영달하게 되었다. 경순왕과 낙랑공주 사이에서 태어난 은열(殷說)이란 분이 경순왕의 넷째 아드님인데, 바로 이 분이 우리 김녕김씨의 조상이 되신다. 우리들의 부계 혈통 속에는 자비로우신 경순왕의 피와 영웅으로 호쾌하신 왕건 태조의 피가 섞여 있다는 것을 흐뭇하게 기림 직하다.

고려조로 내려와서, 경순왕 팔세손인 문열공(文烈公) 김시흥(金時

興) 님이 김녕김씨의 관조(貫祖) 즉 중시조(中始祖)가 되시는데, 이분은 고려 인종(仁宗) 재위시에 병부시랑동북면병마사(兵部侍郎東北面兵馬使)를 역임한 무장이신바, 인종 13년(서기 1135년) 요승(妖僧) 묘청(妙淸)의 난이 서경(西京, 평양)에서 일어나자, 왕명을 받들어 김부식(金富軾)과 함께 그 난을 평정한 공으로 금주(金州), 곧 지금의 김해 땅에 훈봉(勳封)되었다. 그리하여 그분을 중시조로 한 후예들이 김해를 본관으로 삼아 김해김씨라 불리며 내려왔다. 그러나 가야(伽倻)의 시조 수로왕(首露王) 자손들이 이미 김해김씨라 불리어 오고 있던 터라, 이들을 선김(先金) 김해김씨라 부르고 우리 문중을 후김(後金) 김해김씨로 불러 구분했었다. 이렇게 동일한 본관에서 오는 혼란을 바로잡고자, 우리 종문(宗門)에서 조선 고종(高宗) 갑신년(1884년)에 조정에 청원하여 예조(禮曹)의 비준을 얻어, 김해 땅의 옛 이름 김녕을 따서 김녕김씨로 본을 개명했다.

조선조로 내려와서 세종대왕의 둘째아들인 수양대군(首陽大君)이 조카 단종(端宗)의 왕위를 찬탈하여 즉위하니 그가 세조(世祖)이다. 이때 사육신(死六臣)들의 단종복위 모의 사건이 일어났다. 그러나 배반자가 있어 거사가 탄로되어 미수에 그치고 만다. 모의에 연루된 모두는 검거되어 극형에 처해졌는데, 문신 출신들인 젊은 주동자들과 함께 의거에 참여했던 무장 가운데서 최고위직에 계신 분이 백촌(白村) 김문기(金文起) 공으로, 충효가 관절(冠絶)한 우리 집안의 조상이시다. 이분은 '권(權)'자 항렬의 십오대조, '형(炯)'자 항렬의 십육대조, '규(圭)'자 항렬의 십칠대조이시다. 정사(正史)인 『조선왕조실록』에 의하면, 사육신과 함께 능지처참당하시고, 권속들은 풍비박산되었다.

김문기 공은 고향이 충청도 옥천(沃川)이며, 문과에 급제한 문신이신데, 문무겸전하여 함길도(咸吉道) 병마절제사와 관찰사를 역임하셨고, 의거 당시에는 공조판서 겸 삼군도진무(三軍都鎭撫)로 서울에 계셨다. 충직강의(忠直剛毅)하여 세종대왕에게 사랑을 받고 세조도 재능을 아껴 중용(重用)해 주었지만, 정의감이 철석 같으신 분이셨다. 그리하여 세조가 친국(親鞫)하는 자리에서 "너마저 가담했느냐! 누구누구와 함께?"라고 물어도 묵묵부답, 혀를 깨물고 유구무언, 굴복치 않고 죽음을 떳떳이 받으셨다. 영조(英祖) 대에 내려와서 신원(伸寃) 복관되어 이조판서에 증(贈)해지고, 충의(忠毅)란 시호가 내려졌다. 충청·경상·전라 삼남지방 여러 곳에 그분의 고결한 충의정신을 현창(顯彰)하는 사우(祠宇)가 세워져 제향(祭享)되고 있으며, 제삼공화국 시절에 서울 노량진 사육신 묘역에 가묘(假墓)가 조성되고 제각(祭閣)에 위패가 모셔져 매년 제향을 받으신다.

나 시곡(柿谷)은 충의공 백촌 김문기 십오대조 할아버지의 장하고 슬픈 역사 애기를 젊어서 알게 되었고, 그 후예인 나의 조상들이 대대로 고생하신 사정을 동정해 올리면서 흠모한다. 신원 복관될 때까지는 빛나는 조상님을 숨기고 빈천하게 살 수밖에 없었을 것이다. 그제야 충신의 후손이라는 긍지를 가지고 떳떳하게 살 수 있었을 것이다.

근세에 내려와서, 조선 오백 년 말기에 접어들어 외세가 밀어닥치면서 다사다난하게 되는데, 나의 조부님[1]께서는 고향이 경기도 광주군(廣州郡) 언주면(彦州面) 학리(鶴里)였으며, 고종 때 무과에 급제

1. 김봉성(金鳳聲, 1840-1901). 자는 완주(完周). 가선대부(嘉善大夫)로서, 무과에 합격하여 절충장군(折衝將軍) 용양위부호군(龍驤衛副護軍), 덕포진관(德浦鎭管) 주문도(注文島) 수군첨절제사(水軍僉節制使)를 지냈다.—편자

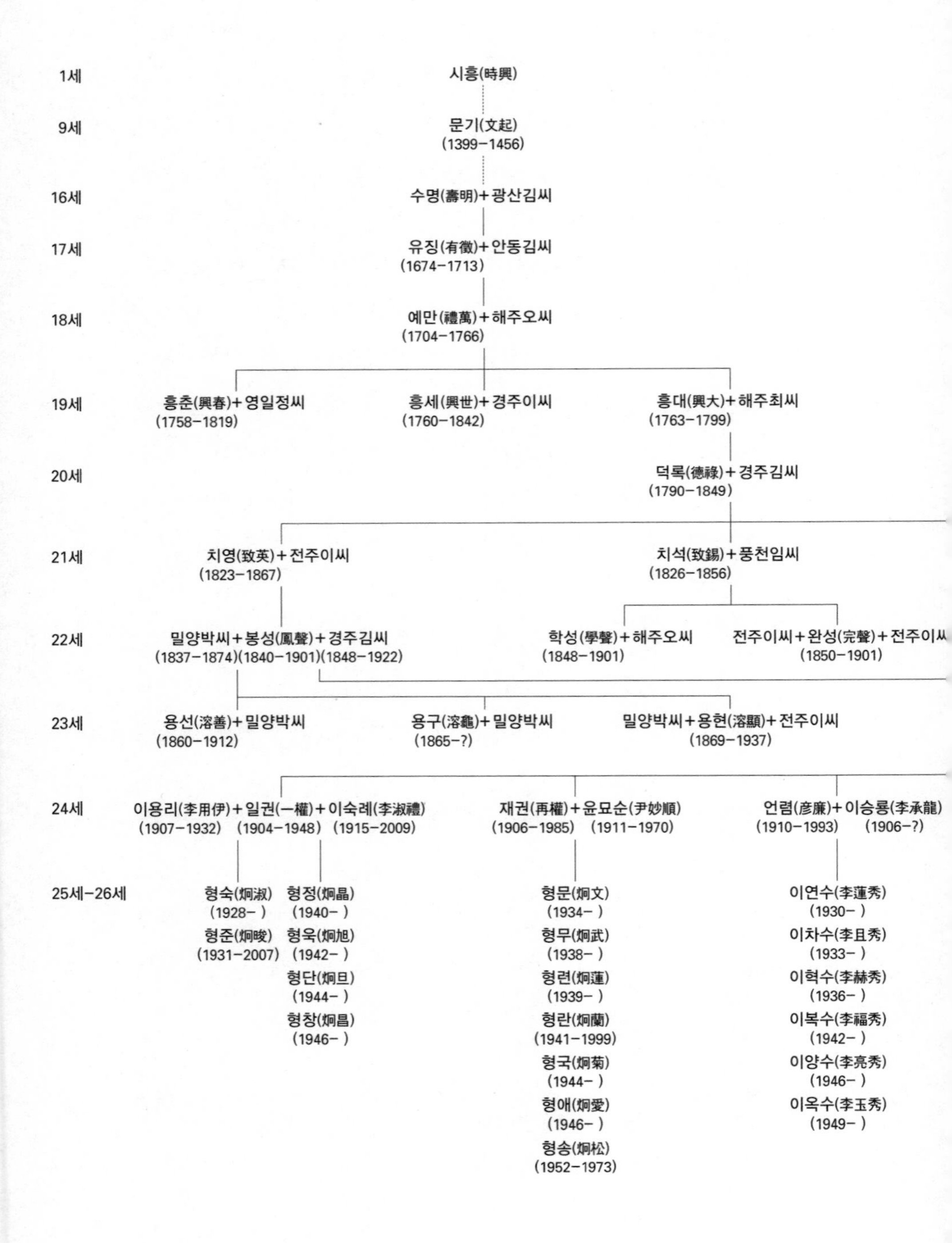

1세
시흥(時興)
9세
문기(文起)
(1399–1456)
16세
수명(壽明)+광산김씨
17세
유징(有徵)+안동김씨
(1674–1713)
18세
예만(禮萬)+해주오씨
(1704–1766)
19세
흥춘(興春)+영일정씨
(1758–1819)
흥세(興世)+경주이씨
(1760–1842)
흥대(興大)+해주최씨
(1763–1799)
20세
덕록(德祿)+경주김씨
(1790–1849)
21세
치영(致英)+전주이씨
(1823–1867)
치석(致錫)+풍천임씨
(1826–1856)
22세
밀양박씨+봉성(鳳聲)+경주김씨
(1837–1874)(1840–1901)(1848–1922)
학성(學聲)+해주오씨
(1848–1901)
전주이씨+완성(完聲)+전주이씨
(1850–1901)
23세
용선(溶善)+밀양박씨
(1860–1912)
용구(溶龜)+밀양박씨
(1865–?)
밀양박씨+용현(溶顯)+전주이씨
(1869–1937)
24세
이용리(李用伊)+일권(一權)+이숙례(李淑禮)
(1907–1932) (1904–1948) (1915–2009)
재권(再權)+윤묘순(尹妙順)
(1906–1985) (1911–1970)
언렴(彦廉)+이승룡(李承龍)
(1910–1993) (1906–?)
25세–26세
형숙(炯淑)
(1928–)
형준(炯晙)
(1931–2007)
형정(炯晶)
(1940–)
형욱(炯旭)
(1942–)
형단(炯旦)
(1944–)
형창(炯昌)
(1946–)
형문(炯文)
(1934–)
형무(炯武)
(1938–)
형련(炯蓮)
(1939–)
형란(炯蘭)
(1941–1999)
형국(炯菊)
(1944–)
형애(炯愛)
(1946–)
형송(炯松)
(1952–1973)
이연수(李蓮秀)
(1930–)
이차수(李且秀)
(1933–)
이혁수(李赫秀)
(1936–)
이복수(李福秀)
(1942–)
이양수(李亮秀)
(1946–)
이옥수(李玉秀)
(1949–)

김익권 가계도(家系圖)

김녕김씨 수명파의 학동 거주자들을 중심으로

시곡(柿谷) 김익권의 가계는 김녕김씨(金寧金氏) 백촌공파(白村公派)에서 이어져 내려온 집안이다.
관조(貫祖, 中始祖)로 모신 문열공(文烈公) 김시흥(金時興)은 신라 경순왕(敬順王)의 팔세손으로,
1270년경 금주(金州, 지금의 김해)에 김녕군으로 훈봉되었다. 문열공의 팔세손인
충의공(忠毅公) 백촌 김문기(金文起)는 조선의 세종 · 세조 대에 공조판서와 삼군도진무(三軍都鎭撫)를 지냈고,
사육신의 단종복위운동에 최고위 무장으로 참여하여 순절했다. 그는 후에 신원(伸冤) 복관되고,
삼남지방 여러 곳에서 그의 충절을 기리는 사우(祠宇)에 제향되면서 백촌공파가 생겨났다.
수명파(壽明派)는 백촌공파에서 갈라져 나온, 김녕김씨 십육세손 김수명(金壽明)에서 비롯된다.
그는 수원에 거주하였으나 아들 김유징(金有徵)과 손자 김예만(金禮萬)은 지금의 서울 개포동 부근에서 살았고,
십구세손 김흥대(金興大) 대부터 학동(鶴洞)에 김녕김씨의 집성촌이 이루어졌다. 이십세손 김덕록(金德祿)의 아들
셋은 모두 무과에 합격하였고, 큰아들 김치영(金致英)은 동지중추부사(同知中樞府事) 겸 오위장(五衛將)을 지냈다.
그의 아들 김봉성(金鳳聲)은 수군첨절제사(水軍僉節制使)를 지냈고, 김봉성의 다섯째아들이며
선정릉 참봉(參奉)을 지낸 김용대(金溶大)가 시곡 김익권의 부친이다.

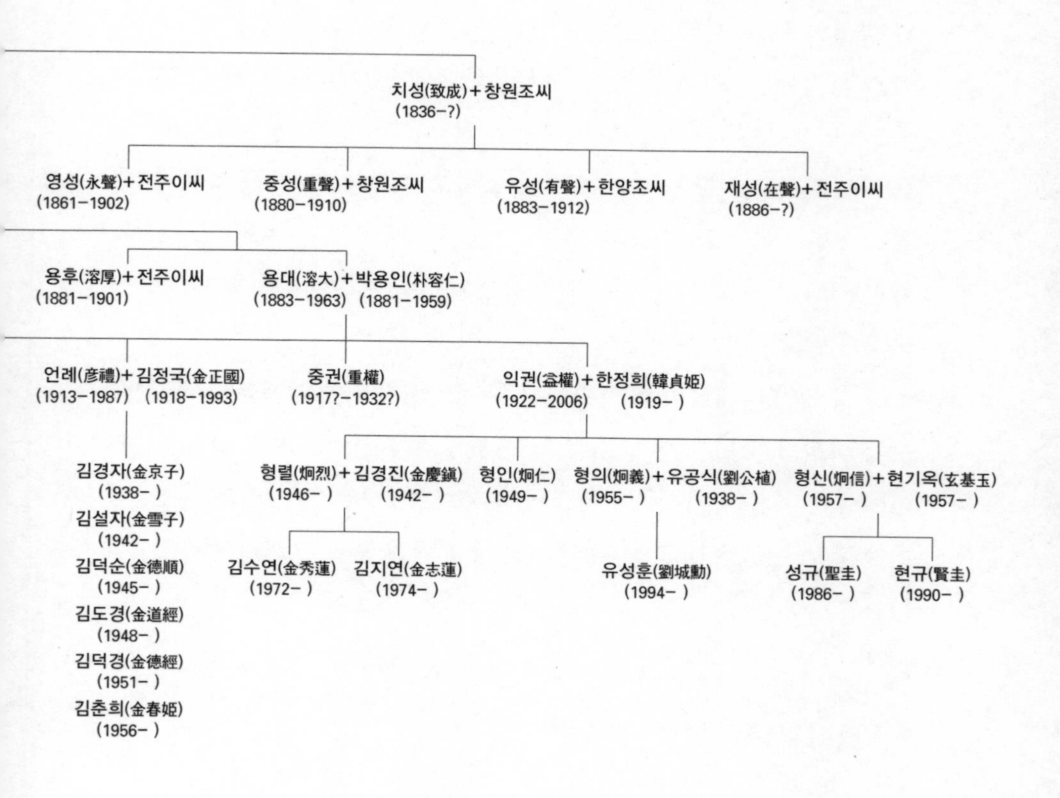

하셨다. 체구 건장하시고 풍모 좋고 언변이 능하셔서 평생 고종의 호위무관으로 근무하셨다. 수십 년 경복궁(景福宮)에 출입하시며 성실히 근무하신 끝에, 포상 격으로 강화도 외양 서쪽 부속 섬인 주문도(注文島) 첨절제사(僉節制使)로 임명되시어 몇 해 벼슬을 지내시고 퇴역하셨다. 지금으로 치면 준장(准將) 격이다. 고종 임금의 신임이 두터웠던 모양이다.

장군 할아버지의 막내아들의 또 막내아들인 나 시곡은 할아버지의 얼굴도 못 뵈었고 사진도 없던 시절이라, 그저 키 크시고 골격이 우람하시고 목소리가 우렁차신 분으로 추측한다. 장군 할아버지는 천 석을 하신 증조할아버지[2]의 외아들로 태어나 유복하게 자라셨다. 그러나 여섯 살이 될 때까지 말을 못 하셨으므로 부모님과 친척들이 벙어리가 되지 않을까 걱정이 크셨다고 한다. 여섯 살 되던 해에 "함문파—" 하고 소리 지르신 것이 말문이 열리는 시초였단다. 그것이 무슨 뜻인지는 아직도 수수께끼로 남아 있으나 '緘門破(봉한 입문이 터진다)' 라고 억지로라도 풀이할 수 있는지 모르겠다. 아무튼 장성함에 따라 어찌나 말씀을 잘하시는지, 별명이 '쇠변장이〔설변장(舌辯長), 변사〕' 였다니 대기만성형이셨던 모양이다.

나 시곡은 일제식민지 치하에서, 부모님[3] 덕분으로 서울에서 대학까지 다니다가 일본 패망 전 일본군에 학도지원병(강제된 병역)이란 미명하에 중국 북지(北支, 지금의 화북지방) 산동성(山東省)으로 끌려갔다. 전쟁터에서 종군 중 일본 패망 직전에 소속 부대가 조국인 함

2. 김치영(金致英, 1823-1867). 가선대부로서, 동지중추부사(同知中樞府事) 겸 오위장(五衛將)을 지냈다.—편자
3. 아버지는 김용대(金溶大, 1883-1963), 어머니는 박용인(朴容仁, 1881-1959)이다. 김용대의 자는 성재(聖哉)로, 경기도 광주군 언주면 학리의 이장과 선정릉(宣靖陵) 참봉을 지냈다.—편자

홍 지역으로 이동하여, 다행히도 국내에서 해방을 맞이했다. 서울대학교 법과대학에 복학하여 졸업하고, 조국통일이란 민족과업에 헌신코자 미군정 아래에서 국방경비사관학교에 입교하여 제오기생으로 구 개월 단기교육을 받고 소위로 임관된 후, 정부 수립과 동시에 국군장교가 되어 반평생을 군인으로 살아왔다.

우연한 운명일는지 또는 예정된 숙명일는지, 소년 시절엔 꿈도 꿀 수 없었던 일이다. 육이오 전란을 소령(少領)으로 맞이했으며, 전란 중에는 전방 대대장, 부연대장, 연대장을 맡으면서 최선을 다했다. 휴전 후에는 미국 군사학교인 보병학교 고등군사반, 그리고 우리 육군대학에 해당하는 미국 지휘참모대학(US Army Command & General Staff College)에 유학하여 견식을 넓히고 돌아와, 우리나라 육사 또는 육군대학 간부로서 활동했다. 그 후 전후방 사단장, 부군단장을 거쳐 육군대학 총장을 약 오 년 가까이 지내고, 소장(少將)으로 퇴역했다. 한 두어 달 쉬고 서울 서빙고에 있던, 현역 장병들의 자녀교육을 위해 마련된 남녀공학의 중경고등학교(中京高等學校) 교장을 국방부 장관께서 맡기기에, 약 오 년 동안 정성을 다하여 청소년을 교육했다. 그리고 쉰다섯 살에 공직에서 은퇴하고 세상사에서 한 발 물러나 여생을 가꾸고 있는 것을 고맙게 생각한다.

퇴역 후에 한때 시간을 내서, 문중(門中)의 청년 몇 명을 거느리고 조부님께서 마지막 몇 해 근무하셨던 강화도 외양에 위치한 주문도를 찾아 하룻밤을 머물면서 조부님을 추모드린 바 있다. 아마 우리 집 조상님들의 혈통 속엔 문(文)보다 무(武)의 기질이 더 많아 무인이 적격이었는지 모르겠다.

출생에 얽힌 이야기

서구문명의 요람인 그리스, 그곳의 철인 소크라테스는 자기 제자들을 일깨워 줌에 있어 "너 자신을 알라!"고 일렀다. 2002년 세계 월드컵 축구대회에서, 우리 국가 대표팀의 감독을 맡아 선수들을 선발하고 훈련하고 출전시켜 세계 사강이란 기적을 달성케 한 히딩크의 자서전인 『마이 웨이(*My Way*)』를 읽어 보고, 여러 가지 탁월하고 독특한 리더십에 매우 깊은 감명을 받았다. 선수 가운데 아직 자신감이 부족하여 애쓰는 듯하지만 꼭 대성시켜 주고 싶은 믿음이 가는 선수에겐, 아침에 종종 얼굴이 마주칠 경우 "아침에 거울을 들여다보고 나왔나?" 하고 물었다고 한다. 바로 이것이 '너 자신을 똑바로 들여다보고, 너 자신을 네가 알고, 자신을 키우도록 하라!'는 부탁이요 격려일 것이라고 느껴진다.

사람이란 사회적인 동물로 만물의 영장이라고 한다. 사회생활을 하게 될 때, 자기가 설 자리를 알게 되고, 남과 더불어 살아갈 수 있는 길을 터득하는 일이 '철드는 것' 아니겠는가. 자기 자신을 알 만큼 지혜로워져야 남을 이해할 수 있는 능력이 생기는 것 같다. 나도 이제 여든이 넘었는데, 장년이 되어서야 깊이있게 자신을 알게 되고, 그런 연후에 남도 알게 되는 게 아닌가 한다.

나의 고향은 경기도 광주군 언주면 학리이다. 과거의 언주면이 현재는 서울시 강남구가 되어 완전히 신도시로 개발됐지만, 반세기 전만 해도 한강을 배 타고 건너다니는 농촌 마을이었다. 어려서 시골 마을에서 자라다가, 여덟 살이 되자 손위의 형과 누이가 공부하던 서울에 올라와서, 일제 치하의 식민지 백성으로 그들이 가르치는 초등, 중등 교육을 받았다.[1] 그리고 한국인으로서는 가뭄에 콩나듯이 어렵사리 들어가던 대학에 다니다가, 제이차세계대전이 끝날 무렵 일본군에 강제 동원되어 중국 북지 전쟁터에서 종군하다 해방을 맞았다.

고향인 학리에서는 오대조[2]부터 사셨고, 증조부 때에 이르러 천 석의 부농이 되셨다. 조부께서는 외아들로 태어나서 무과에 급제하시고 주문첨사(注文僉使)를 역임하셨다. 나의 아버지는 그분의 다섯째아들〔이모(異母) 형제 중 계모 소생으로 막내〕이시다. 아버지는 조부님께서 예순넷[3]에 타계하시니, 조모님을 모시고 살면서 한학 공부를 열심히 하고 자수성가하여, 고향마을에서 중농생활을 영위하면서 동리 이장을 오랫동안 지내셨다. 일제 치하에서 드물게 자녀 오남매를 학교 공부시키셨다.

아버지는 지극하신 효자로 '지성이면 감천'이라는 유교철학을 실천하신 노력가이시다. 나라 없는 백성으로 청춘의 포부도 못 펴고 벼슬도 없이 백두(白頭)로 늙어가는 것, 즉 갓을 머리에 써 보지도 못하는 흰머리 신세를 한스러워하셨다. 아버지께서는 고향인 동리에서 이장 일을 보시느라고 뻔질나게 면사무소가 있는 역삼리(현재의 서울 역삼동)에 가고 오는 길에 선정릉(宣靖陵, 성종과 중종의 능, 지금의

1. 김익권의 부친 김용대는 서울 통인동에 있던 지인의 집을 관리했는데, 고등학교 재학 중 타계한 셋째형을 포함하여 김익권의 사남매는 그 집에서 학교에 다녔다. 혼자된 김익권의 큰어머니가 남매들의 숙식을 보살폈다. 김익권의 큰누나만 시골에서 부모님과 함께 지냈다.—편자
2. 김흥대(金興大, 1763-1799). 통정대부(通政大夫) 공조참의(工曹參議)에 증해졌다.—편자
3. 족보에는 조부 김봉성이 1840년에 태어나 1901년 예순둘의 나이에 별세한 것으로 기록되어 있다.—편자

강남구 삼릉공원)을 지나가셔야 했다. 모두들 지난 시대 옛 조상들의 임금님 능일 뿐이라고 여기며 관심 없이 지나쳤지만, 아버지는 그곳을 지나실 때마다 엎드려 절하고 다니셨기에, 길 옆 그곳 풀 위에 자리가 났다고 한다. 그런 덕분이었는지, 뜻하지 않게 이왕직(李王職)에서 아버지께 마지막 능참봉 자리를 제수했다. 예전에는 종구품(從九品) 자리지만 지체 높고 학식있는 사람을 임명했던 것이다. 그리하여 육이오 전란을 능집[4]에서 치르시고, 백두를 면하고 갓을 쓰고 노년을 마감하셨으며, 묘비에 의젓하게 "宣靖陵參奉…之墓(선정릉참봉…지묘)"라고 새길 수 있게 되어 평생소원을 푸셨다.

어머니께서는 아버지보다 두 살 위이신데, 용인(龍仁)이 친정이고, 행세하던 집안에 태어나셨지만 학문은 없으셨다. 시골살림 하시면서 오남매를 키우셨는데, 사리에 밝으시고 성격이 대범하고 결단성이 있는 분이셨다. 족보를 살펴보니, 아버지가 서른아홉이고 어머니가 마흔하나 되던 해에 막내인 내가 태어났다. 나의 생일이 1922년 음력 2월 16일인데, 나의 할머니께서 1922년 음력 1월 29일에 타계하셨으니, 어머니께서 시모상을 당하신 지 십칠 일 만에 출산하신 것이다. 겨울철이었지만 아버지의 소원에 따라 구일장을 치르셨다고 한다. 향리에서 십 리 떨어진, 지금의 강남구 개포동에 자리한 조부님의 묘소에 합장하셨다. 장례를 마치시고, 아버지께서 묏자리에 눌러앉아 '시묘살이' 하시겠노라며 귀가하지 않으시자, 결기가 대단하시던 어머니께서는 뱃속 태아가 여덟 달이나 된 몸을 이끌고 머슴을 데리고 십 릿길을 걸어 산소에 와서 "많은 식구는 어찌하라고, 시묘살이라뇨?"

4. 선정릉 내에 있는 재실(齋室). ―편자

라고 하시면서 막무가내로 남편을 붙들어 끌고 오셨다.

그 결과 뱃속의 아기가 달을 채우지 못한 채 여덟 달 반 만에 조산하게 되었다. 낳아 놓고 보니 미숙아의 모습이 역력해서, 살결이 말간 새 새끼 같고 코도 귀도 덜 생긴 것 같아, 낳은 것을 솜에 싸서 건넌방 윗목에 밀어 놓아 두었다고 한다. 그런데 명이 길어서 살아났다고, 해산 구완을 하신 백모님이 말씀해 주셨다. 그 방에는 서쪽에 창이 하나 있어서, 아기가 본능적으로 햇빛을 찾아 한쪽으로 고개를 돌리고 자라나게 되어, 나의 뒤통수가 넓적하고 약간 비뚤어지게 되었다. 나보다 아홉 살 위의 누이가 '뚝배기' 라고 별명을 붙였는데, 대여섯 살 때 손끝이 무디어 사기그릇 같은 것을 자주 떨어뜨려 깨뜨릴 때면 '여덟 달 반' 이라서 저렇다고 흉을 보았다. 그러면 아버지께서 "성삼문(成三問) 같은 충신도 '팔삭둥이' 란다" 하시며 감싸 주곤 하셨다. 어머니께선 마흔이 넘은 몸으로 임신하시어, 시어머니 친상(親喪)에 애기 낳는 것이 남부끄러운 일이기에 얼마나 마음이 괴로우셨겠는가. 뱃속에 있는 태아도 모자일체로 얼마나 우울하고 불안했었겠는가.

나는 어려서 툭하면 열병(일종의 풍토병 같다)을 많이 앓았는데, 그럴 때면 어머니가 우거지 죽을 쒀다 버리면 열이 떨어지곤 했다. 성인이 될 때까지 학질(말라리아)과 이질(역병)도 여러 번 걸렸고, 늑막염도 두어 차례, 왼쪽팔도 부러지는 등 고생이 심했다. 사춘기에 접어들면서 뒤통수가 넓적하게 비뚤어진 것이 마음에 걸려, '난 왜 이처럼 못나게 태어났나' 하고 괴로워할 때가 많았고, 특히 젊은 여성들 앞에서는 수줍어함이 지나쳤다. 철나서부터는 이발소에 가서 머리에 바리캉(소형 이발기)이 닿을 때나 가위질할 때, 늘 한 번씩은 괴로운 상념이 머릿속을 스쳐 갔다. 어머니 뱃속에서부터, 또 후천적으로 성장기에 걸쳐 심리적으로 겪은 괴로움 때문에, 나에겐 우울증이 한 평생 따라다니는 것 같다. 우울증의 파동이 크면, 반작용으로 그것을 벗어날 때 통쾌한 파고가 매우 높아진다. 우울증이 심할 때는 몇 주씩 가는 것이 예순 이후엔 습관처럼 되었는데, 생각해 보니 그것은 내가 태아로 있을 때 이 세상에 나오기 전에 우울했던 바로 그 계절이었다. 우수, 경칩이 지나 얼음이 풀릴 때쯤이면, 즉 생일이 다가오면 다시 명랑해지는 것을 여러 해 동안 겪었다. 우울증을 벗어나면 '조증(躁症)' 이 찾아오는데, 그때에는 말이 많아지고 지나치게 수다를 떤다. 이와 같이 나의 평생은 조울증 리듬의 반복인 셈이다.

중년 시절에 링컨 대통령의 명언 "마흔 살 이전의 사람의 얼굴은 그 부모의 책임이지만, 그 후의 얼굴은 자기 자신의 책임이다"라는 말을 듣고, '옳거니!' 하고 매우 위안이 되었다. 장년 이후에는 그 수양에 따라 인격미(人格美)랄까, 격조높은 품위와 풍모가 생기는 법이다. 링컨도 생기기야 울퉁불퉁했지만, 그 얼굴 모습에서 풍기는 온화하고 자애로우며 굳센 인격의 풍모에 누가 감동치 않겠는가.

나도 머리 모습은 못생겼지만, 반발적으로 남보다 더 열심히 공부하고 여가를 틈타 독서했다. 사색하며 궁리하고 종교적으로도 취향과 운명에 따라 신심을 기울이며 정진한다면, '자아의 완성' 이라는 인생 목표에 한발 한발 다가서는 여생의 즐거움이 있지 않겠는가 생각한다. 인간의 오랜 역사를 살펴보면, 전화위복해서 뛰어난 한평생을 사는 사람도 적지 않다.

사랑, 결혼, 그리고 징병

사람이 성장하여 나이가 들어 가면서 이성을 구하게 되는 것은 자연스러운 일이다. 중학교 사학년경부터 사춘기에 접어들었으나, 상급학교로 진학하기 위한 공부 때문에 이성에 대한 호기심에 마음을 쓸 수는 없었다.

오년제 중학을 졸업하던 해 입시에 실패하여, 한 해 재수하면서 각고면려 끝에 어려운 대학의 관문을 뚫었다. 경성제국대학 예과(법과)에 합격하여, 일제 식민지 아래이지만 제한된 낭만과 학문과 사색의 여유를 갖게 되었다. 한국인으로서는 쌀 속의 뉘만큼이나 희소한 학문의 기회를 누리게 된 것이다.

전체 학생 중에서 반수도 못 되는 우리 한인 학생들은 대부분 머리가 좋은 사람들이었다. 나라만 제 나라라면 모두 엘리트가 되고도 남을 재사(才士)로 보였다. 개중에는 간혹 친일적인 사람도 없지 않았지만, 대부분 민족주의적인 경향을 띠었고, 다만 그 정도의 차이가 있었을 뿐이다.

나는 주로 인생의 행복이란 무엇인가 하는 문제와, 우리 민족의 미래 문제를 생각하는 학생으로 커 갔다. 잘은 못 하지만 한국 학생으로만 구성된 교내 축구팀의 일원으로 청춘의 한 토막을 불태우기도 했다. 복습이라곤 거의 안 해도 독어와 영어의 예습은 꼭 했다. 시험 때를 빼놓고는 여가를 이용해서 독서를 했다. 러시아 작가 톨스토이의 사상이나 민족의식을 고취하는 초기 계몽문학에 심취했다. 이광수

(李光洙)의 「흙」과 박계주(朴啓周)의 「순애보」가 가장 인상적이었다.

'나 개인과 민족의 행복을 위해서, 장차 나는 어떻게 살아가야 할 것인가' 라는 문제를 오래 사색한 나머지 '나는 불쌍한 동포를 위해서 평생을 봉사하는 인생길을 걸어가야겠노라' 하는 방향을 어렴풋이 잡게 되었다. 불우한 민족동포를 위한 애타주의적 생애야말로 가장 거룩하고 행복스런 삶의 길이라고 여겨졌다.

방학 때 헤어지기에 앞서, 한 학기에 한 번 정도는 한국 학우끼리만 으슥한 학우 집에 모여서 청춘의 낭만을 달랬다. 어떤 때는 한강인도교 상류 백사장에 모여 열변과 울분을 터뜨리고 눈물을 흘리며 민족의 해방과 독립을 다짐하기도 했다.

또 어떤 때는 학우 한 사람[1]과 북한산(北漢山)에 등산하여 비봉(碑峰)에 올라서서, 진흥왕순수비(眞興王巡狩碑)를 어루만지면서 먼 조상들의 넋을 기려 보기도 했다. 우리 겨레는 반드시 해방 독립되어야 하고, 그럴 때가 반드시 오고야 말 것이며, 그런 역사를 빚어내야 할 책임이 바로 우리들 지성인 엘리트의 몫이어야 한다고 자신하게 되었다.

한 여름방학 때 학우 한 사람[2]과 더불어 조선문화연구회의 과외활동차 신라의 고도(古都) 경주를 처음으로 둘러보고 돌아오는 길이었다. 부산 열차 속에서 일본인 이동경찰에게 불의심문을 받았는데, 나의 가방 소지품 속에는 일어로 번역된 독일 작가의 소설이 한 권 있었다. 『토지 없는 백성』이라는 책이었다. 경찰은 책 이름만 보고 신원을 캐묻고서, 무엇인지 적어 가지고 갔다. 처음 경험하는 일이라 대단히 불쾌하고 예감이 좋지 못했다.

새 학기가 시작되자 현 주소 관할인 성동경찰서에 불려 갔다. 사상을 다루는 고등계에서 여러 가지 심문을 하면서, 사상이 불온하다고 모욕적인 말을 하는가 하면 마룻바닥에 꿇어앉히고 뺨을 때리곤 했다.

나는 다음날 일본인 담임교수 집으로 찾아가서 사정을 자진해서 보고하였던바, 여러 가지 훈계 끝에 "군은 국어인 일본말이 서투르다"라는 주의를 받았다. 교내에서 일본말을 써야 하는데 조선말을 많이 쓴다는 말을 돌려서 완곡하게 꼬집는 것으로 나는 알아들었다.

이런 일이 있은 후로는 경찰서 앞을 지나다니기가 꽤나 싫었고, 불가피해서 그 앞을 지나갈 때면 머리를 푹 숙이고 지나가며 '요놈들 언젠가는 너희를 몰아낼 때가 오고야 말 것이다' 다짐하곤 했다. 제이차세계대전이 차츰 치열해져 갔다. 일제는 우리의 문화를 말살하기 위해 우리의 양대 신문인 『동아일보』와 『조선일보』를 폐간시키기에 이르렀다.[3] 모국어의 신문이 없어진 것이다. 원통하고 분한 노릇이지만, 말 한마디 못 하고 당한 일이다. 나는 너무 슬퍼서 폐간사를 실은 마지막 신문을 각각 한 부씩 나의 책상 서랍 속 깊숙이 보관했다. '언젠가는 이 신문이 햇빛을 다시 보는 날이 올 것이다. 그때까지 기념으로 소중히 보관하자' 고 마음먹었다.

중학교에서 조선어가 없어진 것은 오래이지만, 보통학교(초등학교)에서조차 이때까지 가르치던 조선어가 없어지게 되었다.[4] 이젠 우

1. 고병익(高柄翊, 1924-2004). 동양사학자로 한림대학교 총장을 지냈다.—편자
2. 이기영(李箕永, 1922-1996). 불교철학자로 동국대학교, 국민대학교 총장을 지냈다.—편자
3. 1940년 8월 10일에 두 신문이 폐간되고, 『조선일보』는 1945년 11월 23일에, 『동아일보』는 1945년 12월 1일에 복간되었다.—편자
4. 중학교에서 조선어 시간이 폐지된 것은 1938년 4월 19일이고, 삼 년 후인 1941년 3월 31일에는 소학교가 국민학교로 개칭되면서 조선어 학습이 폐지됐다.—편자

리 민족문화를 완전히 없애려는 것이다. 나는 책방에 가서 보통학교 교과서로 쓰이던 각 학년의 마지막 조선어 책을 사왔다. 그 책 속의 그림에는 우리 아이들이 일본인의 나막신인 '게다'를 신고 있는 것이 있어 아니꼬왔지만, 그래도 우리글로 우리말을 가르치는 책이니, 이것이나마 기념으로 간직하고자 했다.

이와 같이 나의 사상이 굳어져 가는 한편, 나는 나의 이상에 맞는 여성을 머릿속에 그려 보기 시작하게 되었다. 내가 바라는 여성은 흔히 보는 수수한 여성으로서는 적합하지 않았다. 한평생을 동포를 위해서 고생을 같이하며 가시덤불 같은 행로를 같이 가 주는 여성이라야 했다. 그런 여성은 흔하지가 않다. 유복한 환경과 가정 속에서 고생 모르고 자란 여성은 부적합했다.

궁리궁리한 끝에 머리에 떠오르는 여인이 있었다. 그 당시 보통학교 교사를 하고 있던 여성이다. 예전에 내가 보통학교 일학년 때 처음 본 여성이다. 그녀는 서울 배화고등여학교에 다니던, 나보다 아홉 살 위인 나의 누이[5]의 수양동생이었던 관계로, 서울에서 우리 형제들이 공부하던 집에 어쩌다 들렀던 것이다. 보통학교를 졸업하고, 배화여고보를 거쳐 공주사범을 졸업하고 보통학교 교사를 하고 있던 여성이다. 나의 생각으로는, 그 여인이 나보다 한 학년이 위이니까 나보다 한두 살이 위이겠거니 추측했다. 그녀가 여고에 올라가 여름방학 때 방학 과제로 식물 채집을 하러 나의 고향인 광주 시골로 찾아왔다. 누이는 시집가고 없으므로 내가 고향 부근 야산으로 안내해 주었던 기억이 어렴풋이 난다. 부모가 안 계시고 외삼촌 댁에서 성장할 정도로 환경이 불우하지만, 공부 잘하고 얌전한 여성으로 알고 있다. 직업이 여교사이니 결혼 상대가 아니라도 하나의 이성 동지로서, 동포를 위한 평생사업을 같이해 볼 만하다고 혼자 나름대로 '안성맞춤이구나' 생각했다. 초등학교 일학년 때 내 눈에 비친 그녀의 첫인상이 내 머리에서 사라지질 않았다.[6]

그 여성을 찾아봐야겠다고 결심하고, 그가 어디에 있는지 알아보았다. 인천에서 근무하고 있었고, 학교명이 영화학교라는 것까지 알게 되었다. 당시 나는 우리 맏형[7] 집에서 공부하고 있었는데, 형은 약제사로 약국을 하고 계셨다. 약국에서 일 보고 있는 조카뻘 되는 소년이, 자기 집이 인천이라 인천 사정에 밝은데, 인천에 영화학교가 있다고 말했다. 나는 그 학교에 가서 한정희(韓貞姬)라는 여선생이 있는지 알아보라고 부탁했더니, 가서 알아보고 그런 분은 그 학교에 없더라고 알려 주며, 인천에 영화학교가 둘인데 혹시 '여자' 영화학교가 아닐는지 모르겠다고 한다. 둘 중의 하나 '남자' 영화학교에 없으면 '여자' 영화학교이겠거니 짐작하고 내가 직접 인천의 '여자' 영화학교에 가서 물어 보니, 그녀는 그 학교 교사로 근무하고 있었다.[8] 그 학교는 기독교 미션계 학교로서, 그녀는 학교 부속 건물에서 자취생활을 하고 있었다. 그 후로부터 두 사람 사이에 연애가 시작되었다.

서로 상대방의 인생관을 알게 되고, 이상에 맞는 남성과 여성의 사랑하는 사이로 진전해 갔다. 주말이면 기차 편으로 내가 인천엘 다녀오고, 그녀도 편지를 종종 학교로 부쳐 왔다. '이 세상에서 나보다 더

5. 작은누나 김언례(金彦禮, 1913-1987).—편자
6. 김익권에 의하면, 훗날 배우자가 될 한정희(韓貞姬)가 방 윗목에 단정히 앉아 있던 모습이 아름다웠으며, 방에서 나와 마당에 있을 때 김익권이 배추꼬리를 건네주었다고 한다.—편자
7. 김일권(金一權, 1904-1948). 상왕십리 삼거리 부근에서 일신당(日新堂) 약국을 운영하고 있었다.—편자
8. 영화학교(永化學校)는 1892년 우리나라 처음으로 세워진 근대식 초등교육기관으로, 지금의 인천 영화초등학교이다.—편자

행복한 사람은 없을 거야' 하는 자신감에 가슴이 부풀어 올랐다. 인천 송도해수욕장 호숫가에 같이 가서 나는 수영도 하고, 월미도 바닷가에 같이 가기도 했다. 나에게는 그 여성이야말로 천사처럼 순수한 여인으로 느껴졌다. 나의 살이라도 도려내 주고 싶은 심정이었다.

한편, 나의 이런 생활의 변화를 알게 되신 고향 시골집 부모님께서는 극언(極言)으로 이를 제지하셨다. 당시에는 둘째형[9]의 집을 학동 부근의 청담동(예전에는 언주면 청담리)에 마련해 주시고, 부모님은 그곳에 기거하셨다. "무엇이 부족해서! 어련히 형들이 좋은 규수 물색해서 장가들여 줄 터인데, 학업 도중에 나이 많은 여자 집엘 다니느냐!" 하시며, "만약 부모 말을 안 들으면 내 자식으로 생각지 않겠다!" 하시는 뼈저린 말씀이었다. 그 여성은 나보다 세 살이나 위였던 것이다. 나는 눈물을 흘리며 부모님 곁을 물러났다. 그러나 그 여성에게 쏠린 나의 마음은 끊으려야 끊을 수 없어 종종 인천에 갔다 오는 일을 막을 길이 없었다.

대학 예과과정은 원래 삼 년이었으나 제이차세계대전 때문에 육 개월을 단축해서 이 년 반으로 개편되었다. 어언 세월이 흘러 대학 예과생활이 끝나고, 대학 학부로 진학하게 되었다. 대학에서 전문과목인 법률학 공부가 시작되었다. 한 학기를 다녔다. 전황은 더욱더 일본에게 불리하게 전개되었다. 일본이 몇 년 후엔 패망하게 되리라는 것이 우리 지성인들의 눈과, 더욱이 민족의 해방과 독립의 그날을 꿈속에서도 그리던 우리 한인 대학생의 가슴속엔 예견되어 왔다. 그러나 일제는 우리 동포 청년 가운데서 지원병이란 것을 반은 권유, 반은 강제로 모집해서 전선으로 내몰았다. 그러더니 급기야 학도지원병이란 명목으로 인문계 대학생(주로 일본에 유학 중인 한인 대학생)과 인문계 전문학교 학생 중 만 스무 살 이상 적령자를 강제 권유해서 일본군에 동원하여 전쟁에 투입하려 했다. 아무리 생각해 봐도 우리 한인으로서는 대의명분 없는 출정인 것이다. 우리 겨레가 식민지 백성으로서 사는 노예 같은 굴레를 해방시켜 줄 미·영·중 등 연합군에 대해서 총질하며 싸워야 한다니 이치에 맞지 않는 기막힐 노릇이었다. 민족 해방의 꿈을 못 이루고 뻔히 질 전쟁에서 개죽음하라는 말인가! 불응하면 징용에 끌려가 탄광 같은 데에서 중노동에 동원되어 죄수처럼 살아가야 한다. 우리 한인 학생들은 진퇴양난의 처지에 놓여, 우울 침통한 운명 속에서 고뇌했다. 생명 보존의 두려움보다는 청년 남아로서의 대의명분이 문제였던 것이다.

때마침 양력 11월 3일, 일본인의 사대 명절 중의 하나인 명치절(明治節)[10]이다. 대학 강당에서 기념식을 끝마친 후 일본인 학생호국단에서 교내 성토회를 하는데, 연사가 하는 말이 "반도 출신 학생 가운데 학도지원병에 해당하는 학생으로서 아직도 지원하겠다는 결심이 서지 않은 사람은 집에 돌아가서 세 번 결심을 다시 해 보라. 세 번 시도해 봐도 결심 못 하겠거든 배를 갈라 죽어 버려라!"라고 망언을 하니, 분한 마음으로 피가 끓었다. 산회(散會)한 후 단짝이던 민족주의자 세 사람[11] 중의 한 친구 집에 가서 도피할 마음을 넌지시 알리고 강원도 오대산(五臺山) 월정사(月精寺)로 도피를 결행하기로 했다. 백두산(白頭山)까지는 너무 길이 멀고, 도로망에서 제일 떨어진 산이 어

9. 김재권(金再權, 1906-1985).—편자
10. 일본을 근대화한 메이지(明治) 천황의 생일.
11. 경기고등학교 교장과 서울교육대학 학장을 지냈던 서장석(徐章錫, 1923-2003)과 대학에서 가톨릭 학생회를 키우는 데 헌신한 나상조(羅相朝, 1921-2008) 신부, 그리고 김익권.—편자

디 있는가 찾아보았더니 오대산이 눈에 들어왔는데, 그곳에 절을 가리키는 표시가 있었고, 월정사라고 씌어 있었다. 그곳에서 수삼 년 숨어 살 계획을 세우고, 고향에 들러 부모님 얼굴이나 한번 뵙고 가려 했다.

당시 나는 왕십리 큰형 집에 기거했다. 그래서 저녁 때, 지금은 서울 강남의 번화가가 됐지만 그 당시엔 나룻배를 타고 한강을 건너가야 했던 두메 시골인 고향 집으로 부모님을 찾아갔다. 나는 그날 밤으로 서울로 되돌아가서 도피하려고 했으나, 저녁밥을 함께 드시던 아버지께서 귀곡성(鬼哭聲)이 울릴 거라고 말씀하시므로 야간 도피를 단념하고, 다음날 아침을 먹고 집을 나섰다. 허술한 흰 운동복 차림에 밀짚모자를 눌러쓰고, 손가방 속에 생고구마 몇 개, 호주머니에 사십 원의 여비와 손수건, 지도 한 장뿐이었다. 청량리역에서 기차를 타고 원주(原州)에서 하차하여, 횡성(橫城)까지 버스를 타고 가서, 그곳에서부터 내내 걸어서 오대산을 향했다. 도중에 홍천군(洪川郡) 풍암리(豊巖里)라는 곳에서 하룻밤 자고, 다시 걸어서 인제군(麟蹄郡) 창촌(蒼村)이란 곳에서 다시 하루를 쉰 다음, 높은 산 준령을 넘어서 사흘만에 월정사에 도착했다. 밤이었다.

산속의 오솔길은 화전민이나 넘나드는 길인지, 하루 종일 걸어도 인적이 없다. 원시림이 우거져 수백 년씩 묵은 나무가 쓰러져서 썩은 것도 섞여 있고, 호랑이라도 나옴 직한 깊은 산 오솔길이었으나 무섭지가 않았다. 악에 받친 마음으로 의로운 목적을 위해서는 죽음도 두렵지 않았던 것이다. 하루 산길을 팔구십 리씩 걸으니, 발바닥이 부풀어 두 겹으로 물집이 생기고, 피가 맺히고, 나중에는 무릎이 후들후들 떨린다. 산을 오르는 것보다 내려가는 것이 더 어려웠다. 산길을 걸어

오르다 눈물이 빰으로 주르륵 흘러내린다. '익권아! 너 왜 이 고생을 한단 말이냐?' '조국의 해방과 독립을 보기 위해서이지!' 하고 자문 자답하며, 자위하곤 했다.

밤에 월정사에 도착했다. 이젠 목적지에 왔으니 주지 스님을 만나서 사유를 얘기하고, 불목하니[12]라도 하겠으니 몇 년 동안 절에 숨어서 일하게 해 달라고 하면 들어주시겠지 하는 어린 마음으로 기대했었는데, 막상 와서 보니 사정이 다르다. 주지 되는 분은 서울로 출타 중이시고, 승려 한 분이 맞아들이기에 죽 한 그릇 얻어먹고 사정을 호소하니, 그 스님 말씀이 "이곳 절에 있는 중들도 젊은이는 지원병 나가라고 지서에서 뻔질나게 오는 판인데, 아니 됩니다" 하질 않는가. 낙망이 컸다. 다음날 죽 한 그릇 더 얻어먹고 절을 나와 정처 없이 발 가는 대로 산속으로 들어갔다. 하루 종일 산속으로 들어가다 해가 저물어 가자 마음이 초조해졌다. 인가가 몇 채 있기에 하룻밤 재워 달라고 했더니, 이상한 청년 나그네를 믿을 수 없는 터인지, 그만한 곳이 없다며 한 오 리가량 골짜기를 올라가면 여인숙이 한 채 있다고 일러준다. 약수터가 있다는 것이다. 막상 어둡기 전에 도달해야 하니 부지런히 걸어야 했다. 시골 사람, 특히 산에 사는 사람들이 얘기하는 오 리는 십 리도 더 되는 성싶었다. 완전히 어두운 가운데 호롱불이 비취는 외딴집의 문을 두드리니, 과연 산속에 있는 약수터의 여인숙이었다. 그곳 여인숙에서 저녁을 얻어먹고 하룻밤을 묵기로 했다.

그 집 주인은 젊은이였는데, 나이가 내 또래였다. 며칠 후에 서로 얘기하는 가운데 피차 인생관이 통했다. 서로의 신상 얘기를 하다 보

12. 절에서 나무하고 물 긷고 밥하고 군불 때는 등 잡일하는 일꾼.

니, 그는 강릉 사람으로 서울에 있는 배재중학에 유학 가서 럭비선수 생활을 하다가 사학년 때 신경쇠약에 걸려서 휴학 중이었다. 외아들인지라, 아버지가 이곳 약수터 여인숙을 사서 아들을 휴양하도록 하고 있었던 터였다. 특히 신경성 변비증으로 고생을 하고 있었다. 지병을 고쳐 건강이 회복되면, 자기가 사숙(私淑)하는 스승으로 축지법과 장신법(藏身法), 차력 등을 하는 도인 한 분이 계신데, 그곳에 가서 술법을 배우고 독립운동을 하겠다는 것이다.

그 도인은 그곳[13]으로부터 남쪽으로 서울 강릉 간 국도를 넘어, 같은 평창군 복판에 있는 가리왕산(加里旺山)이란 천육백 미터 내외의 고산에서 암굴을 근거지로 하고 있다고 한다. 그분이 쓸 만한 청년을 구하는 중이니, 내년 봄에 같이 들어가서 제자가 되자는 것이 아닌가. 도술을 배워 독립운동을 한다니 꿈 같은 얘기이나 천우신조의 기회 같았다. 흔쾌히 동의하고, 같이 목욕재계한 다음 약수터 신령님 화상 앞에서 촛불 켜고 향 사르고, 『삼국지』에 나오는 도원결의(桃園結義)식으로 주인 서(徐) 씨와 의형제의 인연을 맺었다. 나이는 동갑이지만, 생일이 나보다 위이므로 그를 형이라 하고 내가 동생이 되었다. 집을 나와 한 달가량 지났으니, 학병 지원 마감도 넘겼다. 이제는 일경(日警)에 붙들려도 학병으론 아니 간다고 생각하니 한 고비 넘긴 듯이 한결 마음이 편안해졌다.

그러던 중 주인 서 형은 좋은 한약 화제(和劑, 처방전)를 얻었는데, 서울까지 가서 약을 지어 와야 한다는 것이다. 명춘(明春)에 가리왕산에 들어가서 몇 년 동안 머물려면 양식을 장만해야 하는데 약 백 원가량 있어야 한다기에, 내 생각으로는 몰래 집으로 돌아가서 형들한테 얘기하고 백 원을 마련해 달라고 하면 쾌히 해줄 것 같았다. 왜냐

하면 형들도 민족애가 두터운 분들이기 때문이다. 그래서 나는 돈도 구할 겸 서 형과 같이 상경하기로 결심했다.

길을 나서서 하산하니 어느덧 저녁때가 되어 갔다. 어둡기 전에 평창군의 한 마을인 대화(大和) 근처에 있는 큰길가 여인숙에 발을 들여놓자마자 집안에서 곡소리가 들린다. 팔십 노모가 작고하셨다는 것이다. 초상이 나도 저녁밥은 해주어서 먹은 다음 그 집을 나섰다. 서 형이 말하기를 "징조가 좋지 못하니 아우님 혼자 상경하셔야겠소. 나는 집으로 되돌아가겠소" 한다. 산속에서 신령님을 모시고 사는 사람의 마음으로 '징조'를 중요시하는 것은 당연한 것이요, 이것을 단순히 미신으로만 돌릴 수 없었다. 노자가 떨어져서 서 형한테 십 원을 차용했다. 머리에 쓰고 온 밀짚모자를 한겨울에 쓰고 다니자니 어색하고 맨머리로 가자니 얼굴이 노출되므로, 서 형이 쓰고 있던 낡은 중절모를 임시로 빌려서 푹 내려쓰고 작별하여 나 혼자 서울로 향했다. 밤새 국도를 따라 서쪽으로 한참 걸어가노라니 마침 뒤에서 제천 평창 간을 운행하는 버스가 왔다. 버스를 타고 평창까지 가서 하룻밤을 쉬면서 한 달 만에 이발도 하고, 제천으로 가서 철도 편으로 밤차로 서울로 돌아왔다. 서 형에게 빌린 것은, 서울에 가서 나중에 나의 보통학교 교사 노릇하던 누이[14]에게 부탁하여 누이 명의로 십 원을 송금토록 하고, 중절모는 소포 우편으로 보내 주도록 했다.

밤 느지막해서 집에 도착하여 백형(伯兄, 맏형)을 뵈니 깜짝 놀라면서 반기셨다. 그러나 말씀하시기를 "민족을 생각하는 너의 심정은 충

13. 천육백 미터의 계방산(桂芳山)으로, 동북쪽에 자리한 오대산의 형제 같은 고산(高山)이다.
14. 작은누나 김언례.—편자

분히 이해하나, 우리들 동양 사람은 뭇 도덕 가운데 효가 제일 중요한 것이다. 네가 떠난 후에 아버지께서 밥상에서 뜨거운 국만 보시면 '이놈이 엄동설한에 어디 가서 얼어 죽지나 않았나' 하시고 우시며 진지를 제대로 드시지 못하니, 그보다 더 큰 불효가 어디 있겠느냐. 또 고등계 경찰이 뻔질나게 와서 너를 찾아내라고 호통을 치니 어디 살 수가 있니. 집안이 망할 것 같구나! 네가 집안을 위해서 희생하는 셈치고 지원해서 나가 다오. 내가 네 대신 네 도장을 찍어서 지원서를 내놓았다. 경찰서로 자수하러 같이 가자!" 하신다. 백형은 막내인 나에게 연세로 보나 거의 아버지 격이시다. 나는 눈물을 머금고 "분부대로 하겠어요" 하고 말았다.

다음날 형과 함께 성동서에 자진 출두하여, 뒤늦게라도 지원하겠으니 용서해 달라고 애원했다. 몇 해 전 대학 예과 시절에 사상불온죄로 걸려 성동서에 호출됐을 때 나를 호되게 다룬, 악질 고등계 일본인 과장인지 하는 자와는 외나무다리 막다른 골목에서 다시 만나게 되었다. 호통을 치면서 "너 같은 놈은 필요 없다. 한평생 감시하겠다!"라는 것이 아닌가. 제발 용서해 달라고 빌었다. 훌륭한 군인이 되어서 꼭 남보다 월등한 전공을 세우겠노라고 애걸했다. 그제서야 어디 가 있었느냐, 무엇을 했느냐고 꼬치꼬치 캐묻고 기록했다.

나는 경찰서로 출두하기 전에, 나의 알리바이를 확실히 해 둠으로써 경찰을 속일 수 있다고 확신하여, 강원도 산속으로 도피해 있었던 사실은 일절 숨기고, 그 대신 인천에 사는 애인(여교사) 집에 가서 묵고 있었다고 거짓 자백하려 마음먹었다. 그래서 나의 백모님께 '편지'를 휴대시켜 인천에 있는 애인한테 보내, 만약 인천경찰서에서 조회 가거든 그대로 말해 달라고 부탁했다. 과연 나의 계략은 맞아 떨어져서, 그녀의 뒷얘기로 안 사실이지만, 그녀는 인천경찰서 고등계로 두 번 불려 가서 심문조사를 받고, 내가 진술한 바와 알리바이가 일치하므로, 마지막으로 서장의 엄중한 훈계를 받고 무사히 끝났다는 것이다.

성동서에서 자백과 심문을 마치고 나니, 집에 돌아가 있으라고 풀어 주었다. 그 다음날 아침에 집으로 영장이 날아왔는데, 의외로 징용가라는 영장이었다. 지정된 일시까지 경기도청으로 모이라는 것이다. 경기도청에 나가 보니, 학병 나가는 것을 마지막까지 거부해서 징용 영장을 받고서 나온 한국 청년 학생(대학생과 전문대생)들이 수백 명 된다. 일본으로 유학 갔던 사람의 수가 더 많은 편이며, 학병 대상자가 약 사천여 명 되는데, 징용으로 가는 사람이 어림잡아 삼사백 명 되는 것 같았다. 인원 점검이 끝난 뒤, 서울 교외의 태릉에 있었던 지원병 훈련소로 몰고 간다. 이곳은 한국인 장정 중에서 뽑은 자의반 타의반의 지원병들에게, 일본군에 입대하기 전에 기초훈련을 시키기 위해서 만들어진 기관이다.

이곳에서 약 일 주일 동안 정신훈련과 내무생활 등을 교육받고 있는데, 본부에서 호출하므로 가 보니 "너는 학병으로 가게 되었으니 집으로 돌아가라"면서, 소장 되는 노 대좌(우리 군에서는 대령 계급)가 엄중하게 훈시를 하고 출소시켜 주었다. 이리하여 나는 내 손으로 학병지원서를 쓰지도 않은 채 학병으로 나가게 되었다. 내가 후에 편입되어 멀리 북지(北支, 중국 화북 산동성) 전쟁터에서 신병교육을 받고 간부후보생 교육을 필한 후, 하사관이 되어 소속 중대로 돌아와 근무할 때였다. 중앙본부에서 나의 신상기록을 보니, 붉은 글씨로 비고란에 '도망했던 일이 있음'이란 기록이 있는 것을 보고, 일본 경찰의 악랄한 손길이 북지 벌판까지 미친 것을 보고 놀랐다. 내가 신병 때 유달리 하사관들한테 많이 얻어맞았던 이유를 알 것 같았다.

군입대 검사를 받으니 물론 갑종 합격이었다. 출정을 앞두고 성동구에서 '장행회(壯行會)'를 했다. 가 보니 커다란 회관 안에 일본인 관민 유지와 한국인 유지들이 모여서, 성동구 출신 학병 십여 명과 함께 음식과 다과를 들며 우리를 격려 위로한다는 것이다. 요식에 따라 주최자의 축사가 있은 다음 음식을 먹고 나서, 우리들에게 하고 싶은 얘기가 있으면 하라는 것이다. 학병 가운데 아무도 손 드는 사람이 없기에 내가 손을 들어 허락을 받고 일어서서 일장의 연설을 했다.

"나는 제일 늦게 지원한 ○○입니다. 하지만 누구 못지않은 훌륭한 군인이 돼서, 국민을 위해서 충성을 다하고 구군신(九軍神, 일본의 하와이 기습작전에서 특수 잠항정(潛航艇)으로 전공을 세우고 산화하여 군신으로 추대됨)에 못지않은 전공을 세울 것을 약속합니다."

이렇게 전제해 놓고, 왜 내가 남보다 늦게 지원했는가에 대하여 설명했다.

"이때까지 나는 일본의 '내선일체(內鮮一體)'니 '일시동인(一視同仁)'이니 하는 국시(國是, 일본 통치의 가식적인 구호)에 대해서 회의를 느껴 왔고 불신해 왔습니다. 왜 우리 동포들은 같은 일본 국민이라면서 각종 차별을 받아야 합니까. 반도 출신인 우리들은 일본 내지(內地)에 건너가려면, 내지인이 이곳으로 건너오는 데 필요 없는 '도항증명서(渡航證明書)'가 있어야 하고, 식량 배급을 받는 데도 차별이 있으며, 또 급여를 받는 데도 차별이 있으니[15], 이런 것들이 '일시동인'과는 거리가 먼 것이 아닙니까. 이런 등등으로 해서 우리의 '국시'라는 것에 불신을 느껴 왔습니다. 그러나 지금 생각은 이와 다릅니다.

우리 젊은이들이 나라를 위해서 피를 흘림으로써 이런 차별이 일소되고 진정한 의미의 '내선일체' 와 '일시동인' 이 이루어질 수 있다는 것을 깨달았습니다. 따라서 우리는 우리 동포를 대신해서 전지에 나가서 기꺼이 대일본제국을 위해서 생명을 바칠 것입니다. 여러분들 총후(銃後)의 국민들은 이 점을 기약해 주십시오…."

나의 말이 끝나자, 한인, 일본인을 불문하고 박수갈채를 아끼지 않았다. 한인들은 속 시원한 말을 감히 해주었다고 흥분해서 기뻐했다. 한인 대표로 충청북도 도지사인가를 지낸 분은 일어서서 "비 온 다음에 땅이 굳어진다고, 뒤늦게 지원하게 된 가네모토(나의 창씨명) 군이야말로 누구 못지않은 투철한 애국심을 가진 청년으로서 이를 찬양해 마지않는다"면서 칭찬을 해주었고, 한 일본인 유지는 "여러분들을 보낸 다음에 우리들 후방 국민은 여러분들이 조금도 총후의 근심이 없도록, 여러분들이 염원하는 바대로 최선을 다할 것이니 용약(勇躍) 나아가 달라"면서 축사를 하였다.

그러고 나서 출정일(出征日)인 1944년 1월 20일까지 나는 고향인 광주의 부모님 곁으로 와서 한 십여 일의 여유와 휴식을 가질 수 있었다. 이때 인천에 있던 나의 애인은 내가 학병으로 가게 되었다는 소식을 듣고 서울로 올라왔다. 그녀와 같이 고향 부모님을 뵈러 갔다. 양력 12월 그믐이 가까울 무렵이었다. 본인인 나나, 사랑하는 그녀나, 우리를 지켜보시는 부모님들이나 마음은 퍽 아쉬웠다. 부모님께서는 우리들의 안타까운 모습을 애처롭게 생각하셨던지, 더욱이 과거에 우

15. 김익권의 아내 한정희에 의하면, 당시 사범학교 졸업 후 초등교사 초봉이 일본인은 칠십 원, 조선인은 사십 원이었다고 한다.—편자

리들이 연애하는 것을 극언으로 말리신 것이 후회스러우셨는지, 군에 나가기 전에 성혼(成婚)하는 것이 어떠냐고 나의 큰누이[16]를 시켜서 내 마음을 떠 보셨다.

나는 "나야 아무래도 좋으니, 상대방 여성 쪽의 뜻에 맡기겠다"고 말했다.

상대방 여성은 "부모님의 뜻에 맡기겠다"고 하여 결국 식을 올리게 되었다.

어느 날인가 아버지께서 택일하신 날 밤에 집안 마당에 멍석 깔고, '동이 정화수' 올리고, 촛불 켜고, 향 사르고, 아버지께서 '고천문(告天文)' 읽으시고, 우리들은 맞절하고, 엄숙하게 식을 올렸다. 미리 목욕재계하고 한복으로 갈아입고, 식구와 가까운 친척들만 지켜보는 가운데 식을 올려 부부가 된 것이다. 신부측 사람은 아무도 없었고, 그녀 단신이었다. 별로 시간적 여유가 없어, 신부만 치마저고리를 해서 입히고, 나는 옷이 없어 형의 한복을 빌려 입고 혼례를 치렀다.[17]

십여 일 후에 나는 일본군에 입대하러 대구 일본군 부대로 내려갔다. 그 후 곧 북지인 중국 산동성에 있는 전지(戰地)로 옮겨져 신병교육을 받게 되었다. 타향만리 이국 땅 전쟁터에서 일 년 반이 넘는 갖은 시련 끝에 구사일생으로 우리나라 땅인 함흥으로 이동하게 되었다. 제이차세계대전 종말 약 한 달을 앞두고, 내가 소속되었던 사단이 대소련전에 대비하기 위해서였다. 눈물 속에 건너갔던 압록강을 감격의 눈물 속에 다시 건너 고국 땅을 밟게 되니 꿈만 같았다. 그곳에서 팔일오 해방을 맞아 벅찬 가슴으로 집에 돌아왔다. 아마 한평생 사는 동안에 이보다 더한 감격과 희열은 없을 것이다. 평생소원이 이루어진 것이다.

해방 후 소란스런 시국풍상(時局風霜) 속에서 무엇보다도 중도 휴학한 대학을 마치는 것이 급선무라고 생각하고 대학에 복학하여 다니다, 학제 개편으로 서울대학교 법과대학을 일회생(一回生)으로 졸업하게 되었다.[18] 그때 미군정하에서 조선경비대(朝鮮警備隊)라는 것이 있었는데, 장차 정부가 수립되면 국군 부대로 설립될 계획이었다. 마침 거기에서 제오기 사관후보생 모집이 있었으므로 이에 응모하여, 이후 1948년 4월 16일 육군 소위로 임관하여 국군 장교로서 평생을 보냈다. 소령 때 공산군의 기습 남침으로 야기된 육이오 전란에 종군하여 대대장과 연대장을 역임했고, 전후엔 육사(陸士)와 육대(陸大)의 간부로 후진 양성에 기여했으며, 사단장과 부군단장을 거쳐 육군대학 총장을 최종직으로 임하면서 나이 오십에 육군 소장으로 정년퇴역했다.

그간 아내는 줄곧 초등학교 교사로서 어린이들을 가르치며 나의 뒷바라지를 하다가, 결혼 십 년 만에 내가 연대장 할 때에야 교직을 내놓고 자녀 양육에 힘써 가정을 지켰다. 슬하에 일남삼녀[19]를 두었으며, 여든이 넘도록 부부간에 해로(偕老) 중이다.

16. 김언렴(金彦廉, 1910-1993).—편자

17. 후일 한정희는 우스갯소리로, 전쟁에 나갈 김익권이 가여워서 장례식을 치러 주는 마음으로 혼례를 올린 것이라고 하곤 했다.—편자

18. 경성제국대학은 해방 후 1945년 10월 17일에 경성대학으로 개칭되었다가, 다음해 일본과 한국에 있던 대학생과 전문학교 학생들을 편입시켜 8월 22일에 국립서울대학교로 재개편되었다. 김익권은 1946년 1월에 경성대학에 복학하여, 6·6·4제의 학제개편에 따라 1947년 7월 10일 서울대학교 법과대학을 일회로 졸업하였다.—편자

19. 아들 형신(炯信), 큰딸 형열(炯烈), 둘째딸 형인(炯仁), 셋째딸 형의(炯義).—편자

군인이 되어
한국전쟁을 겪다

학도병 시절

1. 시무라(志村) 군과 인과응보

중국 북부 산동성(山東省) 무정〔武定, 혜민(惠民)이라고도 함〕이란 현(縣) 소재지의 성(城) 밖에 있던 일본군 부대에서 학병교육 삼 개월이 끝났을 무렵, 때는 봄이다. 나는 산포중대(山砲中隊)에 속해 있었다. 훈련 도중 일본인 신병 동료의 잘못으로 왼손 가운뎃손가락에 부상을 입었는데, 또 말〔馬〕 당번이 되어서 말밥을 섞다가 오른손 가운뎃손가락마저 다치게 되었다. 손톱 사이로 가시가 들어가서 가시를 빼내고 나니 피가 났다. 그러한 손으로 훈련은 훈련대로 받아야 하고, 물걸레질과 같은 궂은 일을 해야 하니 빨리 나을 리가 없었다. 급기야 두 손이 동시에 생인손이 되더니 하룻밤엔 양 손가락이 썩어들어 간다. 도저히 참을 수 없어서 수술을 받기 위해 대대본부와 같이 있는 의무대에 입원하여 치료를 받고 있었다. 수술 후 약 이십 일이 지나니 손가락이 거의 아물어 간다.

그런데 본인이 원치도 않았는데 간부후보생(幹部候補生) 시험을 치르라는 명령이 내렸다. 하는 수 없이 퇴원하여 시험을 되는 대로 치르고 중대로 귀대하였다. 중대에 돌아와 보니 중대 주력(主力)은 토벌작전에 출동해 있고, 간부후보생 응시자를 포함해서 소수의 병력만이 중대에 잔류하고 있었다.

며칠 있다가 갑자기 비상이 걸렸다. 그 이유는 팔로군(八路軍, 중국 공산군)이 쳐들어와서 마을 농민들의 곡물을 갖고 가는데, 이것을 격퇴하려는 왕정위(王精衛) 예하의 현지 부대인 유부대(劉部隊, 친일부대)를 도와서 일본군이 협동작전을 한다는 것이다. 우리 중대는 대대본부와 함께 있었는데, 잔류 병력을 긁어모아서 약 서른 명 미만의 병력을 편성하고, 장교라고는 대대 부관인 중위 한 사람이 있어 그가 지휘하여 출동하게 되었다. 나도 그 속에 일원으로 끼게 되었다. 한 내무반 스물다섯 명 가운데서 단 한 사람의 한인(韓人)인 나를 아무 차별감 없이 인자스럽게 대해 주는 일본인 신병 시무라(志村)라는 사람도 끼어 있었고, 또 그 외에 몇몇 같은 내무반 사람들이 끼어 있었다.

시무라 신병은 일본에서 중학을 졸업한 사람인데, 성격이 매우 온순하고 천진스런 인품이었다. 신병교육 중에는 누구나 하도 배가 고파서 기갈이 들려 고생을 하게 마련인데, 어떤 때는 시무라 군이 나보고 밥 먹으러 가자고 하기에 따라가 보니, 변소로 끌고 가서 호주머니 속에서 주먹밥을 꺼내 주면서 먹자는 것이다. 변소 안에 들어가서 몰래 그것을 먹기도 했다. 식사 당번으로 식관(밥통)을 씻어 취사장에 반납하러 갈 때, 고병(古兵, 고참병) 내무반에서 남은 밥을 슬쩍 주먹밥으로 만들어 호주머니에 넣어 온 것이었다. 같은 일본인 전우들도 많은데, 유독 한인인 나에게 우정을 나누어 주는 그를 매우 고맙게 생각하였다. 이번 처음 토벌 출동에 그도 나와 함께 가게 된 것이다. 그도 간부후보생 시험을 치르느라고 중대에 잔류하고 있었던 것이다.

수십 리를 걸어서 행군하는 동안에 유부대와 합류하였는데, 그 병력은 대대병력쯤 되어 보였다. 오후의 해가 서쪽으로 기울기 시작할 무렵이다. 적지(敵地) 근처에 가까워지자, 부대는 산개대형(散開隊形)으로 목적지 마을을 향하여 빠른 걸음으로 전진해 가는 중이었다.

갑자기 적측으로부터 총성이 들리기 시작하여 전투가 시작되었는데, 총탄이 빗발치는 듯하다. 우리들은 땅에 엎드렸다. 밭 덤불과 밭 가운데 군데군데 있는 산소 뒤에 엎드렸다. 그런데 우리들은 소총중대가 아니고 산포중대이다. 소총중대 전술에는 익숙하질 못하다. 일본 군대의 보병 조전(操典, 교범) 속에는 '병은 적전(敵戰)에서 한군데 모여 있으면 안 된다' 라는 규칙이 있는데, 우리들은 그것을 알 리 없었고 그런 것에 숙달되지도 않았다.

총탄이 갑자기 콩 볶듯 날아오니 처음 경험인 데다 겁이 나서 대부분의 병정들이 분대장(병장) 주위로 모여들었다. 갑자기 '빵!' 하는 소리가 귓전 근처를 스치고 가는 바람에 본능적으로 머리를 숙였는데, 나의 옆에서 '앗!' 하는 소리가 들리지 않는가. 머리를 휘돌려 보니 시무라 군이 덜커덕 뒤로 자빠지질 않는가. 내가 옆으로 달려가 보니, 눈을 허옇게 뒤집고 입에선 거품을 뿜으면서 그대로 전사하고 말았다. 그를 맞힌 총알이 뒤에 있던 다른 일본인 전우의 팔도 뚫고 나갔다. 나는 분대장과 함께 전우의 시체를 우선 산소 뒤로 옮기고 적탄을 피했다. 가슴에 적탄을 맞고 말 한마디 못 하고 숨진 것이다. 불쌍하고 놀라웠다. 나를 아껴 주던 순진한 전우였는데!

분대장이 대대 부관한테 연락을 취하니, 좀 있다가 부관과 하사관 조장(曹長)이 달려왔다. 부관인 중위의 얼굴을 보니 새파랗게 질려 있었다. 우리 측은 총 한 방 쏘아 보지도 못하고 한 사람 전사에 한 사람의 부상을 입은 것이다. 불과 서른 명밖에 안 되는 병력인데….

해는 이미 뉘엿뉘엿 서쪽 지평선에 기울어서 황혼이 스며든다.

부관은 "어찌하면 좋을까. 부대를 빼자. 그런데 이 시체를 어찌한담!" 하고 걱정했다.

나는 선뜻 "제가 메고 가지요" 했다.

"옳지, 그래다오."

나는 전우의 시체를 등에 걸머메었다. 두 팔을 내 가슴 앞에 늘어뜨리게 하고 업었다. 난생 처음으로 시체를 메어 보는 것이다. 다리는 철벅거리고 왜 이다지도 무거운 것인지 나도 놀랐다. 보통 산 사람의 두 배 무게는 되는 것 같았다. 그러나 산포중대에서 백십 킬로그램이나 되는 대포 포신을 한쪽 어깨에 메고 걸어 본 경험이 있는, 한창 때의 나로서는 이럴 때일수록 기운이 나는 법이었다.

나는 시체를 업고 후방으로 빠져나가는 동안 되도록 허리를 굽혀서 적의 목표가 덜 되도록 애썼다. 적군을 피하기 위해서이다. 그러나 허리를 구부릴수록 메고 가기에는 힘이 들었다. 치렁치렁하는 시체를 메고 나는 젖 먹은 힘을 다하였다. 그때 나의 머리를 스쳐 가는 상념은, 적탄이 다시 뒤에서 날라와서 죽은 전우의 가슴을 뚫고 또 내 가슴을 뚫고 나가지나 않을까 하는 공포였다.

나는 '관세음보살 관세음보살'을 열심히 외웠다. 적의 유격탄이 미치지 않을 거리까지 약 삼사백 미터가량 빠져나오니까, 해는 어두워졌고 멀리서 총성이 드문드문 들려 올 뿐 위기는 벗어난 듯했다. 그제야 여럿이 모여들어 담가(擔架, 들것)에 시체를 실어 숙영지 마을까지 왔다. 다음날 시체를 화장하여 뼈를 추렸다.

부대에 귀대한 후에 좀 있다가 나는 간부후보생에 합격했다는 통지를 받고 소속 중대를 떠나 대대 교육대로 갔다. 대대에서 교육을 받는 간부후보생 인원은 약 서른 명가량이다. 그 중에 한인 출신 학병이 열 명가량 되었을까. 나는 교육이 시작된 지 얼마 안 되어, 대대본부 교육계한테 가서 거기에서 주는 서류를 갖고 오라는 상관의 심부름을 받고 가지러 갔다. 이것을 수령하여 돌아오는 길에 무엇인가 궁금하여 살짝 열어 보니, 간부후보생 합격자 서열 명부였다. 나는 놀랐다. 바로 제일 위에 적힌 일번의 이름이 전사한 시무라 군이 아닌가. 그 이름이 빨간 잉크로 줄 쳐져 있고, 비고란에는 '전사'라고 되어 있었다. 나의 이름은 어디 있는가 보니 제일 끝에 보결(補缺) 일번으로 적혀 있으니, 바로 시무라 군의 전사 때문에 결원 보충으로 끌어 올려진 것이 아닌가. 아, 이게 무슨 인연이란 말이냐. 내가 적전에서 그의 시체를 업고 적지를 탈출하느라 애를 썼는데, 그의 전사로 말미암아 생긴 결원을 메우기 위해 내가 간부후보생이 되다니!

나는 인간의 운명 속에 깃든 인연이란 것을 무시할 수 없는 얽힘으로 체험한 것이다. 그 후 간부후보생들은 약 일 개월가량의 훈련을 받고, 다시 사단으로 집결하여 본격적인 사단 간부후보생 교육을 시작하게 된다. 그동안 내가 원래 소속되었던 중대는 간부후보생을 제외한 내무반 일반 전우들이, 교관으로서 우리를 가르치던 소대장 요코가와(横川) 소위와 더불어 여단작전에 참여했는데, 산동성 산간 계곡에서 팔로군에게 기습 포위되어 소대장 이하 전우들이 전사하고 산포(山砲)를 적에게 빼앗기고 마필과 장비의 큰 손실을 본 일대 시련을 겪었다. 특히 소대장은 적의 포위 속에서 야간에 단신으로 산포를 찾는다고 나가서 적에게 사살되어 비참한 전사를 한 것이다.

나는 이런 이야기를 추후에 원대복귀한 후에 듣게 되었고, 요코가와 교관의 장교다운 책임감 넘치는 군인정신을 새겨보는 동시에, 시무라 군이 아니었더라면 나도 중대에 남아서 소대장과 전우들과 더불어 그 작전에 반드시 참가하게 되었을 것이고, 그랬더라면 이미 이 세상 사람이 아니었을는지도 모른다는 생각이 들었다. 시무라 군과의 인연으로 인과응보의 이치를 더 한번 새기면서, 전쟁터 생사의 갈림길 속에서 운명의 손길이란 것을 느끼게 되었다.

2. 하진장(夏津莊)의 밤

1944년의 추운 겨울이 지나고 1945년으로 접어들었지만, 아직 봄은 채 오지 않은 늦겨울의 일이다. 나의 신분은 강제로 종군 중인 일본 학병으로서, 중국 북부 산동성(山東省)에 있을 때이다. 아마 구정(舊正)이 가까워질 무렵이었는지 모른다. 나는 간부후보생의 신분으로 산동성에 있는 초카이(鳥海) 부대라는 경비중대에 설치된 사단 간부후보생 교육대에서 교육을 받고 있는 중이었다. 그 부대는 제남(濟南)과 청도(青島)를 잇는 철도의 중간역쯤 되는 익도(益島)라는 소도시의 역전(驛前) 부근의 변두리에 주둔하고 있었다.

이곳 교육대에서는 사단 내 을종(乙種) 간부후보생 약 여든 명가량이 모여들어 삼 개 구대(區隊)로 편성되어 약 반 년간의 실전(實戰) 섞인 전지교육(戰地教育)을 받는다. 이 중에는 한국인 출신 학병이 약 마흔 명가량 끼어 있었는데, 교육이 끝나면 하사관이 되어 원소속대로 돌아가게 되었고, 그 중 일부 소수는 다시 지명되어 시험을 거쳐 장교 자격증을 부여받았다. 북중국 현지에서 하던 이런 전지 실전교육은, 평소에는 주둔지에서 교육에 임하다가도 적정(敵情)만 있으면 비상 출동해야 했고, 또 대작전에도 참여해야 했다.

이곳에서 약 반 년가량, 우수한 교관 후데모토(筆本) 소위 아래에서 조직적인 맹훈련을 받고 지휘 능력을 기르면서 실전에도 참여하게 되니, 후보생대(候補生隊)의 전투력은 인원에 비해 정예부대라고 평가

할 만했다.

하루는 야간에 갑자기 비상이 걸려 잠을 설치고 일어나서, 건빵 두 봉지의 비상식량과 소총 실탄 백이십 발을 챙겨 출동하게 되었다. 하진장(夏津莊)이란 곳에 있는 적(敵)인 국부군(國府軍, 중국의 장제스 군대)을 불효미명(拂曉未明)에[1] 기습하여, 아침밥 먹기 전에 해치우고 돌아오라는 명령이었다. 우리 측 병력은, 초카이 부대 중대장인 중위가 직접 지휘하는 기관총으로 증강된 일 개 소대와, 우리들의 교관인 후테모토 소위가 지휘하는 이 개 소대의 주력뿐이니, 도합 일백 명 정도가 되었다. 우리들은 적을 기만하기 위해 지급된 편의(便衣, 중국 옷)를 입고 가게 되었다.

특별열차를 타고 청도 방면으로 가다가 도중에 하차하여 남쪽으로 몇십 리쯤 야간행군을 하고 나니, 어둠 속에서 오른쪽에 마을의 성벽 같은 것이 희미하게 눈에 보이기 시작한다. 교관은 저것이 목적지인 적이 있는 하진장이란 마을인데, 이제부터 더욱 정숙하게 전진하여 우리들은 남문으로부터 공격하고, 중대장이 지휘하는 부대는 북문으로 기습하여 남북 협공을 한다고 하였다.

우리는 교관을 선두로 하여 성벽을 오른쪽에 끼고 남하하여 남문으로 접어들었다. 날이 새기 시작하여 일백 미터 정도의 가까운 거리가 보이기 시작한다. 남문 앞에는 보초가 한 명 서 있었다.

"수외이(誰何)야?"('누구냐'의 중국말)라고 물어 온다.

일본도를 들고 맨 앞에 가던 교관이 태연스럽게 "워디, 워디(我的, 我的)"('나다'의 중국말)라고 응답하자마자 "무찔러!" 하고 구령을

1. 동트기 전 새벽에.—편자

내렸다.

우리들은 일제히 남문으로 돌입하였다. 보초는 놀라서 그대로 마을 속의 집으로 도망가 버리고, 우리들은 마을 입구에 들어섰다. 키가 큰 탓으로 대열 앞에 서서 교관 뒤를 따라가던 나와 전우 또 한 사람을 교관이 지명하여, 남문 망루 위에 올라가서 사주경계(四周警戒)에 임하라고 하였다. 우리 두 사람은 망루에 올라가서 부서를 나누어 나는 망루 남쪽 창구를, 다른 전우는 북쪽 창구를 분담하였다. 그도 한인 출신인 정(丁) 군이었다.

남쪽을 바라보니, 육백 미터쯤 떨어진 곳에 마을이 또 있는데, 이곳 마을 앞에서 그곳 마을 앞까지 참호가 지그재그형으로 파여 있었고, 그곳 마을 앞 넓은 공터에서 적의 부대가 일조점호(日朝點呼) 구보를 하는 중이다. 곧이어 이곳 마을에서 총성이 울리기 시작하여 전투가 벌어지니, 그곳 남쪽 마을 부대에도 비상이 걸렸는지 구보하다 말고 개미떼처럼 흩어져서 마을로 들어가면서, 남북에서 교전이 본격화하였다.

이곳 우리가 있는 마을은 집이 촘촘하게 있는 데다 적이 집 안에 숨어서 응사하는 바람에 마을의 일각인 집 몇 채만을 점령했을 뿐 골목이 좁아 더 이상 전진이 불가능한 모양이었다. 남문을 들어서면 곧 공터가 있고, 흙으로 쌓은 성벽으로 둘러싸여 있었다. 소총 쏘는 소리, 기관총 소리, 수류탄 터지는 소리가 하루 종일 계속되기만 했지 전투는 교착상태이고 진전이 없었다.

나와 함께 남문 망루를 지키던 정 군은 망루 안에서 적에게 얼굴을 너무 노출했던지 빵 하는 지근탄(至近彈) 소리와 더불어 "앗!" 하며 뒤로 쓰러졌다. 돌아다 보니, 눈썹 위에 피가 흐른다. 다행히 상처는 경상으로, 벽을 맞고 튀어나온 소총탄의 도탄(跳彈)에 맞은 것 같았다. 나는 압박붕대를 꺼내 응급처치해 주고 밑으로 내려 보냈다.

새벽에 시작한 전투는 낮이 지나고 저녁이 되어도 아무 진전 없이 서로 총질과 수류탄전만을 교환하며 응수했다. 긴장해서 배가 고픈 줄도 모르고 마을 토굴에서 구해 온 고구마를 구워서 얼음 속에서 몇 개씩 나누어 먹었다. 밤이 되자 남쪽에 있는 마을의 적들이 이곳 우리가 있는 마을을 밖에서 포위하였는지, 안팎에서 총성과 수류탄과 유탄 터지는 소리가 요란한 가운데 전쟁터의 야밤은 처량, 처참해 갔다.

우리 부대는 남북으로 갈려 연락도 끊기고 마을의 안팎에 적을 둔 이중포위 속에 들어갔으니, 아침밥 먹기 전에 해치운다는 것이 오히려 진퇴유곡의 처지에 놓이게 된 것이다. 밤이 깊어 감에 따라 장병들의 마음은 초조해지기 시작했지만, 훈련이 잘된 간부후보생 부대라 동요의 빛은 조금도 보이질 않았다. 더러 희생자가 있다는 얘기가 들렸다. 이윽고 밤이 이슥해지자 전원 마당에 모이라는 명령이 떨어졌다. 교관이 말하기를, 우리는 불가부득 철수를 해야 하는데, 부대를 구분해서 선발대가 빠져나갈 때까지 후미 부대는 적을 기만하기 위하여 양동작전(陽動作戰, 거짓으로 공격하는 작전)으로, 가지고 있는 실탄 반가량을 성 밖을 향해서 집중 사격하라는 것이다. 나는 후미 부대에 속해 있었기 때문에 일부 전우들과 더불어 성 밖을 향해 어둠 속에다 대고 마구 쏘아대었다. 총이 너무 뜨겁게 달아서 나중에는 노리쇠가 전진 후퇴를 거부할 정도가 되었다.

우리도 그만할 순서가 되었다. 그런데 이게 웬일인가. 우리 앞에 시체 한 구가 놓여 있지 않은가! 누군가 하고 확인해 보니, 그가 바로 다른 사람이 아니고, 나와 함께 경성제대를 다니던 동료 학병인 가네시로(金城) 군이 아닌가! 그는 본성(本姓)이 허(許) 군으로 문과대 학생이었다. 나하고는 과(科)가 달라서 친교는 없지만, 경기중학 출신의 얌전한 사람이었다. 무슨 인연인지 같은 대학교 출신으로 이곳 북중국까지 나와 함께 와서 같은 후보생 교육을 받고 있던 처지였다. 애통한 노릇이다. 흉부 관통상으로 애석하게도 전사한 것이다.

교관은 "이것을 어찌하면 좋겠는가. 손가락이라도 시신 대신 잘라갈 것인가" 한다. 일본 군인들은 전황이 급하여 전쟁터에서 시체를 거두어 갈 수 없을 때에는 팔이라도 잘라서 가지고 간다는 말을 평소에 교관한테 들은 바는 있었지만…. 나는 선뜻 나섰다.

"제가 업고 가겠습니다" 하니, 나와 가장 가까운 전우 학병인 서(徐) 군[2]이 옆에 있다가 "저도 업겠습니다" 하고 나섰다. 서 군은 일본 중앙대학 출신으로, 내무반에서 바로 내 옆에서 자는 친구로 나와 가장 친한 전우였다.

교관은 "좋다, 그리 하라! 제일 뒤에 따라오라!" 한다. 나는 다른 전우에게 총을 맡긴 후 전우의 시체를 업고, 서 군은 뒷다리를 부축해서 들고, 대열의 뒤를 따라 성벽 동쪽에 있는 비상구로 여겨지는 굴문을 통해서 마을 밖으로 나갔다. 처음에는 앞서 가는 대열의 뒤를 따라갈 수 있었으나, 단신으로 서둘러 도망가는 사람과, 둘이서이지만 치렁거리는 시체를 메고 가는 사람의 속도에는 차이가 벌어지게 마련이다.

어둠 속에 사라진 앞 사람의 그림자를 따라갈 수 없어 나는 우뚝 섰다. 동쪽으로 계속 가야 할지, 동북쪽으로 가야 할지 망설이게 되었

2. 인창고등학교(仁昌高等學校) 교장과 이사장을 지낸 서용택(徐龍澤, 1920-2008).—편자

다. 그 순간 머리 끝이 오싹 일어서고 소름이 끼쳤다. '아, 이젠 본대에서 낙오되어 적 중에 포위되어서 인생의 마지막 날이 오는가 보다. 정신 차려야지' 하고 머뭇거리는데, 어둠 속에 좀 떨어진 곳에서 낮은 목소리로 "오이, 가네모도(金本, 나의 창씨명이다)! 가네모도!" 하는 교관의 음성이 들렸다.

"예, 여깁니다!" 답하니 교관이 찾아왔다. '아, 이젠 살았구나' 하고 안도의 한숨을 내쉬었다. 교관의 안내를 받아 뒤따라가 수백 미터쯤 빠져나오게 됐다. 적의 총성도 멎고 고요해졌다. 방향을 북쪽으로 틀어서 가자 흙 절벽 앞에 도달하게 되었고, 그곳에 부대 후미가 있었다. 홀몸인 다른 사람들은 서로 부축하고 절벽을 기어오르는데, 시체를 메고 오를 수는 없었다. 하는 수 없이 각반(脚絆)으로 팔 다리를 묶어서 여럿이 끌어 올렸다. 한시 바삐 적지를 빠져나가야 하는데, 이젠 업고 갈 수도 없는 노릇이다 보니 교관은 "눈 위니까 끌고 가자" 한다. 언 땅 위에 눈이 깔려 있었다. 우리들은 교관의 지시에 따라 썰매 끌 듯이 네 사람이 눈 위로 끌고 갔다. 타계한 전우에게는 미안한 노릇이지만, 다급한 상황에선 어찌하랴.

일 킬로미터쯤 북쪽으로 빠져나갔다. 마을이 나타나므로 마을 주민들을 깨워서 대문짝에다 시체를 붙들어 매서 메고 가도록 하였다. 비참한 밤이었다. 우리들은 부대에 돌아와서 전우의 시체를 화장하고 뼈를 추렸다.

해방 후 서울에 돌아와서 사직동(社稷洞)에 있는 허 군의 집을 찾아가니, 노부모님은 시골로 내려가 버리셨고, 텅 빈 집에는 집 지키는 사람만이 있어서 쓸쓸한 마음으로 돌아왔다.

사관생도의 병영일기(兵營日記)

이 글은 1947년 10월 23일부터 1948년 3월 8일까지
김익권이 태릉 조선경비사관학교에서 생도교육을 받을 때 쓰던 일기다. -편자

1947년

10월 23일 (목요일)

오늘은 영광의 사관학교 입대식이 있었다. 태극기를 쳐다보며 봉총(捧銃)할 때 애국가 연주 소리에 눈물이 핑 돈다. 오늘이 나의 생애의 출발일이다. 태극기를 위해 모든 고통을 참고 싸워 나가자. 통위부장(統衛部長) 각하, 총사령관 각하께서도 참석하셔서 열렬한 훈시를 주셨다. 국군 건설을 위해서 모든 고통을 감수하라는 말씀이었다.

교장님 훈시

1. 오기생은 질적 양적으로 국군의 중심, 핵심이 됨을 자각하라.
2. 사관후보생(士官候補生)의 긍지를 가지라.
3. 실천주의로 나가라.
4. 학구적 태도를 가지라.

구대장님 훈시

1. 말 없는 청년이 되어라.
2. 명랑.

오인(吾人)의 결심

· 일 년이 되든 육 개월이 되든 모두 달게 받고 힘껏 지성으로 관철하자.

· 구대장님 말씀마따나 '탈'을 벗은 군인이 되자.

· 초년 고생을 하자.

· 공부를 하여 실력있는 장교가 되자.

10월 24일 (금요일)

중대장님의 정신훈화를 듣고 안도의 감을 느꼈다. 과거의 모든 것을 망각하고 정직하게 순진담백하게 나가면 되는 것이다. 자존심을 갖고 참된 인간, 참된 군인, 불평 없이 살아 나가자.

사(私)가 있는 곳엔 불평이 나온다. 총사령관 각하께서 재교시대(在校時代)에 묵묵히 말 없는 부처 모양 싸워 나가셨다는 이야기를 듣고, 과연 우리의 총사령관 되실 분은 인격이 구비되셨구나 하고 마음의 기쁨과 동시에 나도 한 걸음 한 걸음 그러한 인격을 갖추도록 수양하자고 결심하였다. 나는 금일에서야 깊이 자각하였다. 사관학교 재교간(在校間)의 제일 주안(主眼)은 물론 지휘관으로서 필요한 실력배양에 있겠지만, 그보다 더 큰 얻음은 정신수양에 있다는 것을 깨달았다.

즉 개인이 아(我)라는 존재와 사욕사리를 벗어나서 오로지 한 목적인 민족 재건과 국군 건설에만 전심할 때에는, 모든 고통은 고통이 아니고 달게 참아 나갈 수 있다는 것을 자각하였다. 말없이 싸워 나가는 군인이 되자. 고통을 솔선해서 참고 받는 군인이 되자. 이렇게 깨달으니 닥쳐올 육 개월의 고통은 벌써 고통이 아니고, 가슴은 가벼움을 느낀다. 금일은 퍽 즐겁다. 입교 후 정신의 상쾌함을 느끼게 됨은 큰 수확이다.

10월 25일 (토요일)

금일은 구대장 후보생 근무를 하번(下番)하였다. 열흘간 휴가 후에 입교한 탓으로 기합(氣合)이 덜 들었다. 몸이 무겁고 근육이 이완되었던 것은 사실이다. 그러나 너무 떠들어서 목은 꽉 잠겼다. 사관학교의 분위기에 적합지 못한 탓으로 전력은 발휘하지 못하였다. 이다음 근무 시에는 더 실력을 발휘하며, 후보생간에 적극적으로 기도(企圖)대로 근무를 하여야겠다.

오후에는 럭비 시합이 있었다. 구대의 지기(志氣)를 앙양하기 위해 자발적으로 선수로 나갔다. 모든 것을 잊고 싸웠다. 일승일패하였다. 입대 후 처음으로 땀 같은 땀을 흘렸다. 기분이 상쾌하였다. 그러나 시합 후에야 경기 중에 가슴을 부닥친 것이 뜨끔뜨끔 아파 오는 것을 느꼈다. 재학 중에 부상한 심장부 근육이 아파 숨을 크게 쉴 수 없다. 늑막염이 걸려서 재교 중 낙오를 하면 어쩌나 하고 지긋이 근심이 되었다.[1] 얼굴에 열이 올라 화끈거렸다. 그러나 싸우다 쓰러지면 무슨 유한이 있으랴.

쓰러질 때까지 싸워 보자. 기운을 내자. 힘 자라는 데까지 싸워 보자. 점호 후 재미있는 오락회에도 나가지 못하고 빨리 쉬었다. 밤 사이에 나아 줬으면 얼마나 다행이랴. 재교간에 무사하기를 기도드렸다. 몸이 괴로워서 남보다 더 내무(內務)에 힘을 내며 싸울 수 없음이 전우에게 미안하다.

10월 26일 (일요일)

어제 다친 곳이 괴롭다. 도중에 신체로 인하여 낙오되면 유감천만이다. 원기를 내야 하겠다. 오전 중에 면회를 받았다. 우리 가족과 동거하는, 또 스승으로 모시는 선생님과 처형의 아들[2]이 왔다. 집 일은 무사하다. 떡을 해 가지고 와서 배불리 먹고 내무반 전우에게 나눠 주었다. 모두 달게 먹었다. 가슴이 뜨끔거린다. 오후 등산은 쉬었다. 겹쳐서 감기가 들었다. 내일부터 시작되는 본격적 훈련에는 지장이 없기를 빈다. 아무쪼록 재교간 무사하기만 기다리며 기도하는 바이다. 정신을 바짝 차리고 있다.

10월 27일 (월요일)

가슴이 뜨끔뜨끔한 것을 참고 교련에 나갔다. 다행히도 어제보다는 아픈 정도가 덜하다. 병이 더칠까 봐 근심하였더니 더하지 않은 것이 천만다행이다. 국문 및 심리학도 학과로 배우기 시작하였다. '학원생활의 계속' 같은 감이 난다. 사관학교에서는 모든 행사를 계획대로 시간을 정하여 실시하는 것이 매우 즐겁다. 교육대에서는 맛보지 못한 것이다. 이대로 나간다면 유쾌하고 재미있는 재교생활(在校生活)을 할 수 있을 것이다.

10월 28일 (화요일)

오전 중에는 학과뿐이었다. 영어, 육군예절, 병기사격(兵器射擊)이었

1. 김익권은 소년시절에 늑막염을 앓은 적이 있었다.—편자
2. 가까이 살며 김익권과 교유했던 박경호(朴景浩)와 처조카 송현목.—편자

다. 영어시간에는 너무 정도가 낮아서 흥미가 나지 않는 것은 속일 수 없는 사실이다. 반성하여 볼 때 이것은 안 되는 일이다. 자기가 다 알더라도 모르는 전우를 기준으로 하여서 초보부터 시작하는 것이니까 꾹 참고 아는 체 말고, 도리어 배워 주는 것을 하나도 빠뜨리지 말고 다 머릿속에 집어넣도록 하자. 참는 것도 수양이 됨을 알아야 한다.

특히 중대장님의 육군예절 시간에는 예절을 떠나서 '오락'의 선택에 대해서 말씀이 있었다. 일하는 것은 우리 인간의 특권이므로 자랑으로 자각하고 일을 즐거워하라는 말씀은 의미심장한 훈화이다. 군인의 입에서 이러한 교양 깊은 말을 들은 것은 경비대에 들어와서 처음이다. 고위장교란 항상 식견을 넓고 깊게 하고 확고한 인생관 세계관을 갖는 것이 필요함을 새삼스럽게 느꼈다. 중대장님의 말씀을 들을 때 오륙 년 전 재학시에 '히루타이'의 「행복론」에서 "인간의 행복은 '일함'을 특권으로 생각하고 즐기는 것이며 동시에 하나님을 마음 속에 간직하는 것이다"라는 글 구절에 감명하던 생각이 난다.

그렇다! 따듯한 부모의 슬하, 사랑스러운 처자를 버리고 입대하여 스스로 민족과 국군을 위하여 분투 노력하는 그 자체가 나의 자부(自負)이며 즐거움이 되어야 할 것이다. 고생을 달게 받는 그 자체를 즐겁게 여기도록 수양하자. 럭비를 하다 가슴을 다쳤다는 말을 듣고 오늘 양친 부모와 백형이 면회왔다. 약 십오 분간 허가를 얻어 면회하였다. 약을 갖다 주셨다. 얼마나 고마우신 부모이며 형이냐. 그 은혜에 보답토록 사관학교에서 열심히 수양하자. 아파서 드러눕게 되지 않는 한 절대로 의무실에 가서 진료받기는 싫다. 이 약으로 얼른 건강을 회복하였으면 기운차게 활약할 텐데….

10월 29일 (수요일)

오전 중 제일연병장에서 집총각개교련(執銃各個教鍊)을 하였다. 손이 시렸다. 그러나 북중국에서 겪어낸 그 추위를 상기하면 이러한 추위는 얼마든지 참을 수 있다. 구대장님[3]이, 우리 구대는 환자, 기타 아무 사고 없이 전원이 교련 출장할 수 있음을 다행이며 기쁘게 생각하신다는 말씀에 미소지었다. 그 위에 누구든지 몸의 이상이 있거든 의견 상신(上申)하여 의사소통시켜 보고할 것이며, 동시에 재교간에 될 수 있는 한 환자로 눕지 말라고 권고하시는 말씀은, 부하를 진정으로 사랑 애호(愛護)하시는 심정이라고 생각한다. 인자스런 구대장님을 만나서 구대 전원이 유쾌하게 반갑게 생각한다. 부하를 사랑함은 부하에게 낙(樂)만 주는 것이 아니라 부하가 실력을 갖추도록, 즉 실지 전지(戰地)에서 능력을 발휘하여 승리를 획득할 수 있도록 평소에 심신을 단련시킴에 있다. 다시 말하면, 평소 훈련 시에 땀을 흘리게 하는 것이다. 동시에 부하의 신상을 늘 주의하여 그 부하의 근심을 자기의 근심으로 여기는 상관이어야 할 것이다. 상관이 스스로 따듯한 온정을 그 부하에게 베풀 때 비로소 부하는 상관과 골육지정(骨肉之情)을 맺을 수 있을 것이며, 수화(水火)를 가리지 않고 명령에 절대 복종하게 되며, 상관을 위해서는 웃으면서 죽을 수 있을 것이다.

부하 교육의 요(要)는 고매한 품성과 골육지정에 있다. 나도 지금부터 수양하여 참다운 부하를 가질 수 있도록 해야 할 것이다.

3. 김희덕(金熙德) 대위로, 연희전문학교를 졸업하고 군인이 되었으며 후에 중장으로 전역했다.—편자

10월 30일 (목요일)

오전에는 교장님의 훈화가 있었다. '현 사회에 있어서 그 국가생활에 군대란 필요한가' '경비대의 존재는 현하 조선사회에서 어떠한 의의를 갖고 있나' '좌(左)냐 우(右)냐' 라는 문제였다. 민족의 자주독립이란 지상명령은 어느 조선 사람일지라도, 그가 조선에 태어나고 조선의 피를 가졌다면 보편적 타당성을 가졌을 것이다. 물론 그 수단방법에 있어서 차이는 있을망정, 진정한 조국애를 가진 자라면, 사욕(私慾)의 토대 위에서 날뛰는 자 아니라면, 누구나 널리 포섭포옹(包攝抱擁)할 수 있을 것이며, 한데 단결할 수 있을 것이다.

해방 후 이 년 유여(有餘)를 겪어 오는 동안에 우리 청년은 좌도 우도, 자칭 정치객도 정당도 모두 믿을 수 없다는 자각하에, 오로지 조국의 고난을 개척하며 민족의 갈망인 자주독립을 획득하는 유일의 길은 국군 건설에 있다고, 즉 야심 없는 애국 청년의 정신적 단결과 육체적 단련에 있다고 자각한 나머지 경비대에 입대한 것이다. 우리의 독립을 찾고 민족 영생의 토대를 닦는 것은 국군의 힘으로 낙인(烙印)한 것이다. 우리에게는 우리의 굳은 소신이 있다. 사회인은 믿을 바가 아니다. 그렇다고 해서 우리는 무색투명(無色透明), 엄정중립(嚴正中立), 방관적(傍觀的) 제삼자도 아니다. 우리는 모든 불평불만을 소(掃)하자! 경비대를 사랑하고 정신적으로 단결해야 한다. 우리의 갈망인 독립이 어느 누구의 손으로 말미암아 기대에 어그러지거나 방해될 경우에는, 우리는 단결하여 명령일하(命令一下) 무서운 힘을 발휘해야 할 것이다.

좌우를 논할 필요조차 없다. 우리 경비대에는 경비대의 주견(主見)과 소신(所信)이 있을 것이다. 적어도 장교에게는 그만한 자아의식과 신념이 필요하다. 사상을, 정치를 논할 수는 없다. 그러나 민족애에 피끓는 조선인이라면 무언중에도 의사 소통하는 것이 있을 것이다. 정신적 단결만이 우리의 현 단계에 있어서 제일 효과적이며 끽긴(喫緊)한 무장이다. 여기에서 군기(軍紀)의 진작(振作)과 상관의 정당한 명령에는 절대 복종하는 습성을 함양할 필요가 있다. 명령이 이행되지 못하는 군대는 오합지졸이다. 명령일하 화수(火水)를 불사하는 군대를 양성하려면, 장교 스스로가 사(私)를 버리고 조국애에 불타며 모든 역량을 국군 건설에 집중하여야 한다.

안락만 즐겨하고 불평불만에 골몰하는 지휘관에 어느 부하가 따르랴! 고로 평상시부터 불평을 제거하고 사리사욕을 벗어나서 군무에 충실히 복무하는 습성을 도야하여야겠다. 금일 교장님의 말씀을 듣고 과연 상부 지도자층은 하급장교나 병사 하사관보다 큰 안계(眼界)와 식견을 가졌구나 하는 것을 경비대 입대 후 처음으로 느꼈다. 물론 우리들이 사관후보생이니까 이같은 노골적 이야기를 들려주신 것으로 생각한다. 삼 개월 동안 입대생활에 있어서는 초년병 교육에 눈코 뜰 사이 없어서 아무 생각도 없었다. 그러나 이제 와서는 반성의 시간과 인생관, 세계관에 대한 회고도 생겼다는 것을 느꼈다. 사관학교 재교간에 선배 되시는 교장님, 중대장님, 구대장님 제위의 도훈(陶薰)을 받고 굳은 신념으로 정신적 무장을 하겠다.

10월 31일 (금요일)

오전 중은 따듯한 마당에서 사격자세를 배웠다. 엎드려쏴, 봉총(捧銃)을 여러 번 하는데 럭비하다가 다친 곳이 켕기고 아파 온다. 진땀이 흐른다. 참으면 참을 수도 있으나 가슴의 부상이 더칠까 봐 염려되어서 구대장님께 허락받고 견학하였다. 빨리 나아야 내주부터는 남보다 크게 원기있게 군가도 부르고 활동하고 사역에도 솔선 나가고 소제도 하련만, 몸이 마음을 따르지 못함은 유감이다. 금일은 구대장님으로부터 약간의 시간이지만 하이네의 「로렐라이」 시를 들었다. 인상 깊은 사관학교 생활이 되고 장래에 추억도 남을 것이다.

11월 1일 (토요일)

어언간에 시월도 지나가고 십일월이다. 세월은 빠르다. 병기검사를 오전 중에 하였다. 오후는 자유시간이었다. 공부하였다. 공부하려면 얼마든지 공부할 수 있는 생활이다. 재교간에 정신수양을 하는 동시에 여가를 타서 전술능력 습득에 중점을 둘 결심이다. 명실구비한 장교가 되도록 촌각을 아끼자. 남들이 쓸데없는 공상과 잡담에 시간을 허비하는 동안에 힘껏 배워야 한다. 원대한 포부를 갖고! 내일은 일요일! 즐거운 꿈을 꾸며 자자. 사관학교 생활에 재미가 붙고 유쾌하게 생활할 수 있는 심정이 생겨 감은 무엇보다도 다행이다. 명랑하고 쾌활하게 지내자.

11월 2일 (일요일)

금일은 일요일이다. 오전 중 대청소를 하였다. 서울서 처가 면회 왔다. 후에 형과 자부(姊夫)가 면회 왔다. 럭비하다 가슴을 다쳤다는 말을 듣고 집에서는 근심하여 약을 가지고 왔다. 가사는 무고하다. 즐거운 하루 오후를 보냈다. 나에 대한 기대가 큰 만큼 남보다 훌륭한 장교가 되어야 한다. 밤 자습시간에 중대장님의 훈화가 있었다. 오기생에 대한 상사의 기대는 물론이요 사회의 기대도 크다. 오기생의 탄생으로 말미암아 경비대는 충실되고 진실한 의미에서 국군의 지반(地盤)은 터를 잡을 것이다. 오기생만은 후보생다운 씩씩한 생활을 하라. 군인다운 품성과 모든 고통을 굳세게 참아 나가는 극기심을 도야하라는 말씀이었다.

과연이다. 무사(武士)는 배고파도 이빨만 쑤신다는 격언이 왜어(倭語)에 있다. 인내심을 양성하여야 한다. 사관학교는 기술보다 두뇌보다 정신을 단련하는 수양도장인 까닭에! 고통을 참아 나가는 극기심이야말로 청년시절에 배양 못 하면 일생 동안 약자가 되어 버린다. 군인에게 필요한 최대요소의 하나는 인내심이다. 군대 중에 제일 강한 군대는 인내심 많은 군대라는 말을 일본 대좌한테 들은 적이 있다. 지휘관이 의지 박약하면 어찌 강한 부하를 양성할 수 있으랴! 비속박약(卑俗薄弱)한 마음이 나올 때는 굳세게 누르자!

11월 3일 (월요일)

놀 때는 놀고 일할 때는 일하자. 어제는 유쾌히 쉬었으니 금일부터는 새로운 기분으로 육 일간 열심히 일하자. 가슴은 차차 나아 가는 차도가 있으나 아주 완치되지는 못하였다. 몸이 아주 거뜬하지는 못하다. 오전에는 교장님의 정신훈화, 오후에는 중대장님의 정신훈화가 있었다. 경비대의 실정과 여하한 수단으로 단결을 도모하나, 어떻게 하면 사관후보생이 단결하여 나갈 수 있는가 등등의 문제에 관하여 여러 가지 참작되는 점이 많았다. 어느 사람을 막론하고 입으로 애국자를 자칭하지 않는 사람이 있으랴만은, 진정한 애국자, 진정한 군인이 되기는 어려운 일이다.

만일 진정한 애국자라면, 모든 불평불만은 일소될 것이고 여하한 고통일지라도 달게 참을 수 있을 것이다. 불평 모르는 사람! 불평이 생기면 이 불평을 극복할 수 있도록 분발하여야 한다. 사(私)를 없애야 한다. 사리사욕을 버려라. 어려운 문제다. 남을 해하지 않는 것, 남과 공평히 하는 것, 즉 정의(正義)에 벗어나는 짓을 하지 않는 것 등은 보통의 이성인(理性人)이면 다다를 수 있다. 그러나 자기가 배고프고 추워도 남을 배부르게 하고 덥게 하고, 자기보다 남을 더 위하는 자는 되기 어려운 일이다. 공자, 석가, 그리스도와 같은 성인들은 애타(愛他)에 살 수 있었을 것이다. 우리 범인(凡人)도 수양하면 그 경지에 가깝게 다다를 수 있겠지만, 그보다 먼저 우리는 사리사욕을 위해 공리(公利)를 범하지 않는 인간이 된 연후에, 더한층 노력하여 애타에 살 수 있는 경지에 이르도록 하여야 할 것이다.

세상에는 사리사욕을 위해 공리공익을 망각하는 자가 대부분이다. 즉 정의에 어두운 자가 많다. 우리는 우선 굳은 정의감에 사는 인간이 되어야 한다. 천만금을 주며 꾀어도 정의에서 벗어나 양심의 가책을 받는 일은 못 하는 인간이 되어야 한다. 나를 위해 남을 해치는 사람은 되지 말자. 앙불괴어천(仰不愧於天)하고 부부작어인(俯不怍於人)[4] 하는 당당한 생활을 하자. 동시에 타인에 대하여 동정심 많은 사람이면서 전체를 살리기 위해서는 어느 때든지 개(個)를 희생할 수 있는 마음을 닦아 나가자. 개인의 향락과 개인의 영예를 위해 군인이 된 것이 아닌 이상, 하루하루 수양해서 사리사욕을 조금씩이라도 덜자! 사리사욕에 눈이 어두우면 어찌 국가 민족을 위해 죽을 수 있으랴!

4. 『맹자(孟子)』는 「진심(盡心)」편에는 군자에게 세 가지 즐거움이 있다고 했는데, 그중 둘째가 우러러 하늘에 부끄러움이 없고, 굽어보아 사람에게 부끄러움이 없는 것이라고 했다.—편자

11월 4일 (화요일)

오전 학과. 오후는 거리측정 훈련. 잠시의 휴식 시라도 구대장님의 시적(詩的)인 인생관이 재미있다. 이대로 나간다면 설한(雪寒) 위에서 해야 할 전투교련도 재미있을 것이다. 할 때 하고 놀 때 노는 생활은 우리에게 권태를 주지 않는다. 군인은 늘 명랑해야 한다. 허심탄회해야 한다. 숨김이 없어야 한다. 특히 장교는 정정당당 씩씩하게 나아가야 된다. 남자답게 비굴한 태도 없이 살아야 한다. 내무반에서는 화기애애하게 가족처럼 재미있게 지내야 한다. 배도 고프지만 서로 웃으면서 지내면 고픈 배도 잊을 수가 있는 것이다. 얼른 몸이 건강해져야 한다. 그래야지 남보다 더 활약할 수 있고 솔선해서 고난을 감수할 수 있을 텐데, 아직 몸이 충실치 못하다. 가슴이 다 낫기 전에 전투교련이 시작되면 어쩌나 하고 염려가 된다. 벌써 금일부터 각개전투 교련이 시작되려 한다. 아무것도 바라는 것은 없다. 육 개월간, 아파서 훈련을 쉬는 일이 없이 나가 주기만 바란다.

11월 5일 (수요일)

새벽에 꿈을 꾸다 "기상!" 소리에 깼다. 있지도 않은 동생 세 명이 죽어서 장례를 치르는 슬픈 꿈이다. 괴상한 꿈이다. 기분이 좋지 못했다. 어제 저녁에 처음 경험한 지진 때문인지. 참, 어제 저녁에는 자다 깨어 보니 대폭풍우(大暴風雨)나 일어난 듯이 유리창이 소리치며 흔들렸다. 침대가 흔들리는 통에 지진인 줄 알았다. 천장이 떨어지지나 않을까 하고 겁도 났으나, 졸린 판에 '죽으면 죽을 운명이겠지! 모르겠다!' 하고 그대로 자 버렸다. 아침에 일어나니 지난 밤의 지진이 꿈같았다.

오전 체조시간에 경기(競技)를 할 때는 가슴 때문에 견학하였다. 수치스럽기도 하나 안타까웠다. 빨리 몸이 충실히 되어 펄펄 원기있게 뛰어다니고 싶었다. 군대생활에 있어서 몸이 괴로운 것보다 불행은 없다고 생각한다. 의무실에 가서 빨리 진찰을 받았더라면 빨리 나았을지도 모르는 걸 하는 마음도 일어나지만, 의무실에 가서 병휴(病休)를 신청하거나 취침의 진단 결과를 얻고 훈련을 쉰다는 것은 양심이 허락지를 않는다. 될 수 있으면 자기 손으로, 자기 약으로 빨리 고쳐서 남과 같이 훈련하고 싶다. 그래서 더 초조한 마음이 일어난다. 마음을 졸여도 병이란 날 때가 되지 않으면 안 낫는 것인가 보다. 중국인 모양으로 마음을 크게 느리게 먹자. 마음을 아쉽게 갖지 말자. 나아 올 때를 기다리자.

11월 6일 (목요일)

벌써 목요일이다. 또 주일날이 돌아온다. 육 개월 육 개월 하고, 길다 길다 하지만은, 이렇게 지나가면 금방 지나갈 것이다. 하루하루를 아껴서 열심히 공부해야겠다. 잡념을 버리고 실력을 양성하자. 자습시간을 충분히 활용하자. 일요일이 기다려지는 것은 면회를 기다리는 마음인지, 이래서는 안 되겠다고 알면서도 자연히 우러나오는 것은 수양이 부족한 탓일까.

11월 7일 (금요일)

금일은 석식 후 야간 전투교련을 하였다. 유엔에서 중국의 제안으로 조선에서 남북에 있는 군사단체를 해방시키라는 것이 채택되었다는 뉴스가 퍼져, 후보생 일동이 모이면 그 소리요, 마음이 산란하다. 우리 구대장님께서는 그런 일은 실현될 가능성이 확실히 없다고 말씀하셨다. 만일 그렇게 된다면 우리 경비대원은 비장한 눈물을 금치 못할 것이다. 나의 생각에도 그런 말은 비록 뉴스가 확실한 것이라도 실현되기에는 곤란성 많은 것으로 믿어지며 그러므로 결코 부화뇌동치 않을 것이다. 만일 우리가 해산당한다 한들, 우리의 정신은 살아 있는 것이며, 여기에서 기른 우리의 민족정신은 삼천만을 다시 재생시키는 등화(燈火)가 될 것이다. 최후의 날이 온다 한들, 그날까지 맹렬히 싸우고 배우자.

11월 8일 (토요일)

오전 중 태릉에 가서 교련. 오후에는 휴무. 양말도 빨고 발도 씻고 하루 온종일 뒹굴뒹굴하였다. 요사이 와서 참다운 전우, 생사를 같이할 전우를 아직 만들지 못한 적막의 감을 느끼게 되었다. 교육대 시절에는 삼 개월간에 서로 이해하고 흉금을 털어놓을 수 있는 전우를 만들었다고 생각한다. 그러나 생사를 같이하게끔 다다르기에는 시간이 부족하였다.

여기에 와서도 아직 기일이 경과되지 못한 까닭이겠지! 교육대 시절의 재미있는 내무반의 추억이 달콤하다. 참된 우정을 맺기에는 서로 그 인격에 있어서, 기거동작(起居動作)에 있어서 의기투합하고 그 성격이 맞아야 한다. 설혹 그 지식 수준이 다르더라도, 서로 도와주고 도움을 받으며 서로 의지하며 따라야 한다. 이러한 전우를 찾기는 매우 힘든 것이다. 마치 자기 이상에 맞는 이성을 고르는 것이 어려운 일임과 같다.

겉으로 좋아하고 외면적인 교제와 같은 것은 술 한 잔, 담배 한 대로

도 능히 할 수 있겠으나, 깊은 내면적인 우정은 그리 용이한 일이 아님을 짧은 경험으로 알게 되었다. 특히 군인인 만큼 생사를 같이할 만한 포어지교(鮑魚之交)를 가지고 싶음은 상정(常情)이다. 과거 일제시대에는 민족의 운명을 비관하고 민족의 고경(苦境)을 개척하자고 서로 격려하고 도와 주던 우인(友人)을 몇몇 가져 보았다. 그러나 해방 후는 제각기 자기주장, 자존심의 과대로 말미암아 참된 동지자(同志者)를 구하기가 드물었다.

경비대에 입대한 후 당연히 조국광복에 신명을 바치는 청년들인 만큼 참된 우정을 맞기 쉬울 텐데, 그와 어그러지게도 대부분의 동기생은 무목적적이며 빵을 해결하자는 목적이 더 큰 것 같음은 나의 관찰이 틀림일까. 이래서는 조선의 장래는 낙망이다. 물론 먹지 않으면 싸움도 못하고 살지도 못한다. 그러나 현하(現下) 조선의 현실은 우리 청년이 각자 사(私)의 입장보다 공(公)의 입장에 서야 되겠다. 기일이 연장되었다 하여 도망하려는 자는 논외이다. 불같이 타오르는 애국 정열은 말 없어도 겉으로 흘러야 할 것이다. 요사이 사관학교 후보생들의 분위기에 실망을 느끼게 되었다.

11월 9일 (일요일)

금일은 일요일, 태릉에서 구대 회식이 있었다. 집에서 면회를 왔다. 재미있는 하루를 보냈다. 배부르게 먹고 편안히 쉬었다. 주일날은 우리에게 유일의 위안일이다. 일할 때는 일하고 배울 때는 배우고 놀 때는 놀자! 그리고 깨끗이 잊어버리고 내일의 마음 준비를 하자. 활동과 휴식의 구분을 명확히 하자. 그것이 군인의 특징이다. 면회도 아니 오고, 올 사람도 없고, 아무 위안도 받지 못하는 전우는 얼마나 쓸쓸하냐. 그러한 전우들에게 약소한 음식이나마 나누면 모두 감사하며 즐겨한다. 그 광경을 보는 것이 또한 기쁜 일이다.

11월 10일 (월요일)

오늘은 교장님, 중대장님의 정신훈화가 있었다. 구대장님의 열렬한 훈시도 있었다. 조선의 현실을 생각하고 약소 민족의 고경(苦境)을 타파하려면, 우리가 선봉이 되어야 할 것이며 초석이 되어야 한다. 이러한 중책을 가진 우리 후보생 자체 속에서 불평불만으로 말미암아 도망병을 냈다는 것은 조선 청년의 정신태도가 부패했다는 증좌(證左)이며 우리의 수치이다. 이 분위기가 그대로 나가고 우리 청년의 자각과 반성이 없다면 우리 조국의 앞날은 막연하다. 우리는 영원히 노예가 될 것이며, 우리 민족은 영원히 헤매는 방랑 민족이 되고 말 것이다. 통탄할 사실이다. 자각의 경종(警鐘)을 울려야 한다. 우연 그 자체가 나로 하여금 백의인(白衣人)의 일원이 되게 하였다면, 백의인이 된 임무는 우리의 손으로 개척해야겠다. 그러려면 자기 자체가 수양 깊고 애국 열정에 불타는 사람이 되어야 한자. 자기 개인의 가정을 돌보아 이해타산을 하는 사람이 되지 말자. 최대한도의 역량을 국가와 민족에 바치고 불평불만 없는 군인이 되어야 한다. 매일 매일 반성하여 수양에 수양을 거듭하여 진보하자.

11월 11일 (화요일)

오전은 학과. 오후는 태릉에서 각개전투 교련. 포복하기에 힘이 들었다. 가슴이 더 아파질까 봐 근심이 되었으나 될 대로 돼라 하고 끝까지 하였다. 무리해서 더 아파져서 신병(身病)이 생기면 할 수 없다.

군법시간에 박 대위님의 말씀이 인상 깊다. 즉 모든 것은 군대에 들어온 군인이라면 운명에 맡겨라 하는 말씀이다. 내일 싸우다 죽을는지 모르고 언제 죽을는지도 모르는 것이다. 일일이 근심한들 무슨 효과가 있으며, 얻는 점이 있으랴 하는 말씀이다. 현실 환경의 모든 것에 만족하고 명랑하게 살자. 과거를 운운할 필요는 없다. 각오하고 입대한 이상 모든 고생을 고생으로 여긴다면 정신적 불안뿐이다. 벌거숭이가 되고 명랑하게 유쾌하게 살아 나가자. 가사(家事)든지 사회정세, 국제정세든지, 모든 것은 사관학교에서 수양하고 있는 나로서는 다 잊어버려도 좋다. 오로지 현재 임무에 매진하자.

11월 12일 (수요일)

금일은 하루 종일 학과뿐이었다. 처음으로 중대장님께 전술학을 배웠다. 재교 중에 주력(主力)을 들이자는 과목이다. 중대장님의 입에서 서울 시내의 경관(警官)에 대한 테러사건과 5연대에서 사건이 발생하였다는 것을 들었다. 그러므로 외출과 면회도 금지한다는 말씀을 들었다. 외출은 모를망정 면회도 금지한다는 말씀에는 좀 서먹하였다. 군인정신이 충분한 사람이라면 육 개월간 속세를 떠난 각오로 수양도장(修養道場)에 들어온 이상 가족의 면회를 기다린다는 것은 그 자체가 모순일 것이다. 그러나 나는 아직 그만한 정도에 다다르지 못하였다는 증좌이다. 내 마음이 이렇게 약할까.

일본 군대 시절에는, 멀리 북중국의 광야에서 일 년 반이나 되는 세월을 한 차례의 면회도 없이 지내 왔는데! 물론 그때는 불가항력이었다. 지금은 그때와는 조건과 환경이 다른 때문일까. 암만 생각하여 보아도 나의 마음이 약한 탓이다. 죽는 셈 치면 못 될 일이 어디 있으며,

못 참을 일이 어디 있으랴. 모든 것을 낙관하도록 하자. 환경을 싫어하면서 지배받는 사람이 되지 말고, 스스로 환경을 지배하는 인간이 되자. 해방 후 입대 전에 지내 온 가정적 안락은 잊어버리자. 고생하러 들어온 내가 아니었더냐! 마음을 담담히 먹고 모든 고(苦)를 달게 받으며 정신적 안정을 찾자. 위안을 외부에서 구하려 하지 말고 내 자신의 마음속에서 위안을 발견하도록 하자. 큰사람이 되자. 부화뇌동 동요하는 사람이 되지 말자. 소인(小人)이 되지 말자. 대인(大人)이 되자.

11월 13일 (목요일)

야간전투가 있었다. 날씨가 매우 추웠다. 북중국에서 후보생 집합교육을 할 때 엄동설(嚴冬雪) 야반에 토벌 다니던 그 심경을 다시 회고하였다. 그때는 언제 죽을는지도 모른다는 운명론자가 되고 모든 것을 참았었다. 이제 와서는 스스로 희망해서 고생하러 들어와 고생하는 것이다. 옛 시절의 그 고생에 비하면 현재의 고생은 고생이 아니라 낙(樂)이다. 언제든지 참기 어려운 고생이 닥쳐 오면 학병시대의 고생을 상기하면서 다 참아 나가겠다는 각오와 결심을 하였다.

11월 14일 (금요일)

오전 중 학과. 축성학(築城學)을 배웠다. 장(張) 대위님의 군사지식에는 경탄하였다. 그보다, 연소한 장교로서 군사 연구에 너무나 열심이란 점에 놀랐다. 고식(姑息)에 안면(安眠)하는 엉터리 장교가 있는 한편에, 주야불철 외국군사학 도입에 골몰하는 국군의 장교가 있다는 것은 든든하고 전도가 유망한 현실이다. 거기에 비해 나의 현실을 생각해 보면, 너무나 무식하고 공부 면려(勉勵)가 부족하다.

공부할 여가는 많은데도 공부 아니 하는 자기가 남부끄러웠다. 열심히 공부해서 남한테 뒤떨어지지 않는 장교가 되도록 하자. 오후 지형학(地形學) 독도법(讀圖法) 시간에도 배워야 할 것이 허다하다는 것을 자각하였다. 재주 없는 대신에 남보다 열심히 하여야 한다. 어영부영 육 개월 지내다가는 나 자신이 조소하는 엉터리 장교가 되고 만다.

오전에 태릉에서 각개전투 교련. 후보생이 너무나 고식을 취하기 때문에 구대장님한테 기합을 받고 대포복(大匍匐)을 하였다. 마땅히 받아야 할 것을 받았다. 기합 받은 뒤에는 기분이 시원하였다. 평소에 기합이 없다고 안심을 하고 구대장님의 진심을 망각하여서는 안 된다. 우리가 자주적인, 주동적인, 질서있는 자유를 취하여야 한다. 내일은 개천절(開天節)이다. 밤에 전기가 꺼져서 자습(自習) 무.

11월 15일 (토요일)

금일은 의미 깊은 개천절. 해방 후 이 개 성상(星霜)을 허무하고 아무 소득 없이 지냈다는 설움! 어느 때나 자유의 천지가 오나! 우리가 장교가 된 후 우리 아우들이 갈 길을 굳게굳게 다듬어야 우리 스스로 독립을 찾을 수 있겠지. 우리의 책임은 크고 크다. 아무도 믿을 수 없다. 우리 청년장교의 손으로 건설하여야 한다. 교장님의 훈시도 그 취지였다. 떡도 먹고 하루 자유스럽게 놀며 쉬었다. 석식 후 1중대의 전우가 와서 열심히 하자고 격려해 주었다. 동료한테 뒤지지 않도록 공부하자. 열심히 하자. 금일부터 곤란을 극복하고 와신상담하자. 안면(安眠)을 탐하지 말자. 입대 시의 그 포부를 잊지 말자.

11월 16일 (일요일)

하루 종일 휴일이다. 처와 형이 면회를 왔다. 이 주일 만에 찾아와서 가정의 무사를 알려 주고 약소하나마 점심을 갖다 주며 위로하여 주니 감사하다. 나 한 몸을 위해서 곤궁한 생활을 씩씩히 싸워 주는 처가 무한히 감사하다. 오로지 남편의 앞길을 축복하며 생활고를 무릅쓰고 주일날이 오면 위로를 갖다 주며 나의 마음을 든든하게 하여 주니 내가 그 심정에 보답하는 바 무엇이랴! 배고프다, 춥다는 마음은 처 앞에서는 나올 수도 없다. 뒤늦게 형이 왔다. 시계를 갖다 주었다. 감사하다. 매주일 면회와 줄 사람도 있는 나는 행복이다. 이북에 고향을 두고 찾아 줄 지인조차 없는 전우들은 얼마나 고독하고 적적하랴!

전우 손(孫) 군과 점심을 나누었다. 군은 나보다 연소하나 인정있는 남자다. 옆에서 같이 자게 된 탓으로 자연히 친해지고 모든 것을 흉금을 털어놓고 이야기하는 처지다. 배고픈 전우에게 점심이라도 나눌 수 있는 것은 즐거운 일이다. 내무반 전우에게는 약소한 고구마, 사과, 엿을 나누어 주었다. 면회도 없었던 전우들은 모두 반가워한다. 인심을 얻으려고 그러는 것은 아니지만, 혼자만 배부르고 나머지 전우에겐 조그마한 위로도 주지 못하는 것은 미안한 까닭이다. 이러한 기회에 내무반의 공기는 따듯하여 갈 수 있다고 생각한다. 위안을 충분히 받았다. 내일부터 일 주일간 묵묵히 싸워 나가자. 이번 주일엔 잡념을 일소하고 자기 실력에 조금씩 진보가 있도록 공부하자.

11월 17일 (월요일)

어제 저녁에 일석점호 시 제2중대의 점호 준비가 불가한 탓으로 일직사관님한테 기합을 받았다. 취침 후 비상이 걸렸다. 기합을 받고 구보

후 한시경에 취침하였다. 후보생들이 타락된 것은 사실이다. 전부가 그런 것이라기보다 일부 맹목적이고 군인답지 못한 사람이 있다. 전우간에 그것을 묵인하여 두는 그 자체가 오류일 것이다. 야반에 연병장 열 번 구보 중 낙오한 칠팔 인의 후보생 중에 기합 후 일직사관님이 나오라 해도 양심을 속이고 아니 나와 여러 전우에게 연대책임을 가하는 자가 있으니 안타까운 현실이다. 양심 없는 자가 어찌 부하를 거느리고 교육할 수 있겠는가. 자기가 비뚤어진 마음을 가지고 부하에게 정직하라고 요구할 수 있을까. 통탄할 일이다.

어제 늦게 잤기 때문에 오늘 오후 학과시간에는 매우 졸렸다. 심리시간에 부교장님께서 자연에 얽매인 인간의 지경을 벗어나서 창조성 있는 인간이 되도록 수양하라는 말씀은 의미심중한 말씀이다. 본능적 생활에서 의지적 생활로 한 걸음 더 나아가서 창조적인 생활로 발전하여 나아가라는 말씀이다. 맹목적에서 의식적인 존재가 되어야 한다. 하루하루 반성하여야 한다. 포화상태에 빠지기 쉬운 머리를 가다듬어 학구(學究)에 노력하자.

11월 18일 (화요일)

석식 후 자습시간에 중대장님의 훈시가 있음. 후보생이 자각이 없고 참으로 조선을 건설하겠다는 성의와 기백이 없는 탓이다. 학과에 집합하는 동작이 매우 늦어서 중대장님이 노하셨다. 우리는 수동적이 되어서는 아니 된다. 주동적 입장에 서서 진정한 의미의 자유를 맛보아야 한다.

11월 19일 (수요일)

금일은 무엇을 잘못했나 반성해 보면 아무 잘못도 없다. 그러나 무슨 진보되는 일을 하였나 하면 그렇지도 않다. 그대로 지나가고 말았다. 자습시간에는 전우의 교련예부(教鍊豫簿)를 베끼어 대망(大忙). 구대장님께 구대장님과 같은 교련 계획표를 매일 작성하라는 말씀을 듣고, 이때까지 제멋대로 하던 것을 개량하려 함이다. 시초부터 좀 노력을 아끼지 말고 하였더라면 괜찮을 것을 후회가 난다.

11월 20일 (목요일)

야간전투 교련이 있었다. 식사 당번이어서 매우 분주하였다. 야식까지 있어서 바빴다. 식기를 두 손에 쥐고 초년병 모양 달려갈 때, 일본군대에서 겪은 초년병 시대와 제1연대 교육대에 처음으로 입대한 후 뛰어다니던 자기 자신이 회상되며, 또 현재 역시 그 환경을 되풀이하고 있는 자신을 흥미있게 객관화할 수 있어 스스로 미소지었다. 나이는 한두 살 더 먹었으나 이러한 초년병과 같은 동작 속에 젊어 가는 듯하다. 재미있는 인생이다. 현재는 분주하나 나중에는 커다란 추억의 실마리가 될 것이다.

11월 21일 (금요일)

오전 중은 내일 있을 피복검사의 준비에 분주. 첫번째라서 그런지 능률이 나지 않았다. 오후는 학과. 주식(晝食) 때 작업이 아직 다 끝나지 않았는데 식사가 올라와서 3분대, 4분대, 그 외 분대가 각개(各個)로 식사를 하여서 일직사관께 꾸중을 들었다. 사역 갔다 돌아오니 내무반원의 반수가 밥을 다 먹은 사람, 반쯤 먹은 사람이 있었다. "아직

타 분대에서는 식사 안 하는데 식사를 하느냐" 하니, "4분대가 먹어서 우리도 먹는다" 하는 것이다. 4분대를 보니 먹고 있었다. 할 수 없이 먹어 버렸다. 식사 당번도 빨리 먹으라고 최촉(催促)하는 통에 다른 전우 이삼 명도 편역(便役)을 갔다 올라와서 같이 허둥지둥 약 삼 분간에 먹어 버렸다.

일직사관께 들키는 날엔 탈 나는 것이다. 드디어 일직사관이 각 내부반 순찰! "식사는 오 분간에 하라!" 한 후였다. 우리 내무반에선 벌써 식기 씻으러 간 후였다. 과연 일직사관님한테 분대원 전원이 혼났다. 오후 학과 도중에도 '금일은 기합을 받겠다' 하고 근심되었다. 지나고 보니 우습기도 하다. 이다음부터는 주의하자. 군중심리란 우습다. 한 전우가 "먹자!" 하고 숫갈을 들면 부화뇌동하는 것이다.

11월 22일 (토요일)

오전 다섯시 기상. 오전 한시에 불침번 섰다. 사십오 분간이나 충실히 복무하고 나면 기분이 좋다. 의무를 다하였다는 안도감이다. 오전 중에 피복검사 무사히 완료. 아침에 준비 중 내무반 전원 일직사관님께 기합 받음. 대야를 빨리 반납치 않고 각자 자기 정돈만 한다고. 오후는 휴양. 외출하는 전우가 구대에서 두세 명 있었다. 사정에 의해서 그런 것이겠지 하고 부럽지도 않았다. 면회도 매주일 와 주는 나로서는 외출하나 안 하나 큰 차이가 없다. 전부 외출할 때 같이 외출하면 즐거울 것이다. 그때를 기다리며 묵묵히 싸우자.

11월 23일 (일요일)

일요일이다. 면회가 있었다. 동거하는 지인(知人) 노(老)선생님과,

왕십리 사는 형의 아들 즉 조카[5]가 왔다. 처는 삼광국민학교(三光國民學校)에서 왕십리 무학국민학교(舞鶴國民學校)로 전근하였다고. 경성부(京城府) 관사에 살고 있는 관계로 부시학(府視學)[6]이 집을 빼앗으려다 못 뺏자 홧김에 먼 곳으로 전근시킨 것이다.[7] 세상에는 비양심적인 인사가 수다(數多)하다. 그러나 그러한 인사와 투쟁할 필요도 없고 관심할 바도 아니다. 폭(暴)에 대하여 폭을 응수하는 것은 그다지 좋은 것은 아니다. 가사는 불고(不顧)다. 오로지 실력 양성에 힘쓰자.

11월 24일 (월요일)

요사이 학습의 진보가 없다. 이래서는 안 되겠다. 단시간에 교련예부(教鍊豫簿)를 쓰고 나머지 시간은 여유 있게 공부하여야 한다. 무위도식은 아니지만 좀 더 시간을 효과적으로 능률적으로 이용해야 한다. 요사이는 반성문 쓰기에도 바쁘니 웬일이냐. 입교 후 시초보다 더 능률과 열(熱)이 나야 할 텐데 촌가(寸暇)를 아끼는 습관을 지어야 한다. 나의 결점은, 어느 때는 힘써 하고 어느 때는 힘을 안 들이는 습성이다. 물론 일할 때와 놀 때의 구별은 필요하지만….

5. 박경호와 장조카 형준(炯晙).—편자
6. 조선총독부에서 임명한 경성부(京城府) 교육감독관으로, 공립보통학교를 시찰 · 지도하며 학생들의 사상 선도를 담당했다.—편자
7. 당시 김익권의 아내 한정희는 후암동에 있던 삼광국민학교 교사로 근무하며 그 학교 부근의 교원 관사에 살고 있었다. 그러던 중 그 관사들이 일본인의 적산가옥으로 분류되어 교사들에게 불하되었다. 그러나 부시학은 한정희가 여선생이라는 이유로 불하받지 못하게 하려다 실패하자 먼 곳으로 전근발령을 낸 것이다.—편자

11월 25일 (화요일)

오전에 강설(降雪). 처음 눈이다. 이제야 본격적 겨울이 내습(來襲)하는가 보다. 얼마나 추워질지 모르나 굳세게 싸워 보자. 추워도 따듯한 가향(家鄕) 생각은 머리에 떠오르지 않도록, 떠올라도 그것을 연연히 생각지 않도록 수양해 보자. 추우면 북중국의 고생을 상기하자. 설야의 토벌행을! 각개전투 교련! 처음으로 배낭을 짊어지고 뛰었다. 첫번에는 무거운 것 같더니 뛰고 나니 아무렇지도 않았다. 모두 그런 것이다. 오후는 교장님의 정신훈시(精神訓示) 후 자습. 경비대의 당면 책무는 우리의 힘을 만들어서 국민 전체의 기대를 실현할 수 있는 군대 양성에 있다. 국방력 없는 국가는 허수아비 국가다. 우리의 독립도 국군의 힘이 찰 때 올 것이요, 사상의 통일도 남북의 해결도 오로지 경비대의 힘으로만 실현된다. 그렇다면 현재는 실력 양성에 전력을 다하여야 할 것이다.

11월 26일 (수요일)

어제 강설로 인하여 매우 추워졌다. 추위가 본격적으로 시작됐다. 식사 당번을 하기에는 약간 힘이 들었다. 미라 박사의 영어회화도 있었다. 하루 종일 학과만 하였다. 그러나 학과도 훈련만큼이나 덜덜 떨며 애썼다. 이것이 수양이겠지! 이 겨울과 싸워 보자.

11월 27일 (목요일)

오전 중 완전무장으로 각개전투 교련의 종합훈련. 중대장님이 직접 오셔서 보셨다. 자신 열심히 하였다. 그러나 돌격 개시 지점까지 차폐(遮蔽)하여 포복 전진 후 불의 사격하려고 상체를 내밀었다. 중대장님으로부터 그런 전투교련이 어디 있느냐고 꾸지람을 듣고 되풀이했다. 알고 보니 자기 미숙이다. 배낭을 짊어진 까닭에 자기 눈으론 차폐된 듯하나 적안(敵眼)은 보고 있는 것이다. 모든 것은 체험에 달렸다.

실시 후 중대장님이 모범을 보여 가며 강평(講評)하셨다. 논에 빠져 가며 숨을 헐떡이며 교육에 열중하시는 양을 볼 때 머리가 수그러졌다. 거기에 대해서 우리 피교육자들은 너무나 열성이 부족하다. 약 두 시간에 걸친 훈련이라도 자기가 실시하는 시간은 불과 이십 분에 지나지 않는다. 나머지 시간은 다른 공상! 이래서는 안 되겠다. 너무나 피동적이다. 좀더 적극적으로 연구심과 학구심을 가져야겠다. 일반 초년병과 다름이 없는 이 습성을 고쳐야겠다.

11월 28일 (금요일)

중대장님 전술시간에 "장교 될 후보생은 배짱을 크게 가져라" "담백하여라"는 훈화를 예를 들어 말씀하시는데, 새삼스러이 마음을 크게 먹자고 결심하였다. 남아 대장부라면 자기 과실은 과실로 담백하게 인정하며 개과(改過)하여야 한다. 인간인 이상 누가 과실이 없으리오! 만일 과실을 지었을 때는 자발적으로 "처벌해 주십시오" 하고 용감히 나서는 배짱을 가져야 한다. 그것이 남아이다. 나쁜 의미가 아니라 씩씩하다는 의미의 배짱을 부리자. 대담하고 큰 사람이 되어야지, 여자 같은 약소배(弱小輩)는, 샌님은 못쓴다. 큰일을 못 한다. 마음을 크게 먹자. 크게 놀자.

11월 29일 (토요일)

세월은 빠르다. 벌써 공일이 돌아온다. 오후는 청소 후 빨래를 하였다. 일 주일 만에 발도 씻었다. 기분이 상쾌하였다. 상번(上番) 주번사관님인 제1구대 김 대위님께서 여러 가지 요망사항이 있었다. 특히 감명되는 것은 "원기(元氣)있는 동작을 하라" 하는 말씀이었다. 사실이다. 조선의 장래는 오로지 우리들 청년장교 될 자의 어깨 위에 있는 것이다. 조선의 운명을 상징하고 있는 것은 우리들이다. 조선의 장래를 보려면 우리들을 보아야 할 것이다. 그러한 우리들이 나의 눈으로 보아도 너무나 원기가 없다. 너무나 수동적이고 풀이 없다. 가슴을 펴고 사관후보생의 긍지를 그 기품에 나타내는 자가 드물다.

나 자신 제1연대 교육대에 있을 때는 누구보다도 밑돌지 않게 원기 왕성하였다고 생각하나마, 금일에 와서는 환경이 그래서 그런지, 벌써 초년병 시간은 지나서 고병(古兵)이 되었다는 관념 때문인지 큰소리도 질러지지 않고 원기가 부족하다. 이래서는 안 된다. 물론 초년병과는 다르다. 그러나 사관후보생이란 독특한 기품과 원기가 필요하다. 더 원기를 내자. 우리가 풀이 없다면 조선의 장래는 보잘것없이 되고 씩씩하게 발전할 수 없을 것이다. 민족의 개척자요 선봉인 우리는 마땅히 의기충천하여야 한다. 원기를 내자. 자기 홀로 근무자가 되면 이 점을 특히 강조하자고 복안(腹案)을 짜고 있다.

11월 30일 (일요일)

금일은 주일이다. 모친과 조카, 친척 등이 면회와 주었다. 어머니 얼굴에 칠십이 가까워 오는 주름이 어느덧 늘어 갔다. 노쇠하셨다. 저 어머니가 돌아가시기 전에 씩씩한 장교의 모습을 뵈어 드리고 싶었다. "음식을 대할 적마다 너의 생각을 한다"고 말씀하셨다. 부모는 아들이 모르는 사랑을 가지셨다. 떡을 해 가지고 오셔서 전우들과 나누었다. 고사떡을 조청에 찍어서 배부르게들 먹었다. 자기뿐만 아니라 전우들에게도 주린 판에 즐겁게 먹이게 함이 유쾌스러웠다. 이들 전우들은 1연대 교육대 시절의 전우들이다. 내무반 전우들에게는 밀전병을 약간씩 맛보였다.

일본 격언에 '살면 서울'이란 말이 있다. 신(新)내무반의 전우들이 더 친할 것이겠으나, 깊은 정은 역시 교육대 시대에 깊이 사귄 전우이다. 신내무반의 전우와는 물론 친목(親睦)하다. 그러나 얕은 정밖에 못 사귀었다. 진정한 전우는 그다지 다수(多數) 만들 수 없는 것이다.

기차로 돌아가기 어렵고 길도 멀고 하여 오후 두시에 어머니를 걸어 돌려보내 드렸다. 이 아들이 씩씩하게 활약할 때까지 길이 오래 살아 주시기를 기도한다. 공일도 지나갔다. 내일부터는 열렬히 싸우자. 아마 후보생 중에 나같이 가정적으로 다행한 자는 드물 것이다. '공일날마다 와 주는' 사람이 있다는 점에서다. 이북에 부모 형제를 두고, 와 줄 사람 하나 없는 후보생은 얼마나 쓸쓸하랴. 이러한 유복한 환경에 있는 나로서는 더 공부하여야 옳을 것이다.

12월 1일 (월요일)

벌써 12월이다. 육 개월이 길다 길다 해도, 사실은 변함없이 흘러서 그칠 줄 모르는 세월이다. 석식 후 자습을 하려니까 정전되었다. 내무반에서 군가 연습. 3구대의 한 후보생이 중대장 후보생을 놀렸다. 제3구대장님이 들으시고 "누구냐"고 나오라 하여도 안 나오고 그 분대원도 침묵하였다. 급기야 중대 전원 기합을 받았다. 명월이 눈 속에 찬

월야(月夜)에 완전무장하고 신내리(新內里) 너머까지 구보를 하였다. 불행한 전우는 고백하였으나 전 후보생으로부터 원성이 자자하였다. 그러나 모두 묵묵히 참았다. 마땅히 받을 기합을 받았다. 후보생 일동의 마음이 긴장된 듯하다. 우리는 담백하여야 한다. 이것이 수양이다.

12월 2일 (화요일)

오전 중 진중근무(陣中勤務). 전령동작(傳令動作) 훈련. 조교피명(助教被命). 가스 살포지대 통과 요령을 교육. 교육자 입장에 서면 책임상 자기 실력이 있어야 함을 통감. 공부하여야 하겠다. 자습은 정전 때문에 불능. 반성할 여가도 없이 지냈다. 오늘 하루 식사 당번으로 분주하였다.

12월 3일 (수요일)

오전 중 네 시간 전술학(戰術學)의 학과가 있었다. 발이 시려서 고생. 깜박 졸았다. 교관님을 주목한 채 어느덧 눈이 감기었다. 일어서라고 꾸지람을 받았다. 긴장이 부족한 탓이다. 주의해야겠다. 신(新)중대장님으로 강 대위님이 피임(被任). 온후독실(溫厚篤實)하신 최 대위님은 생도대장님으로 임명되어서, 섭섭한 감이 있으나 대면할 기회는 많으므로 다행이다.

12월 4일 (목요일)

오전 중 분대전투. 산개법(散開法). 오후는 위생학(衛生學) 및 전술학. 학과가 훈련보다 더 떨리고 추워서 어려웠다. 내일은 행군이 있다. 마음의 준비를 갖추고 잤다. 금주도 흐지부지 지나간다. 금주는 자습시간도 유효하게 활용 못 하고 지나니 유감이다. 마음이 어수선함은 웬일이냐. 추운 탓일까. 마음의 긴장이 무너진 탓인지.

12월 5일 (금요일)

오늘은 행군. 경춘가도를 지나서 망우리(忘憂里), 퇴계원(退溪院)을 돌아 귀영(歸營). 이태조의 능이 있는 동구릉(東九陵)을 참관. 그 어른이 오백 년의 조선조 역사를 창조하신 분이니 나의 감회도 무량하였다. 위대하신 분이다. 점심이 좀 늦었다. 공복의 감도 있었으나 군인생활에는, 특히 전진(戰陣)에는 일상사이다. 한 명의 낙오도 없이 귀영. 총사령관 각하의 훈시가 있었다. 열혈에 불타는 애국순정이 일구일구(一句一句)에 사무쳤다. 거기에 대해서 우리는, 아니 나는 너무 둔감(鈍感)이다. 극적 장면이나 인스피레이션(Inspiration, 영감)을 받기 전에는 피가 끓지 않는 것이 보통이다. 특히 이 개월 금지되었던 외출을 허가받아 후보생 일동은 환희하였다.

12월 6일 (토요일)

오전은 중대 예비 병기검사. 오후는 고대하였던 외출! 영문(營門)을 나서니 기쁘기 짝이 없었다. 전우 손 군하고 서울까지 걸어갔다. 왕십리 형 댁에 들르고 뚝섬 건너 부형(父兄) 계신 데 가서 대면,[8] 석식 후 밤 늦게 귀가. 처와 면담하며 한시 반에 취침. 어린아이가 자꾸 깨서 잠을 못 잤다. 몇 달 만에 따듯한 방에서 사지를 펴고 자는 기분이야 편안하기 짝이 없다. 외출이 있으니 이제부터는 사관학교 생활도 용

8. 당시 김익권의 큰형 김일권은 왕십리에서 살았고, 둘째형 김재권은 부모님을 모시고 숫고을에서 살았다.—편자

이하게 흘러갈 것이다. 육 일간 열심히 시련을 받고 외출하는 기분이야 군인이 홀로 겪을 수 있는 감회이다.

12월 7일 (일요일)

아침에 일어나 체조. 산보 후 조식을 마치고 앉으니 벌써 열두시! 귀영 준비를 다 갖추어 놓고 남대문시장 부근을 구경갔다. 연초 케이스, 라이터 돌, 칼을 샀다. 물가가 대단히 등귀(騰貴)함을 알았다. 집에 와서 주식(晝食). 백반에 돈육을 실컷 먹었다. 군대에서 밀밥에 배 주리던 몸에는 진미이다. 오후 네시경 재회를 약속하고 헤어졌다. 기차로 돌아왔다. 기차가 연착한 까닭에 늦을까 봐 헐떡거리고 병사(兵舍)까지 뛰었다. 내일부터는 열심히 공부하자. 다음 외출을 기쁘게 하기 위하여 힘껏 씩씩하게 싸우자.

12월 8일 (월요일)

병기검사 및 장티푸스 주사 실시. 내무반 전우 중에서 외출 나갔다가 일곱시 삼십분 후에 돌아온 후보생이 한 명 있어서 처벌을 받느냐 하는 문제로 모두 우울한 얼굴로 염려. 다행히 여덟시 이전에 귀영한 탓으로 무사 해결. 외출이란 것은 좋은 것이나 동시에 사고 발생할 가능성 많은 위험물이다. 시간 엄수의 성격은 이러한 데서 양성되는 것이다. 일찍 취침.

12월 9일 (화요일)

하루 종일 강우(降雨). 학과뿐이었다. 너무 편한 하루를 보냈다. 자습시간에는 「오기생가(五期生歌)」를 작사(作詞)하느라고 소비.

12월 10일 (수요일)

몹시 추운 날이다. 학과 받으면서 매우 떨었다. 봉급이 나왔다. 주보(酒保, 군매점)가 터질 듯하였다. 어수선하여 공부가 아니 된다. 웬일인지 이번 주일은 공부의 진척이 미미하다. 마음을 안정하여 꾸준히 공부하자.

12월 11일 (목요일)

오후에 분대전투 교련. 대항군에 나가서 덜덜 떨었다. 밤에는 야간전투. 간단하였다. 매우 추운 날이었다. 구대장님은 야간전투에 안 계셨다. 다른 소위님이 지도하셨다. 학과시간이 도리어 견디기 곤란하다. 술과(術科)는 뛰어다니면 추위를 잊어버린다.

12월 12일 (금요일)

오전의 학과는 교관님 부재로 자습. 오후는 분대전투 교련. 대항군으로 나갔다. 눈물이 뺨으로 흘렀다. 군기대(軍紀隊) 선임하사관이 면회 왔다. 동향 동촌의 소시(小時) 친구다. 빵을 사다 주었다. 그 마음이 감사하다. 그 은혜를 갚아야 할 텐데. 장래로 미루고 정전으로 일찍 취침.

12월 13일 (토요일)

아침 네시 반 기상. 교장님의 숙제를 썼다. 외출 나갔다. 매우 추운 날씨다. 손기주(孫起住) 군과 역시 동행이다. 서울 가는 도중에 설렁탕집에 들어가서 설설 끓는 방에서 한 앞에 두 그릇씩 먹었다. 퍽 달게 먹었다. 집에 돌아가서 결혼한 붕우(朋友)와 주일배(酒一杯)를 나누고 석식을 같이하였다. 부친이 상경하셔서 뵈었다. 가내 무사. 밤 늦게 잤다. 밤이 지나가는 것이 안타까웠다. 처는 씩씩하게 살고 있더라. 나도 원기를 내야지. 처에게 미안하다.

12월 14일 (일요일)

어제는 즐거워도 오늘은 바쁘고 아쉬웠다. 점심을 먹고 허둥지둥 바쁘게 나섰다. 마음에 드는 시계를 사 왔다. 부친이 천 원, 형이 기천 원, 나 자신도 수중의 돈 이천 원을 지불하여 샀다. 역에 와서 기차를 기다리기가 또 재미있었다. 그래도 나의 병사(兵舍), 우리의 병사라고 모두 바쁘게 모여드는 것이다. 이것이 군대다. 부자유스러운 것 같아도 낯익고 정든 나의 군대란 가정(家庭)이다.

12월 15일 (월요일)

어제 외출하여 과식한 것이 오늘 아침 세시경에 효력 발생. 기상 후에 다시 변소에 갔다. 자신이 생각해도 미련하기 짝이 없다. 조금 먹으면 살로 갈 것을 달다고 너무 먹어서 체한 듯하다. 주의하자. 이 주일간 외출은 없다. 가치있는 생활을 하자. 현실 환경에 지배당하지 말고 이상을 바라보고 향상하는 생활을 하자. 주동적 입장에 서자.

12월 16일 (화요일)

하루 종일 학과. 매우 추운 날이다. 오후는 외투를 입고 학과를 받았다. 추우니까 위축하여지는 감이 있다. 하절(夏節)에는 자기 생각에도 원기 왕성하였다. 사관학교에 와서 환경이 그런 탓인지 원기가 없다. 교육방침이 그래서 그럴까. 연대에서는 기합교육을 받았다. 여기에 와서는 여유있는 생활을 하는 점이 다르다.

그 대신에 스스로가 사절시(死節時) 없이[9] 공부하여야 한다. 전깃불이 잘 꺼지는 통에 자습도 여의치 못하다. 큰 기대를 가졌던 사관학교 생활이 효과 없이 허송되어서는 아니 된다. 지금 현재로는 전투교과에 대한 주도(周到)한 교육 이외에는 아무 소득이 없다. 추위와 싸우는 것이 소득일 것이다. 주동적 입장에 서자 서자 하면서도 어려운 일이다. 남이 싫어하는 일을 자진하여 하는 품성을 길러야 장차 남보다 많이 활약할 수 있는 인간이 되는 것이다. 미군 이불을 배포받아 침구는 충족하다.

12월 17일 (수요일)

오전 중 총검술. 해산 시에는 구대장후보생 인솔 해산. 그 행진이 사관후보생답지 못하여 교장님께 중대 전원이 꾸지람을 들었다. 사실 생각하여 보아도 모든 후보생의 동작이 교육대 시절에 비교하여 군인답지 못하다. 그 이유는 날이 추운 것, 그보다도 지나간 시절은 초년병 기분이던 것이 현재는 고병 기분이라는 점이다. 그러나 고병이면 고병일수록 군기는 엄연하여야 할 텐데 결과는 정반대다. 마음의 타락이다. 아무리 고병이라도 사관후보생은 달라야 한다. 늠름한 기품과 절도있는 동작과 원기가 필요하다. 자기 자신이 대오의 일원으로 행동할 때도, 객관적 입장에서 보면 이것이 사관후보생의 '대오'인가 하고 남부끄럽다. 이것을 고쳐 나가야 한다. 우리의 자각이 부족하다.

9. 끊임없이.—편자

12월 18일 (목요일)

오전 중 자습. 오후는 분대전투. 날씨가 매우 추웠다. 사관학교에 와서 처음 당하는 추위다. 총을 잡은 손이 쇳덩어리같이 감각되었다. 따듯한 털장갑이 생각났다. 코끝이 떨어지는 듯. 신내리 고개 넘어 오는 길에서 어떤 부인네가 나뭇짐을 등에 지고 장갑도 없는 손으로 넘어오는 모양을 보았다. 살기 어려운 동포도 있다.

우리가 현재 당하며 겪는 고생이야 대부분의 동포가 겪는 고생에 비하면 고생이 아니라도 가하다. 하물며 우리의 고생은 수양을 위한 스스로 받는 고생이니까 얼마든지 참을 수 있는 데야! 달게 참아 나가자. 밀밥도 소금배춧국도 달게 받자. 물론 불행한 것은 아니지만 그 위에 감사의 염(念)을 갖도록 노력하자. 가을의 열매는 여름의 뙤약볕을 겪고 나야 하며, 그보다 먼저 엄동과 묵묵히 싸워야 하지 않나. 봄이 오면 좋은 시절도 오지. 독립 문제도 차차 희망의 서광이 비칠 것이다. 그러니 달게 참자.

12월 19일 (금요일)

오전 중 자습. 오후는 청소. 외출명부까지 제출하였는데 석식 후 회보(回報)에 외출을 허가치 않음이 발표되자 일동 실망하였다. 외출은 없다가 있기도 하고 있다가 없기도 하는 것이니 할 수 없는 일이다. 통위부장(統衛部長) 각하 순찰 관계로 그러한 것이니까 당연지사이다.

12월 20일 (토요일)

오전 중 연말 대검사로 분주. 교장님의 내무반 사열을 받았다. 오후는 계속하여 청소 및 환경 정리. 내무반 전우 중에서 두 명이 외출 나갔다. 석식 후 캄캄한 운동장에서 분열(分列) 연습 및 군가 연습. 통위부장 각하의 사열을 우수한 성적으로 받으려면 내일도 훈련이 필요할 것이다. 사관학교에 와서는 제식교련(制式教錬)의 훈련이 비교적 적으므로 분열 기타 동작이 우리 생각에도 졸렬하다. 금반 오기는 중점을 전투교련에 두지만, 제식교련도 소홀히 할 수 없는 만큼 틈틈이 기회를 타서 제식교련을 할 필요가 있다. 군이 주로 하는 바는 전투이고 전투교련에 능숙함이 제일 긴요하지만, 대외적으로 즉, 일반 민중에게 군대의 위용을 보이는 기회는 주로 행사에 있으며, 그때는 제식훈련의 가부(可否)가 중요시되는 까닭이다.

12월 21일 (일요일)

금일은 휴일이다. 조식을 급히 먹고 교량사역(橋梁使役)으로 출동. 제2중대에서 스무 명이다. 약 두 시간 열심히 하였다. 오 분간 휴식도 없었다. 담배도 피우고 싶었다. 제1중대에서는 교대병이 나와서 벌써 교대하고 들어간 지 한 시간이 넘었는데도 제2중대는 아직 교대병이 나와 주지 않는다. 모두 중대장 근무 후보생이 빨리 교대병을 보내 주지 않는다고 불평이 자자하다. 나도 지쳐서 마음속으로 교병(交兵)이 오기를 기다렸다. 그러나 남보다 쉬지 않고 일하였다.

정오 가까이 되어서 비로소 교대병이 나와 주었다. 생각해 보니 불평이 나오는 것은 상정(常情)이다. 나도 상정을 가진 범인(凡人)에 불과하다. 남보다 꾀를 덜 부린다는 그 점 하나 다를까. 수양이 부족하다. 그러나 한 가지 참고되는 점은 자기가 부하를 사용하여 일을 할 때는 휴식과 작업을 적절히 안배하여 작업의 능률을 향상해야 되겠다는 것이다. 너무 작업시간이 길면, 애는 애대로 쓰고 하는지 안 하는지 모르는 능률 없는 작업을 하게 된다. 교대도 능률있게 시켜야 한다.

그러나 나로서는 불평 없는 인간이 되도록 하여야 한다. 전장의 상황은 어떠한 시기에 기진맥진한 나머지에도 격동(激動)을 요구할지도 모른다. 그러할 때에도 불평 없이 감내하는 군인이 되어야 한다. 중인(衆人)이 모두 고통과 피로에 못 이겨 불평하더라도 나는 불평 모르는 우마(牛馬) 같은 인간이 되어야 한다. 여간 어려운 일이 아니다. 구대장님은 모당(母堂) 대상(大喪)으로 귀성하셨다. 주인 없는 집 모양 횅하고 섭섭한 감이 있다. 오늘 면회가 있었다. 면회 오지 말라 하여도 조카를 보내어 위로해 준 처의 뜻은 감사하다. 그 뜻에 어그러지지 않도록 노력해야 한다.

12월 22일 (월요일)

하루 종일 내일 있을 통위부장 순시를 준비하느라고 바빴다. 오전과 오후의 열병분열(閱兵分列) 예행 때는 매우 추웠다. 밤에는 전깃불이 오지 않아서 어두운 속에서 낭하(廊下)를 밀었다.

12월 23일 (화요일)

아침 다섯시 기상. 추워서 청소도 잘 되지 않고 잠을 덜 자서 그런지 조식 입맛도 나지 않았다. 오후 두시경에나 부장 각하께서 오셨다. 제2중대는 강당에서 학과 받는 광경을 시찰 받았다. 그 후 열병 및 분열이 있었다. 날은 풀렸다. 통위부장 각하의 얼굴은 예순의 노친(老親)으로선 신수가 훤하시고 고상하셨다. 인격이 고매하시고 원만하신 티가 얼굴에 보인다. 끝나고 보니 이삼 일 전부터 떨며 애쓴 것이 즐거웠다. 모든 고통이란 그런 것이다. 우리가 현재 겪고 있는 고통이란 것도 지나고 보면 즐거운 추억이 될 것이다. 오늘은 처음으로 전기가 꺼지지 않아서 자습할 시간을 얻었다.

12월 24일 (수요일)

크리스마스 준비에 하루 종일 분주. 밤 열한시까지 대강당에 사역으로 나가서 높은 유리창에 모포를 가렸다. 떨어지면 죽을 만한 높이다. 위태하지만 조심조심하면서 전부 끝마쳤다. 늦게까지 애썼다고 제1구대장님인 일직사관(日直士官)께서 주보(酒保) 빵과 과자를 사다 주셨다. 내무반에선 전우들이 장식에 분주. 나는 기독교인이 아니어서 그런지 취미가 나지 않았다.

12월 25일 (목요일)

크리스마스 아침 일찍이 일어나서 준비. 연극은 오후 한시경부터 시작. 제1중대가 제일 잘하는 것 같았다. 집에서 면회를 보냈다. 면회인은 다수(多數). 손 군에게 점심을 대접. 다른 전우들은 섭섭하였다. 밤에 생도대장님께서 명년의 개천절은 금년의 크리스마스 이상으로 성대히 하여야 마땅하다는 말씀, 우리의 힘으로 우리의 명절을 축하하는 것이 아니라 외래의 선물을 외래의 힘으로 성대히 축하함은 섭섭하다는 말씀, 의미심장하였다. 하루빨리 독립하여 독립의 축하를 성대히 하게끔 노력해야 한다.

12월 26일 (금요일)

분주하게 떠들던 크리스마스도 지나갔다. 남은 기대는 휴가. 금주(今週)는 흐지부지 지나갔다.

12월 27일 (토요일)

오후에는 외출이 있었다. 내무반에서 여섯 명이 남았다. 그 중 두 명이 휴가 나갔다. 네 명이 남아서 쓸쓸히 지냈다. 밤에는 주번사관님의 허가를 받고 제1연대 교육대를 방문. 두 시간여를 담화하고 놀았다. 사흘간 있다는 휴가 중에 전우 손 군이 구대장후보생 근무에 걸렸다. 날짜는 정월 1일 정오부터 2일 정오까지. 그는 근무 때문에 고향에도 못 가게 되었다. 오인(吾人)으로는 바꾸어 주지 못하는 쓰라림을 호소할 바가 없다. 손 군에게 미안하기 짝이 없다. 부모 처자와 정초의 하루를 보내지 않을 수도 없는 처지요, 딱하다. 물론 같은 내무반에 정초를 학교에서 보내도 무관한 후보생은 나뿐이 아니다. 그러나 바꿔 주는 전우는 나를 선두로 하여 하나도 없다. 나 자체가 개인주의다. 다 개인주의다. 내가 개인주의이니 누구를 비판하랴. 가슴은 쓰라리고 쓰라리다. 희생적 정신이란 이다지도 어려운 일일까. 말하기는 쉬워도 실천하기는 어려운 일. 나의 수양이 부족하다. 한 전우의 귀성을 위해 부모 처자와 즐기는 정초를 희생 못 하는 네가 어찌 국가 민족을 위하여 부모 처자를 저버리랴. 안타깝기 짝이 없다.

12월 28일 (일요일)

다 외출 나가고 네 명이 내무반을 지키며 고독감을 느꼈다. 3구대에서 사고가 발생하였다. 제2내무반에 있는 김○○ 후보생이 불침번 근무 중에 제2구대 내무반에 들어가서 부정행위를 하다가 발견되어 금일 영창에 들어갔다. 얌전한 사람으로 여겼는데 의외천만(意外千萬)이다. 평생을 그르친 본인에 대해서는 불쌍하기도 하고, 한편 후보생의 신분으로서 비열한 행동을 한 데 대해서는 증오감이 난다. 그러한 인간은 장교로서 불필요하다. 본인이 개심(改心)하여 진인간(眞人間)이 되게끔 처리하여야 한다. 신상필벌(信賞必罰)이 필요한 것이다. 더군다나 구대장님이 귀성하신 부재중에 이러한 사고를 범하였다는 것은 구대장님께 미안하며 대할 면목이 없다. 구대원 일동이 비감을 느껴 마지않았다. 우리는 이 기회에 정신을 쇄신할 필요가 있다. 우리들 구대원 속에서 우러나오는 자율적 군기(軍紀), 풍기(風紀) 진작이 필요하다. 조선의 독립을 쌍견(雙肩)으로 걸머질 우리 오기생의 씩씩하고 원기 충천하는 기백과 우국열정(憂國熱情)이 당연히 있어야 한다. 어떻게 하면 이러한 기풍을 양성할는지. 우울한 하루를 보냈다.

12월 29일 (월요일)

명일의 외출 준비로 대청소. 분주하였다. 밤에는 잠이 잘 오지 않았다.

12월 30일 (화요일)

불시에 비상소집이 있었다. 미숙한 탓으로 시간이 걸렸다. 둘째 번 비상은 먼저 것보다 나았다. 총사령관 각하 교장님으로부터 꾸지람을 받았다. 추운데 덜덜 떨면서 비상소집을 하는 그 의의를 알라고 각하께서 말씀하신 것은 의미심장하였다. 해산 후 이제는 외출이로구나 여겼더니, 일직사관님은 특별히 재차(再次) 비상연습을 시킨다. 다 같이 불평하였다. 누구나 할 것 없이 역정이 나왔다. 그래도 다행히 무장을 하고 내무반에 대기하는 데 그치고 일 회에 그쳤다. 역시 일 분이라도 빨리 휴가 나가려는 후보생의 심중을 이해하시는 일직사관님이시로구나 하고 도리어 불평한 것을 뉘우쳤다. 열한시경 영문을 나섰다. 정초에 귀성하여 부모를 뵙는 즐거움, 비할 수 없었다. 우선 왕십리 형 댁에 들르고 마포 친구 집에 들르고 밤 늦게 집에 도착. (처가) 기다리고 있던 차였다. 이야기하다 세시경에나 잠들었다.

12월 31일 (수요일)

여덟시경에나 기상. 조식은 열두시에나. 오전 아홉시 반경 제1중대 오대익(吳大益) 후보생을 방문하였다. 나이를 무릅쓰고 청년들보다 힘차게 싸우다 무리(無理)로 곤(困)하여 병석에 누운 그대가 숭고하기도 하고 측은하기도 하였다.

오후 다섯시경 눈보라 나부끼는 가운데 처자를 거느리고 광주(廣州) 부모한테 향하였다. 한강 빙판길은 매우 미끄러웠다. 부모 슬하에서 정초의 하루 아침을 보내려는 마음이 모든 거동(擧動)의 원동력이었다. 어두운 밤 늦게 찾아가니 부모님은 놀라며 반겨 주셨다.

1947년 마지막 밤을 부모님 곁에서 보냈다. 회고하여 보면 지나가는 해야말로 나의 생애를 통한 역사에 있어서 획기적 해이다. 일생을 군인으로 국가에 봉사하려고 경비대에 들어온 중대한 해이다. 무엇을 획득했나. 아무것도 없다. 다만 사고 없이 사관후보생의 생활을 하고 있다는, 하여 왔다는 것뿐이다.

명년에는 독립도 되겠지. 아니 우리의 손으로 독립의 터를 닦아야

지. 자기 자신을 더욱 반성하여 일보 일보 인격을 수양해 나가자. 군인정신을 함양하자. 사(私)를 덜자. 담백하자는 표어(標語)에 일층 가속도를 넣어야겠다.

사관학교에서 얻을 바는 오로지 정신수양에 있다고 하여도 과언이 아니다. 스물여섯 살도 지나가고 스물일곱 살이 돌아오는구나. 생각하면 비감(悲感)도 난다. 아무 소득도 없이 보람 없이 해를 지냄이 안타까워진다. 그러나 또 한편 생각하면, 현재 하고 있는 생활 그 자체가 위대한 성과라고 보면 위대한 것이다. 무위(無爲)하게 허송하였다고 애처로워 할 필요는 없다. 다만 최선의 노력을 하여 시간을 아끼지 못하였다는 점이 유한이다. 신년부터는 시간을 활용하자.

1948년

1월 1일 (목요일)

신년(新年)! 그 전에는 왜인(倭人)의 덕택으로 신년명절은 성대하였다. 우리 조선에는 해방 후 우리의 구풍(舊風)을 따라 양력 명일은 대수롭지 않다. 조선독립이란 커다란 국가 민족적 입장에서 보면 거년(去年) 일 년은 고통의 일 년, 암흑의 일 년이었다. 부디 금년 일 년은 우리에게 선물을 가져다 주는 길년(吉年)이 되기를! 금년 정월에는 유엔위원단도 나온다지! 기대되는 해이다. 이 해만은 독립의 선물을 넉넉히 떳떳이 받을 수 있는 터를 닦자. 아니, 독립을 전취(戰取)하여야 한다.[10] 오후 다섯시경 부모를 하직하고 상경.

1월 2일 (금요일)

오전 네시 반경 현관문을 두드린다.[11] 나가 보니 전우 두 명. 손기주 군과 제1중대 김영석(金永錫) 군. 충주(忠州)에 귀성하였다가 새벽 차로 상경한 것이다. 방에 불을 때고 셋이 잤다. 그들은 차에 시달려서 열한시까지 자더라. 열두시에 조식한 후 집을 나와 귀영(歸營). 십칠시에 귀영점호. 제3구대에서 두 명이나 미귀영(未歸營)! 너무나 사고가 많아서 마음이 쓸쓸하다. 구대장님 보기 낯이 부끄럽다. 구대장님도 노하셨다. 구대장님의 마음을 모르는 구대원의 무신경!(전부가 그런 것은 아니다) 안타깝다. 심기일전(心機一轉) 탈피할 필요를 느낀다. 우리는 상호간의 절차탁마(切磋琢磨)가 부족하다. 동기(同期) 간의 타협, 묵인, 방임이 사고의 원인이다.

1월 3일 (토요일)

교장님의 훈화가 있었다. 휴가에서 귀영 안 한 후보생이 수명(數名)이 나온 데 대하여 말씀이 있었다. 배신행위에 대한 실망의 말씀이었다. 결국 후보생의 마음의 긴장과 단결이 부족한 탓이다. 당분간 외출금지의 보수를 받았다. 당연한 일이다. 우리는 너무나 후보생다운 점이 부족하다. 추위 때문에 위축되고, 너무나 수동적이다. 훈화 후 생도대장님 선두로 웃통을 벗고 연병장을 뛰었다. 마음을 굳게 먹으면 추위도 잊어버린다. 이러한 기회가 많아야 할 것이다. 오후는 휴무.

10. 해방이 된 1945년말에 모스크바 삼상회의는 한국에 대해 오 년의 신탁통치안을 결정했다. 거국적인 반탁운동이 즉각 일어났는데, 좌익은 친탁으로 돌아서서 1946년과 1947년 두 해 동안 좌우의 대립이 극심했다. 한편 그 동안 한반도 현안을 다루는 미소공동위원회가 결렬되자 한국 문제는 1947년 가을 유엔총회에 상정되어 한반도의 총선을 심의하기 위해 유엔한국임시위원단의 파견을 결정하였고, 1948년 1월 8일 위원단이 내한하였다.—편자

11. 후암동 집은 서울역에서 걸어서 십 분 정도 걸렸다. 그래서 한밤중에 서울역에 도착하는 친지들이 많이 들렀다. —편자

신년은 힘차게 나가자.

1월 4일 (일요일)

오전 중 토끼사냥을 갔다. 세 번 포위전을 실시하였으나 꿩도 여러 마리 놓치고, 더군다나 여우 한 마리를 거의 잡다 놓쳤다. 분하였다. 결국 전과는 없었다. 그러나 정신적 성과는 다대(多大)하다. 사기는 고무되었다. 오후는 휴무. 외출은 없어도 씩씩하게 싸워 나가자.

1월 5일 (월요일)

하루 종일 학과. 오전에는 교장님의 정신훈화가 있었다. 국제정세와 조선독립 문제, 경비대의 장래 문제. 지형학(地形學) 시간에는 위(魏) 소령님께서 열렬한 훈계가 있었다. 현재생활에 있어서 식욕(食慾)에 급급한 자는 일단 임관되면 색욕(色慾)에 빠져서 본분을 망각하게 된다는 말씀. 사실 현재생활에 있어서 우리가 겪는 수양은 아한(餓寒)을 참는 것일까. 그러나 우리의 아한은 아한의 부류에 속하지 않는다. 결국 '식(食) 문제'에 급급하는 것은 식욕에 불과한 것이다. 얼마든지 먹고 싶은 것이 후보생의 생활이다. 식 문제 때문에 제 규정을 위반하기에 이르지 않으면 상지상(上之上)일 지경이다. 내일은 행군이 있을 예정이다.

1월 6일 (화요일)

금일은 행군. 오전 여덟시 반 출발. 노상척후장(路上斥候長)이 되어 구보에 바빴다. 땀을 철철 흘리고 망우리 고개 넘어서 제1휴식지에서 수통의 찬물을 다 켰다. 광장리(廣壯里)를 지나서 구의리(九宜里)에서 중대전투의 전개법을 실시. 모진리(毛陳里)에서 주식(晝食). 덜덜 떨면서 찬밥을 먹었다. 북중국 산속에서 얼음 같은 밥을 깨물어 먹던 생각이 새삼스럽게 났다. 왕십리(往十里)를 거쳐서 귀영할 때는 다리가 휘졌음을 알았다. 훈련이 부족한 탓인지, 나이가 먹은 탓인지. 그 전에는 일일 행보 십 리는 문제가 아니었는데. 한 명의 낙오자도 없이 최후까지 유종의 미를 다한 것이 기꺼운 일이다.

1월 7일 (수요일)

오전은 학과. 오후는 미라 박사의 회화(會話)가 있었다. 너무 정도가 얕아서 재미가 없다. 좀더 고급한 것을 배워 주었으면 육 개월간에 진보가 있을 것 같은데. 날씨도 춥지만, 난로 곁만 그리운 것은 하고(何故)인지. 추위를 극복하며 한층 분발하여 공부하는 마음을 갖게 못 됨은 정신적 타락인가, 그렇지 않으면 자신이 평범한 소이(所以)이다. 이래서는 육 개월간에 별 소득이 없을 것 같다. 물론 학술상, 지능상으로 보아서 그렇다는 것이다. 분발하여 공부해야 한다.

1월 8일 (목요일)

하루 종일 청소. 내무반 및 낭하를 병으로 밀었다. 밤에도 전기가 꺼졌으므로 군가를 부르면서 밀었다.

1월 9일 (금요일)

오전 중 청소. 오후는 열병분열식(閱兵分列式) 연습. 변소 청소. 내일은 통위부장 각하를 위시하여 남조선 과도정부 요인들이 시찰 오신다. 경비대의 위신을 발휘하기 위한 최호(最好)의 기회이다. 사관학교의 청소도 입교 후 제일 잘되었다.

1월 10일 (토요일)

남조선과도정부 고급 고문의 시찰이 있었다. 그 중에는 미국인이 다수 있었다.[12] 통위부장 각하는 안 오시고 총사령관 각하께서 오셨다. 총사령관 각하는 친히 도열(堵列)을 하나하나 봐 주셨다. 부하를 사랑하는 심정이 일거일동에 나타난다. 그 애국심과 그 장군다운 모습을 우리는 본받아야 할 텐데. 분열(分列) 및 사열(査閱)을 받았다. 교장님께서 특별히 전원 외출을 허가하셨다. 금지되었던 차라 더욱이 기뻤다. 정상록(鄭相祿) 군과 한방에서 잤다. 이야기가 길어서 늦게 잤다.

1월 11일 (일요일)

기상 일곱시경. 장작을 팼다. 조식하였다. 정 군과 같이 귀영. 동대문에서부터 걸은 폭이다. 배가 불러서 일부러 걸었다. 타락된 자신을 바로잡아야 할 것을 통감한다. 외출 나가서도 과분하게 먹고 소화불량이 되는 것은 자리심(自利心)이 부족한 탓이다. 현재의 아한(餓寒)은 아한 줄에 안 들어가는 줄 알면서도, 관심사가 식욕이요 추위라니 이래서는 안 된다. 좀더 수양을 해야겠다. 일반 병사와 일반 사회인과 다름이 무엇이냐. 분발하자. 수동적이 되어서는 아니 된다. 마음을 무르게 가져서는 아니 된다.

12. 유엔한국임시위원단의 내방으로 추측된다.—편자

1월 12일 (월요일)

하루 종일 학과. 외출 갔다가 얻는 것은 소화불량과 감기다. 마음의 긴장이 없고 수양 부족인 탓이다. 대주의(大注意)를 해야겠다. 콧물이 쏟아져서 괴로웠다. 석식 후는 15일 행사 준비로 청소.

1월 13일 (화요일)

소화불량은 나았으나 감기는 독하다. 오전 다섯시 기상, 마룻장을 밀었다. 오전 중은 15일 행사 준비로 사열, 분열 예행. 각 내무반에 한 명씩 남아서 청소. 분대장이 남으라고 해서 남았다. 괴로움을 알아주니 감사하다. 안락이란 것을 망각해야 한다. 편한 가정생활을 추상(追想)하면 현재의 생활이 고통이겠지. 그러나 어떠한 고통이라도 감수하겠다고 맹서하고 결심하지 않았던가. 수양도장의 진미를 알도록 하자. 식(食)에 대한 미련도 안락에 대한 미련도 다 저버리도록 노력하자. 그리고 너무나 공부를 소홀히 한다. 이래서는 안 된다. 자포자기는 무서운 것이다. 질질 끌려가는 수동적 생활은 가치 없는 생활이다.

1월 14일 (수요일)

금일은 서울운동장에서 유엔위원단의 환영대회가 있어 거기에 참여하느라고 일찍 기상. 열시경에 주식(晝食)을 취하고 서울로 향하였다. 아침부터 내리는 눈이 횡풍(橫風)에 나부껴 귓속으로 들어가는 통에 혼이 났다. 귓속에 종이를 막고 갔다. 운동장에는 추위에도 불구하고 시민이 입추지간(立錐之間)도 없게 다수 참집(參集)하였다. 기다리다 못해 지친 목마름을 행여나 위안받으려고. 이번만큼은 좀 믿음직하니 실망이 없기를. 그래도 남북조선 통일된 자주독립은 난망(難望)인 듯하다. 귀영은 십구시가 지나서다. 모두 공복을 느꼈다. 좋은 시련이었다.

1월 15일 (목요일)

금일은 경비대가 생탄(生誕)한 기념일이다. 작일의 피로에도 불구하고 여섯시에 기상하여 청소. 군정장관(軍政長官), 민정장관(民政長官), 통위부장, 총사령관 각하를 비롯하여 귀빈들이 오셨다. 순시, 사열, 분열이 있었음. 식후 메뉴가 나왔다. 술도 좀 있어서 내무반에서 회식하였다. 즐거운 날이다. 미구(未久)한 장래에는 우리의 육군 기념일로 더 한층 성대히 축하할 수 있도록 빈다. 선배 제위들이 고생하며 닦아 놓은 지반 위에 굳게 집을 짓는 것은 우리다.

1월 16일 (금요일)

오전 중 분대전투 교련. 오후 네시 반에 외출이 허가됨. 의외천만이다. 집에 돌아갔다.

1월 17일 (토요일)

오후에 고향 부모님을 찾았다. 반가워하시더라. 산 위에 올라가서, 눈 녹아서 뽀송뽀송 마른 산등에 누워서 파란 하늘을 쳐다보며 공상하였다. 아무것도 잊어버리고 자유와 고독을 맛보았다. 저녁엔 부모와 형과 조카들과 같이 식사.

1월 18일 (일요일)

속이 좋지 못하여 작일 두 번이나 변소 출입을 하였다. 겁이 나서 조식도 취하지 않고 서울로 돌아와 약을 먹고 집에 와서 누웠다. 오후 두시경에나 죽을 쑤어서 먹고 세시경에 집을 나왔다. 일찌감치 귀영. 구대장님께서 일직사관이시다. 열렬한 훈시가 계셨다. 요망사항, 1 표리(表裏) 없는 행동. 2 솔선수범(희생). 3 제 규정의 이행. 말없는 청년이 되라고 늘 말씀한다. 묵묵하게 일하고 공부하는 청년, 남을 험잡고 비판을 일삼는 것을 모르는 청년이 되어야 한다. 희생적으로 일하는 20세기의 조선청년이 되어야 한다.

1월 19일 (월요일)

오전 중 진중근무(陣中勤務). 오후는 학과. 밤 자습시간에 제2구대 후보생이 취사장에 가서 밥을 얻다가 발견되어 전원 연대책임으로 주의를 받았다. 전원 연병장에 집합하여 근무자 후보생이 대표하여 제재(制裁)를 주었다. 절차탁마로는 너무나 경(輕)하다. 본인은 후보생 일동에게 사과하였으나 진심으로 반성하였을까 의문이다. 나의 심중은 분개하여 뛰어나가서 따귀라도 치고 싶은 마음이 솟아났다. 아무리 후보생의 긍지를 고창(高唱)하여도, 이러한 일은 근절하기 어려운 것이다.

1월 20일 (화요일)

오전 중 학과. 오후는 전투교련. 금일은 일생에 잊을 수 없는 날이다. 만 사 년 전에 왜적(倭敵)에게 끌려 학창(學窓)에서 출정한 날이다. 그때의 비참한 감회야말로 일생을 두고 잊을 수 없는 것이었다. 일 년

팔 개월간 헤매고 헤매었다. 해방과 평화만을 기다리고 고대하던 그 신세! 평화만 오면 농촌에서 농사나 짓자고 하던 나 자신이다. 해방된 오늘날 갈 길은 국군 건설이라고 경비대에 뛰어들어 온 나의 현실. 과거를 상기하면 이제는 사는 듯싶다. 여기서 힘껏 일해야 한다. 한번 죽었던 몸이 아니냐. 정신을 가다듬고 싸워 보자. 금일 선배 되시는 학병 출신의 제(諸) 장교님들의 격려의 말씀을 듣고 기운을 얻었으며 자포자기한 자신을 바로잡겠다. 주동적 생활을 하자고 결심하였다. 연대에서 지속한 그 마음을 소생시키자. 공부하자. 값있는 생활을 하자. 금일이 나의 갱생의 날이 되도록.

1월 21일 (수요일)

어제는 학병을 나간 기념일이었다. 동(同) 구대(區隊)의 장(張) 군[13]의 열정 흐르는 이야기를 듣고 나 자신도 희망의 생활을 보내자고 결심! 수동적인 생활에서 또다시 탈피하자고 굳게 맹서하였다. 매일을 명랑하게 살아 나가자고. 국제정세도 세태도 안중에 넣지 말고, 민족의 장래는 우리 손으로 행복스럽게 건설하자는 포부를 꾸준히 지속하자. 공부하자. 금일은 오후 구대장님실에서 교육계획표를 썼다. 천성에 불합(不合). 골치가 멍해졌다. 신생(新生)의 문을 열었으니 씩씩하게 유쾌하게 지내자.

13. 장철부(張哲夫, 1921-1950). 학도병 출신으로 중국군으로 도망쳐서 중국 육군사관학교를 졸업, 그 후 조선경비사관학교에 입교하였다. 육이오 전쟁 시 소령으로 기마부대장을 하다 전공을 많이 세우고 장렬히 전사하여 호국의 인물에 추대되었다.—편자

1월 22일 (목요일)

금일은 하루 종일 날씨가 궂더니 오후부터는 강우(降雨). 제1중대는 행군을 갔다가 비를 맞고 돌아왔다. 밤 늦게 구대장님실에서 공부하며 장 후보생과 같이 이야기도 하였다. 세시 반경 취침하였다. 사관학교에 들어와서 처음이다. 매일 밤 공부하는 습관을 짓자.

1월 23일 (금요일)

하루 종일 강설. 날씨는 춥다. 총검술 시험이 있었다. 자습으로 하루를 보냈다. 시험이 가까워 오니 모두 열심히 공부한다. 정신을 차려서 공부해야 한다. 시험 때문이 아니라 사관학교 시절을 가치있게 보내기 위하여 나머지 삼 개월이나마 공부를 열심히 하자. 영어공부도 하자. 규정된 시간 외에 주보(酒保)에 갔다가 생도대장님께 발견되어 입창(入倉)한 후보생이 대여섯 명 났다. 열다섯 명 중에 도망친 사람이 있으니 한탄스러운 일이다.

1월 24일 (토요일)

어제 중대 규정 위반으로 말미암은 사고가 발생함인지 시험 준비 때문인지 외출은 허가되지 못하였다. 마음이 설렁설렁거려서 공부가 잘되지 않음은 하고(何故)인가. 평소에 노력한 바가 그대로 시험에 반영되는 것이니까 마음을 조급히 먹을 필요는 없다. 여태까지는 너무 공부를 등한시하였으나 나머지 며칠이나마 노력해 보자.

1월 25일 (일요일)

하루 종일 전술과 사격을 들여다봤다. 머리에 잘 들어가지 않는다. 밤 늦게 구대장님실에서 공부하였다. 같이 공부하던 장 후보생으로부터 유익한 말을 매야(每夜) 듣는다. 인격자에 접촉하면 차차 향상되는 것은 정한 일이다. 의지 견고하고 희망에 차서 노력하는 그대의 인격과 청년기품(青年氣品)에 많이 감명되었다. 나도 희망에 살며 노력하는 인간이 되자. 우리 구대장님도 역시 그러한 분이시다. 좋은 점을 모범(模範)하자.

1월 26일 (월요일)

교장님의 정신훈화를 의미심장하게 들었다. 재미가 있다. 우리 조선경비대의 장교는 고형적(固型的)인 사람이 되지 말고 자연활달(自然豁達)스러운 사람이 될 것이며, 자기의 자유를 사랑하는만치 타인의 자유를 사랑하는 사람이 되라는 말씀은 의미 깊게 들었다.

저녁 자유시간에 내무반에서는 두 전우가 내무반 전원을 대표해서 주보에 빵을 구입하러 갔다가 일직사관님께 발견되었다. 일직사관님이 주보에서 압수한 금전, 세면대(洗面袋), 책보를 가지고 오셔서 그 주인을 찾았으나 고백치 않았다. 두 사람에게 미안하였다. 두 사람만이 불가(不可)한 것이 아니라 내무반 전원이 불가하다. 자기 분대에서 사러 갔다가 바빠서 내버리고 온 돈과 세면대, 책보를 자기네 것이라고 고백 못 하는 비굴, 전원의 비굴이다. 마땅히 전원이 처벌받아야 한다.

그럼에도 불구하고 두 사람만이 제재를 받은 것은 어느 의미에서 희생이다. 양심의 가책을 많이 받았다. 물론 일직사관님께 허가를 맡으려다 허락되지 않아서 규정을 위반하는 행동을 감행한 것이다. 그러나 비굴은 우리가 했다고 고백 못 한 점이다. 나 자신도 물론 분대

회식 빵 구입을 일직사관님에게 허가 못 받은 것은 알았다. 그러나 구대장님실에 가 있는 동안에 두 명이 사러 갔던 것이다. 갔다가 일직사관님께 붙들려서 못 사왔다는 것도 나중에 알았다. 그러나 일직사관님께서 돈과 세면대와 책보를 가지고 2중대 전원에게 주인 나오라고 할 때 그것이 우리 내무반의 소유물인 줄은 몰랐다. 악의로 비굴한 행동을 한 것은 아니다. 그러나 만일 금지된 빵을 전우가 사 왔더라면 먹지 않을 만한 나 자신이 아니다. 그렇다면 나 자신도 내무반의 타원(他員)의 비굴을 비판할 수 없는 처지다.

영창에 전원이 들어가서 반성하면서 벌을 감수할 작정이었다. 그러나 제재는 두 명만이 구대장님께 받았다. 미안하기 짝이 없다. 분대 전원이 처벌받아야 할 것을! 남아(男兒)는, 더군다나 혈기 많고 나이 어린 우리 청년으로서는 과실은 왕왕 있는 것이다. 그 과실을 솔직히 고백하고 단죄받는 것이 용기이다. 그 용기를 갖도록 노력하자. 이러한 사고를 기회로 하여 구대 전원이 단결하여 조선 청년의 활모범(活模範)이 되자고 맹서하였다. 구대장님과 같이 묵묵히 노력하는 청년이 되자고 결심하였다. 우리 내무반원도 갱생하자고 결심하였다. 나도 결심하였다. 노력하자. 내 살을 아끼지 말자. 자기주의를 될 수 있는 한 극복하자. 나라를 위해서 일하며 공헌할 수 있는 정신과 실력을 양성하자.

1월 27일 (화요일)

오전 중에 구두시험이 있었다. 태연자약하게 치렀으나 너무나 자기가 모른다는 것을 알았다. 노력 부족의 탓이다. 공부해야 한다. 체조와 총검술의 학과시험이 있었다. 얼른 시험이 지나라. 촌음을 아끼며 유유하게 공부하겠다.

1월 28일 (수요일)

내일부터는 중간시험이 시작된다. 밤 두시경에 잤다. 자기 실력대로 표시하면 그만이다. 노력 없는 곳에 좋은 보수는 오지 않는다. 요행을 바랄 것도 없는 것이다.

1월 29일 (목요일)

여섯 과목에 걸쳐 시험이 있었다. 상식적으로 시험을 치렀다. 부정행위를 하여 영창에 들어간 자 불소(不少). 한심한 노릇이다. 그 심리를 모르겠다. 엄격히 처단할 필요가 있다. 내일 시험은 빽빽하다.

1월 30일 (금요일)

금일 시험은 의외로 헐하였다. 그러나 평상시 공부 안 한 탓으로 만족한 시험을 치르지 못함은 유감이다. 금일도 어제 구대장님께서 그만큼 주의주셨는데도 불구하고 4분대의 박 군이 부정행위로 말미암아 입창(入倉)되었다. 미웁기 짝이 없다. 구대장님께 미안하다. 감상문을 써 내라 하는데 단연 퇴학처분시켜 달라고 쓰고 싶었지만, 1연대에서 같이 올라온 동기생으로서 차마 못 쓰고 신상필벌(信賞必罰)이라고 쓰고 준엄한 처벌을 희망한다고 썼음은, 역시 공사를 분명히 하는 용기가 부족한 탓이다. 왜 그런 정신상태에 빠지는지 불가해하다.

1월 31일 (토요일)

오늘로 전기(前期) 시험도 끝나고 반은 지났다. 후기에서는 자각하여 공부하자. 참다운 수양을 해 보자. 의미있는 생활을 하자. 공복과 추위에 원기있게 싸워 가며 주동적으로 앞에 나서서 분투하여 나가자. 노력하자. 오후 네시 외출 허가가 났다.

2월 1일 (일요일)

외출하여 가정의 따듯한 맛을 보았다. 모두 무고하더라. 부모도 뵈었다. 귀영할 때는 눈이 날렸다. 전우와 같이 이야기하며 밤길을 걸었다. 밤길을 걸으면서 "이 길을 걸은 것도 몇 번째이냐" "일생에 잊히지 못할 인연 깊은 곳이로구나" 하고 의미 깊이 생각하였다.

전반기도 지나가고 사관학교 생활에도 관숙(慣熟)되었으니 이제는 여유 있는 생활을 해 가며 하고 싶은 공부를 하자고 결심하였다. 자습 시간과 점호 후에라도 구대장실을 이용하여 무엇이라도 하나 붙잡고 학교를 나가자고 결심하였다. 학교생활에 재미가 나기 시작하였다. 장 군 같은 전우가 있기 때문인지도 모르겠다. 나에게 무이(無二)의 '오아시스'가 되는 군(君)이며, 존경하는 유일의 후보생이다.

2월 2일 (월요일)

오늘은 구대장님께서 영문 번역을 명하여 교련 출장을 하지 않았다. 저녁 때는 골치가 아팠었다. 어제 저녁에 늦게 잔 탓인지, 감기가 든 탓인지. 그러나 결심한 공부는 졸업 시일까지 계속해야 한다.

2월 3일 (화요일)

구대장님께 반성록(反省錄)을 바친 고로 기입하지 않음.[14]

2월 4일 (수요일)

전일과 같음.

2월 5일 (목요일)

유엔위원단이 이번 토요일에 올 예정이어서 하루 종일 청소. 주로 사외(舍外) 청소. 운동장의 눈을 치웠다. 모두 솔선적으로 나서는 사람이 드물다. 왜들 그다지도 살을 아끼는지. 조선 사람의 현실이 그렇다. 내 자신은 어떠한가. 남보다 낙(樂)을 취하자고는, 즉 남은 고생하는데 자기는 낙을 취하겠다고는 생각지 않는다. 그러나 남은 놀든 말든 불평 없이 자기의 전력을 다해서 희생하자고는 되지 못하였다. 살살 빠지며 몸을 아끼는 자를 볼 때에는 불평이 나고 증오심이 일어난다.

2월 6일 (금요일)

오늘도 하루 종일 유엔위원단 시찰에 대한 준비 및 사열(査閱), 분열(分列) 연습. 석식 후 유엔위원단 시찰 예정이 변하였다는 통지가 있었다. 번쩍번쩍 빛나는 낭하(廊下)가 아까웠다. 행사로 말미암아 공부 부족을 느낀다.

2월 7일 (토요일)

외출이 있을 예정이었으나 비상 대기로 말미암아 외출은 없었다. 오

14. 이 일기는 김익권이 사관생도 시절에 '반성록' 이라는 제목 아래 매일매일 기록한 것으로, 구대장이 구대원 전원에게 쓰도록 권면하고 또 제출케 한 것 같다. 반성록에는 이따금씩 구대장이 검토한 도장이나 코멘트가 남아 있다. —편자

후에 군장검사(軍裝檢査)가 있었다. 장 후보생과 같이 위생병 역할을 하였다. 담가(擔架)를 들고 환자 나르는 연습을 하는 것은 첫 번이었다. 지휘관인 군의관은 중학 일 년 선배이다. 사람의 인연이란 모를 일이다. 폭동[15]이 일어날 징조가 있어서 경비대는 비상대기 상태에 들어갔다. 국내의 불안을 야기하고 순조로운 발전을 저해하며, 나아가서는 조국의 독립을 방해하는 무식한 분자들에 대한 증오감이 일어난다. 모든 것이 헤매는 '파노라마' 다. 헤매고 헤매다 각성하고 바로잡힐 날이 오겠지. 절대 비관은 할 필요가 없다.

2월 8일 (일요일)

오늘은 일요일이다. 오전은 엠원(M1) 소총 분해 결합. 오후는 학과. 음력 정초에는 외출이나 있을지 고대하고 궁금증 내는 말밖에 귀에 들리는 것이 없다. 나도 역시 그 분위기를 벗어날 수 없다. 정신의 타락일까. 범인(凡人)의 상정(常情)일 것이다. 모든 것을 소멸하고 오로지 공부에만 골몰하는 심경에 도달하기에는 아직 멀었다. 아니 가능성이 박약한 것 같다.

2월 9일 (월요일)

비상은 아직 해제되지 않았다. 오전 오후 학과가 있었다. 돌연히 기대치 않은 외출이 있어 환희작약(歡喜雀躍)하며 외출하였다. 왕십리 형댁에 들러 석식을 취하고, 광주(廣州) 부모님 계신 고향으로 가려고

15. 이칠 사건. 유엔임시한국위원단의 남한 단독정부 수립을 반대하여 일어난 파업 및 봉기 사건이다. 2월 7일부터 시작한 파업은 두 주 동안 남한 전역에 걸쳐 진행되었는데, 참가 인원은 약 이백만 명이고 그 가운데 백여 명이 사망했으며 팔천오백여 명이 투옥되었다. 대규모 조직적 봉기인 이칠 사건은 후에 제주 사삼 사건으로 이어졌다.—편자

정류장에 나섰더니 늦은 탓으로 마지막 차는 이미 출발한 후였다. 할 수 없이 내일 가기로 하고 후암동 자택으로 갔다. 처가 반가워하였다. 약간 술도 마시며 망년회를 대신하고 세시경에나 취침하였다. 문제 많던 정해년(丁亥年)도 지나갔다.

2월 10일 (화요일)

오늘은 음력 정초이다. 일곱시 반에 기상. 조식 후 고향 광주로 향함. 부모님이 반겨 주셨다. 성의껏 만들어 주신 만둣국을 바빠서 부엌에서 먹고 돌아왔다. 부모의 연세가 몇이나 되셨나 여쭈어 보았더니, 모친은 육십팔 세, 부친은 육십육 세라 하신다. 칠십이 되시는구나. 오래오래 사시기를 빈다.

2월 11일 (수요일)

영어 두 시간. 나머지는 미국 소총 칼빈에 대한 교육을 받았다. 미국 무기의 정교함을 깨닫고, 우리 조선에서도 언제나 이러한 무기를 가질 수 있을까 하고 생각해 보았다. 일개 소총을 보아도 그 나라의 과학 수준을 특히 알 수 있다. 일본군은 메이지 시대(明治時代)에 쓰던 38식을 오늘까지 쓴 데 반하여 미군은 얼마나 능률적인 무기를 사용하고 있는가. 일본이 패망한 것도 무리가 아니다. 군비(軍備)에는 보수성(保守性)이 금물이다. 석식 후 장 후보생과 세탁을 하였다. 명일은 중대 피복검사가 있다. 엄동이면 밤에 빨래를 할 수 없을 텐데, 벌써 봄이 온 탓인지 조금도 춥지 않다.

2월 12일 (목요일)

오전 중 사격교육. 오후는 전술학과 지형학. 요사이 너무나 학과뿐이고 운동 부족을 느낀다. 어제 늦도록 공부하였더니 오늘은 대단히 졸립다. 학과시간에 졸았다. 지형학에 관한 번역물을 돌아오는 목욕일까지 부탁받았다. 오늘 저녁부터 하자.

2월 13일 (금요일)

날이 따듯하였다. 식사 당번이었다. 피복검사 준비가 있었다. 생도대장님의 정신훈화가 있었다. '복종심(服從心)' 에 관하여. 복종의 근원은 조선 국민에 대한 봉사에 있다. 이 점이 일본군과는 다른 점이다. 그 당시는 천황이란 개인에 소재하였다. 어제 저녁 늦잠을 잔 탓으로 낮에 졸았다.

2월 14일 (토요일)

오전 중 중대 피복예비검사. 분주하였다. 오후는 외출도 없으리라 믿었는데 네시경 외출이 허가되었다. 장 군과 동반해서 우리 집으로 향하였다. 처는 아직 학교에서 돌아오지 않았다. 처가 돌아와서 박주(薄酒)와 밥을 내왔다. 석식 후 종로거리에서 차를 한잔 마셨다. 군(君)에 이끌려 각하(閣下) 댁에 들어가서 각하의 어안(御顔)을 목전에 살피며 소중한 말씀을 감격으로 들었다. 군대에 있어서는 모든 구성원이 모두 군인정신에 철저하여 국가 목적에 투철함이 이상(理想)이겠으나, 그것은 어려운 일이고, 다만 무리 중에서 정예분자가 타(他)를 이끌고 나가는 것이 긴요하다는 말씀. 너희들이 즉 경비대의 정예분자이어야 한다는 말씀. 꾸준히 공부하라는 말씀. 분발하여야

함을 새삼스러이 깨달았다.

2월 15일 (일요일)

조식 후 오수(午睡) 약간 하니 벌써 열두시였다. 광주 부모님한테 갔다. 남겨 두셨던 떡국, 만둣국을 달게 먹었다. 김치가 맛있었다. 엿 한 조각, 곶감 한 꼬치를 주시더라. 바삐 돌아왔다. 청량리서부터 혼자 급보(急步)로 걸어왔다. 땀이 흘러내렸다. 남들은 모두 대부분이 트럭을 타고 오더라. 운동도 되고 내 다리가 제일 믿을 만하다.

2월 16일 (월요일)

오전은 병기교육. 오후는 사격학(射擊學). 자습시간에는 영어를 공부하였다. 장 군은 특별외출 나갔으니 밤에 동반하여 공부할 사람이 없다. 매일 다만 얼마씩이라도 공부를 남보다 더하자. 나머지 수개월의 생활에는 정신차려서 공부하자.

2월 17일 (화요일)

오전은 사격교육. 오후는 자습. 내무반에서 유리창에 쬐는 따듯한 봄볕을 쪼여 가며 영어공부를 하였다. 온실 같은 감이었다. 봄은 확실히 온 것이다. 강당에서 덜덜 떨던 엄동도 지나간 것이다. 겨울의 시련을 겪고 나면 봄이 온다. 자연의 섭리는 아름답다. 우리 전항로(全航路)도 고통 후에는 봄이 온다.

어제 저녁 두시경 영내에 화재 발생. 화재 방성(放聲) 소리에 물통을 들고 뛰어나갔다. 제1연대 교육대 서남측 독립 건물이 불타서 반소(半燒)하였다. 소화 도구가 없어서 다수의 인원은 수수방관하고 있었다. 허겁지겁 물과 진흙물을 맞으면서 땀을 흘렸다. 대다수인은 소극적이다. 불을 끄고 나서 약 열 명이 중대에서 늦게 돌아왔다. 이래서 어쩌겠는가. 우리가 만일 전장에 임한들 역시 같은 현상을 취할 것이다. 내무반에 돌아오니 모두 잠들어 있었다. 오늘 아침 점호시에 각인(各人)의 점퍼를 보니 모두 깨끗하였다. 이렇게도 자기를 아끼는가. 이 환경이 싫증이 난다. 그러나 그것이 현 조선의 현실이다. 자기 임무에 충실한 자가 몇이며 희생적으로 일하는 자가 몇이랴. 입으로만 애국이요, 투사이지. 현실에서 노력하지 않는 자가 어찌 위급지추(危急之秋)에 헌신할 수 있으랴. 남을 기준 삼지 말고 열렬히 싸우자.

2월 18일 (수요일)

오전 전술. 오후는 약간의 학과. 운동 부족이다. 석식 후 구대장 회식이 있었다. 매인(每人) 당 빵 스무 개씩 먹었다. 구대장님의 이야기와 후보생의 노래가 있었다. 장 후보생이 외출 나가서 섭섭하다. 금야(今夜)에 돌아올 예정인데 안 온다. 물론 연락이야 있었겠지만 궁금하다.

2월 19일 (목요일)

오전, 총기를 분해 결합하였다. 예상한 것보다 헐하였다. 하나하나 신병기에 대한 지식이 늘어감은 기쁜 일이다. 사실 일본군이 내버리고 간 구구식(九九式)만으로는 섭섭하였는데 다행한 일이다. 오래간만에 목욕이 있었다. 장 군이 돌아왔다. 서로 이해하는 전우와 하루라도 떨어짐은 어딘지 쓸쓸한 정(情)을 금치 못한다.

2월 20일 (금요일)

오전 네 시간은 지형학, 전술. 오후 두 시간 영어, 두 시간은 자습. 봄비가 주룩주룩 내린다. 신문을 보니 북선(北鮮)엔 소련의 보호 국가인 인민공화국(人民共和國)[16]이 생겼다고 한다. 영영 갈라지고 마는가. 한탄스러운 일이다. 그러나 수천 년 역사를 가진 단일민족으로서 반드시 통일될 날이 있을 것이다. 생이별한 모자(母子)는 상봉할 날이 올 것이다. 남북이 서로 쓰라린 시련을 겪어야 하겠지. 그간에 우리 백의인(白衣人)은 진정한 애국심으로 무언지중(無言之中)의 단결을 해야 할 것이다. 굳은 민족의식을 각성하는 날이 통일의 날일 것이다. 외력(外力)이 우리의 뭉침을 여하히 방해하더라도 내재적인 욕구는 그 철쇄(鐵鎖)를 절단함에 피와 땀을 아끼지 않을 것이다.

2월 21일 (토요일)

오전에 외출이 있었다. 집에 가는 길에 종로 4정목 뒤의 암시장에서 미국 조전(操典)을 서너 권 샀다.

2월 22일 (일요일)

일곱시 기상. 처가 해주는 조식을 달게 먹었다. 이럭저럭하니 오정이 되었다. 주식(晝食)을 먹고 왕십리 형 댁에 잠깐 들렀다가 도보로 귀영하였다. 금번 외출에서는 '스승' 으로부터 "군인은 천의(天義)를 받들어서 살벌(殺伐)을 주로 하는 것이다. 연고로 자기 자신이 공명정

16. 1946년 2월부터 북조선에서 사실상 정부 역할을 하고 있던 북조선(임시)인민회의는, 1947년 11월부터 헌법제정에 들어가 1948년 2월 10일 헌법을 채택 공포하였고, 2월 8일에는 조선인민군을 창설했다. 이를 인민공화국 탄생이라 한 것 같다. 조선민주주의인민공화국은 1948년 9월 9일에 건국되었다.—편자

대히 처신하여 능히 천의를 본받을 수 없다면 부하를 거느리고 바르게 용병하여 임전장(臨戰場)할 수 없다. 사(私)를, 사욕(私慾)을 버리고 정의에 철저함으로써 군인으로서 철저할 수 있다"는 내용의 말을 듣고 깊이 감명한 바이다.

2월 23일 (월요일)

오전 중 자습. 오후 정신훈화 후에 신병기(新兵器) 엠원(M1) 수령. 하나하나 신무기에 정통하게 됨은 무한 기쁨이다. 삼월에 들어가서는 숙영(宿營)도 있고, 그것이 끝나면 졸업이 가까워 온다. 긴 것 같았던 사관후보생 생활도 졸업기가 가까워 오고 보니 사실은 짧은 것이다. 지루하던 겨울도 어느덧 지나가고 말았다. 나머지 단기간에는 무엇이든지 하나 붙들겠다는 노력을 하자. 무의미하게 끌려 나가는 동물적 생활은 영영 말소해야 한다.

2월 24일 (화요일)

무(無).

2월 25일 (수요일)

수색 보병학교로 향함. 목적은 신병기 교육의 조교로. 자동차로 가는 차중(車中)은 입추의 여지도 없어 애를 쓰며 끼여 갔다. 기분 전환상 좋은 기회였다.

2월 26일 (목요일)

오후에는 중기교육(重機教育)의 조교를 하였다. 사관학교에서 보통

분해밖에 하지 않은 자신으로서는 조교로서 충분치 못함을 깨달았다. 타인을 지도하려면 실력이 있어야 한다. 밤에는 명일 사격 준비 때문에 늦게까지 제8연대 병사들을 도와주었다.

2월 27일 (금요일)

실탄사격이 있었다. 처음 쏴 보니 재미있었다. 큰 수확이다. 이제는 무기와 탄약만 있으면 능히 싸울 수 있다. 구구식 소총에 진절머리 나던 우리로서는 든든한 감과 프라이드를 갖게 되었다. 식사 시의 무질서에는 분통이 터진다. 수양의 부족이다.

2월 28일 (토요일)

우리의 임무를 끝마치고 돌아왔다. 돌아오니 비상대기로 외출도 없다. 주식(晝食)이 없으므로 취사장에서 쌀을 타다가 밥을 지어서 사십일 명이 분배하여 먹었다. 분배 질서가 난잡하였다. 딱한 현실이다. 금일은 배불리 먹고 자유스럽게 놀았다. 밤에 한시까지 공부하였다. 수색까지 가서는 공부 하나도 못 하였다. 내 집을 떠나면 안정이 안 되어서 공부가 안 되는 법이다.

2월 29일 (일요일)

금일은 외출은 없었으나 일일중(一日中) 휴무이다. 공부를 하였으나 면회 기다리는 마음은 금할 수 없어 마음이 설렁설렁하였다. 오후 세 시가 지나니 모든 미련도 없어졌다. 생활에 바쁘고, 어린아이를 데리고 진 땅에 오기 어려울 것이다. 면회를 기다리는 마음이 어리석다.

3월 1일 (월요일)

금일은 과거 반세기 동안 일제의 압정 밑에서 우리 백의동포(白衣同胞)가 신음 항거한 기념일인 기미독립만세기념일(己未獨立萬歲紀念日)이다. 만일 이러한 민족적 항거라도 없었더라면 우리의 과거 반세기는 얼마나 섭섭한 것이며 가치 없는 역사였을까. 우리는 이로 말미암아 그래도 우리의 역사를 떳떳하게 자랑할 수 있는 것이다. 약소민족일지언정 정신만은 독립과 자주정신에 불타는 민족임을 세계에 선포한 것이다. 거기에 비추어보더라도 삼십삼 인을 위시한 애국지사와 순국열사에 대한 숭배 감사의 염(念)이 북바쳐 오른다.

얼마나 숭고한 민족정신이었으며, 우리들의 선배들은 씩씩하게 싸웠던가. 우리들도 마땅히 그 독립정신을 계승해야 한다. 우리가 이때에 동족간의 단결 부족으로 인하여 독립의 호기를 놓친다면 지하의 영혼이 원통할 것이다. 무엇으로 그대들의 영혼에 대하여 무슨 낯으로 대할 것이랴. 그대들이 뜻 품고도 못 이룬 독립을 우리는 사력(死力)을 다하여 성취해야 할 것이다. 대강당에서 회식이 있었다. 총사령관 각하께서도 참석하셔서 주식(酒食)을 같이하여 주시고 특히 반세기간에 우리 순국열사들이 싸워 주신 역사를 가슴에 사무치게 일러주셨다. 굳세게 싸워 나가자. 빛나는 전통을 잇자.

3월 2일 (화요일)

오전 중 학과. 오후는 경기(輕機) 분해결합. 자습하였다. 졸업도 가까워 오니 공부하자.

3월 3일 (수요일) – 3월 5일 (금요일)

수양일기(修養日記)를 쓰지 않음.

3월 6일 (토요일)

아침부터 외출이 있었다. 이 주일 만에 있는 외출이니 즐겁기 한이 없다. 집에 가니 처도 즐겁게 맞아 주고 딸도 재롱이 많아졌다. 부모님도 뵈었다. 형 댁에 들르니 조카딸[17] 결혼식 준비에 분주하였다. 고향 광주에 갔다가 늦게 돌아왔다. 차가 없어서 약 삼십 리 길을 걸었다. 걸어도 희망이 있는 고통이란 고(苦)가 아니다.

3월 7일 (일요일)

정성껏 해주는 처의 접대를 받았다. 돌아오는 길에 형 댁에 들러 시집가는 조카와 섭섭하게 떠났다. 작은아버지라고 아무 기념품도 못 해주는 것이 섭섭하였다. 그러나 그것은 속된 인정일 것이다. 가사를 저버리고 속세를 저버린 나로서는 관심사가 아니다. 사관후보생으로서는 현재의 닦아야 할 책임에만 전심해야 한다.

3월 8일 (월요일)

기상 후 점호 때 우리 구대에서 사고를 일으켜 입창(入倉)된 두 사람이 도망한 고로 수색하러 나갔다. 몹쓸 놈은 애저녁에 잘 갔거니 하고 섭섭하지 않았다. 기생충은 도태해야 한다. 썩은 살은 베어 버려야 한다. 오전 중은 소대 전투교련을 하였다. 땀이 철철 흘렀다. 완전히 봄

17. 큰형 김일권의 장녀인 형숙(炯淑).—편자

이다. 오후는 행군 준비. 제3구대의 소대장을 영(令) 받아 편성을 하였다. 책임이 중대하다. 그러나 좋은 경험이다.

나팔소리[18]

나팔소리라 하면, 어린아이가 듣는 기분과 청년이 듣는 심정과 노성년(老成年)이 듣는 감회가 다 다르다. 이것은 마치 우리가 소설 같은 문학작품의 걸작을 읽는 감상에 있어서 동일 작품을 읽는데도 불구하고 나이 어릴 때와 젊을 때와 늙어서 인생 항해에 원숙할 때, 각각 그 인상이 다른 것과 흡사하다. 어린이는 나팔소리만 나면 모두가 행진곡인 줄 알고 장례식의 조곡(弔曲)에도 가슴의 피가 끓지만, 젊어서 철이 나고 만사의 식별 능력이 구비되면 용감한 곡에는 용기가 붇돋워지고 슬픈 곡에는 비감을 느낀다. 또 늙어서는 특징있는 곡마다 각각 과거에 인상 깊던 그 장면 장면의 광경과 감회를 상기할 것이다.

나는 마음이 늙은 탓인지 나팔소리를 들을 적마다 옛 추억이 새로워진다. 하루를 마치고 한가히 침대에 드러누워서 책을 보는 그 순간에 소등 나팔이 들려 온다. 그러면 지나간 시절에 내 자신 내 주관 속에 느끼던 그 심정이 아니고, 그 심정을 객관적으로 바라다보며 또한 깊은 추억에 사로잡힌다. 훈련에 시달리고 일석점호(日夕點呼)에 진땀을 내는 사관후보생이나 신병들은 '오늘도 하루 끝났구나' 하고 이불 속에서 한숨을 돌리며 가슴을 어루만지겠거니 미루어 짐작된다.

18. 이 글은 김익권이 사관학교를 졸업하고 육사 교관으로 근무하던 때인 1949년 8월 24일에 쓴 수필로, '정서(情緖)에 젖을 때마다' 라는 부제가 붙어 있다.—편자

고병(古兵)들은 자지도 않고 잡담에 농담에 폭소에 때 가는 줄 모르다가 '아, 이제 외출 날이 며칠 남았나' 하고 손을 꼽을 것이다.

육사 분교(分校)에서 듣는 외나팔소리만 들어도 구슬픈데, 육사 본교(本校)에서 매일같이 들을 수 있는 소등 나팔 쌍주곡(雙奏曲)은 형언할 수 없는 애수를 느끼게 한다. 일본 군대에서 소등 나팔곡을 가리켜 '신병님은 자리 펴고 느껴 운다네' 라고 인구(人口)에 회자(膾炙)되었지만, 실로 육사 본교에서 듣는 나팔소리는 더 애처롭다. 이것은 나 개인에게만 느껴지는 편견일지는 모르나 사실을 부인할 수 없다. 이 구슬픈 곡을 들을 때마다, 나는 일본 군대에서 신병시대에 하루 종일 훈련에 시달리다 뒤이어 오는 점호에 기합 받고 비로소 이불 속에 들어가서 그날 하루를 겪고 보내는 안도감과 고향을 생각하는 향수와의 교차감에 싸여 눈물 머금으며 슬피 잠들던 그 감회가 간절히 떠오른다.

동시에 유달리 소등 나팔은 내 평생 잊지 못할 그때를 회상시켜 준다. 누가 지었는지 모르겠으나 이 나팔곡은 중국 나팔곡조같이 들리는 까닭인지, 북중국에서 일군(日軍)의 일원으로 끌려다닐 때를 상기시킨다. 모(某) 토벌전에서 부락 속에 있는 중국 군대를 양방으로 협공하려다 돌격을 그치고 앉아 하루 종일 총화(銃火)를 교환하다가 해도 서쪽 지평선에 기울어 갔다. 그러자 중국군의 원군(援軍)이 외방으로부터 (부락을) 재포위하고 전황은 교착되었는데, 그때 어디선지 멀리 들려 오는 나팔소리, 꼭 그 나팔소리와도 같다.

외부를 에워싼 원군이 부락 내에서 고전하고 있는 우군(友軍)에게 건투를 부탁하는 나팔인지, 돌격 신호의 나팔인지는 분간 못하겠으나, 구슬프게 들리는 곡이었다. 나는 그때 문득 느꼈다. 오 저 나팔소리, 그것은 '남의 나라에 침범해서 왜 우리를 못살게 하느냐. 더러운 악마의 발자취야, 평화스러운 우리 조국에서 어서 물러 나가거라' 하며 부르짖는 비통한 곡처럼도 들렸다. 그리고 홀연히 정의감에 봉착치 않을 수 없었다. '아, 내가 왜 저들과 원수이랴. 왜 저들을 노리고 쏘아야 한단 말이냐' 하고 마음속에서 부르짖었다.

그러나 나는 본능적으로 배운 대로 조준을 하여 도락(道樂)에 취한 사람처럼 사격에 골몰하였던 것이다. 새나 짐승을 무의식으로 쏘듯이. 그러나 날이 어두워진 후에 나팔소리가 그친 지 벌써 오래인데도 나팔소리는 귀에 남아 있어서 '아 이 모순(矛盾), 내 신세. 무엇을 위해서 누구를 위해서 싸워! 가고 싶다, 나의 고향. 자유 해방되어 평화스러이 삶을 살 고향에 가고 싶다' '신은 나에게 꿈을 실현시켜 줄까. 나의 운명은 고향에 다시 돌아가서 새 세상을 맛보게 되어 있는지?' 하며 반문케 했다.

손자(孫子)가 말한 "조기(朝氣)는 예(銳)하고, 주기(晝氣)는 정(情)하고, 야기(夜氣)는 귀(歸)한다"라고 말한 것이 진리인 듯이, 저녁에나 밤에 울려 오는 나팔소리는 유달리 내성적인 심정과 향수를 주었다. 이러한 과거의 추억이 소등 나팔을 들을 때마다 머리에 떠오름을 어찌하랴. 지금은 우리 조국의 군대이며, 자발적으로 모든 고통과 부자유를 달게 받으며 희망하여 입대한 것이니까 자타가 다 이와 비슷한 비감(悲感)은 없을 것이다.

한국전쟁의 사선(死線)을 넘나들며

이미 내 나이 예순이 벌써 넘었고, 우리 역사에 전무후무하리만큼 비참했던 삼 년에 걸친 전란(戰亂)이 끝난 지도 벌써 삼십 년이 지났으니, 내 어찌 감회가 깊지 않겠는가.

이제부터 내가 쓰려는 수기는 오직 나의 뇌리에 새겨진 것들을 더듬어 보는 것에 지나지 않는다. 그러므로, 나의 이 수기는 군에서 발간한 전사의 기록을 참고한 것이 아니고, 예전에 우리들이 어렸을 적 시골에서 노인네들이 사랑방에 모여 앉아 흔히들 하는 추억담 같은 것으로, 아무 부담 없이 하고 또 들어 넘기는 얘기일 것이다.

그러나 오히려 가볍게 넘어가는 이야기 가운데 육이오를 모르는 젊은 군인들이나 전후의 젊은 세대에게 전쟁 속의 군인 또는 전란 속에서 인간이 처하는 모습을 이해하는 데 다소나마 도움이 될 것 같아, 나의 해묵은 경험을 토대로 그저 생각나는 대로 쓰려 한다.

1. 전쟁 발발

1950년 6월 25일, 바로 일요일이다. 나의 집[1]에는 라디오도 없고 전화도 없었으므로 서울 거리를 누비며 비상소집을 외치는, 육군본부 소속일 듯싶은 헌병 백차의 스피커에서 나오는 고함을 듣고 육군본부로 달려갔다. 당시 육군본부는 서울 용산의 삼각지 근처에 위치하고 있었다.

그 당시 나의 계급은 소령이었고, 육군본부 작전국 편찬위원회에 근무 중이었다. 육군에 필요한 전투교범을 만드는 일을 하고 있었다. 오늘 새벽에 북한 인민군이 삼팔선 전역에 걸쳐 대규모로 불의의 남침을 개시했다는 것이다. 과거에도 우리 정부 수립 후 수차에 걸쳐 옹진반도(甕津半島)에서 또는 개성 송악산(松嶽山)에서 국지적으로 남침과 교전, 격퇴 등이 있었으나, 오늘과 같이 삼팔선 전역에 걸쳐 대거 남침해 온 일은 없었다. 처음에는 우리의 상부 책임자들도 이것이 무제한적인 전쟁의 시작인지, 또는 제한된 공격인지 잘 분간이 되지 않았을 것이다.

그러나 적의 진격은 멈추지 않았고, 우리들은 비로소 전면전으로 이끌려 들어갔다. 오늘날과 같은 조기경보 수단이 있을 리 없고, 경보 수단을 갖춘 미군부대가 있는 것도 아니고, 미군 고문관만 약간 있는 처지여서[2], 적이 전쟁을 시도해 올 줄을 몰랐다. 미국 본토의 군사 당국이나 주일(駐日) 미군 당국도 전쟁의 발발 가능성을 무시해 버렸거나 경시한 것으로 여겨진다.

만약 김일성(金日成)이 전쟁을 일으킬지 모른다는 경계심이 있었다면, 육이오 발발 직전에 우리 군의 각급 고위 지휘관들을 직위 교체시키는 어리석은 일은 하지 않았을 것이고, 더욱이 일요일이라고 비상경계도 없이 태반의 장병을 외출시키는 과오를 범하지 않았을 것이다. 우리 정부도, 북한이 삼팔선 개성 부근에서 남북교역을 하자든지, 이북의 민족진영 거두인 조만식(曺晩植) 선생을 이곳에서 붙들린 지하공산당 거두인 이주하(李舟河), 김삼룡(金三龍)과 교환하자든지, 또 통일을 위한 정치협상을 벌이자든지 하는 가지가지의 주장을 내놓으며 연막전술을 펴는 심리전에 한눈이 팔려서, 적의 전면전쟁 도발에 대비하지 못했던 것이 사실일 것이다. 또 우리 군부도 여순사건 진압, 제주도 공비토벌 종료 또는 숙군(肅軍)[3] 등으로 이남의 공산세력을 거의 소탕했다는 안일감에서 적침 경계에 소홀했었던 것도 사실이다.

이리하여 전쟁 대비가 없는 아군은 뒤떨어진 장비와 인력으로 적의 전면적인 기습공격을 받아 열세에 몰려, 남으로 남으로 밀려 오고 있었다. 안타깝기 한이 없는 노릇이었다. 이런 형국은 마치 자다 일어나서 팬티 바람으로 무장한 적에 대항하는 셈이 되었다. 육군본부에서는 전선부대 전투를 지원하기 위해 우선 서울 근교 부대(수도경비사령부 및 육사와 시흥보병학교)의 기간병과 생도까지 긁어모아서 문산과 의정부 방면의 적 주력 공격의 방향으로 투입했다. 그리고 각 도에 산재해 있는 사단 병력을 서울로 급거 출동시켜, 도착하는 대로 축차적(逐次的)으로 주로 의정부 방면으로 증강시켰다. 수도 서울을 사수하려는 작전에서 나온 것이다.

나는 당시 소령의 계급을 단 중견장교로서 작전의 중추에 참여하는 사람은 아니었지만, 군의 병력 전부를 한강 이북에 몽땅 집중시켜 배수진을 친다는 것이 전략상 어리석은 일이라고 생각했다. 한꺼번에 국군이 완전 괴멸될지도 모를 노릇이라, 수도 함락과 더불어 국가의 패망을 초래할지도 모를 어리석은 전략이 아닐까 걱정스러웠다. 한강의 천연적인 장애물을 이용하려는 군사적 전략보다는 수도를 지켜야 한다는 전략이 앞섰던 것 같다.

1. 1946년부터 살던 후암동 집을 가리킨다.—편자
2. 미군은 1949년 6월 29일 한반도에 군사고문단 오백 명만 남기고 철수했다.—편자
3. 1948년 11월 여순사건 직후부터 육이오 전쟁 직전까지 진행된 국군 내부의 좌익세력 제거작업을 일컫는다.—편자

인류 역사의 전쟁에서 통상적으로 나라의 정략(政略)이 군대의 전략(戰略)을 좌우한다. 하지만 육이오의 교훈은, 때로는 전략의 우열이 정략을 좌우할 수 있다는 교훈을 우리에게 남겨 주었다고 본다.

과연 후방의 모든 병력을 모두 다 투입하여도, 여전히 의정부 방면의 적의 압력은 거세어서 자꾸 밀리고 있었다. 드디어 창동 북쪽까지 밀리고 있었다. 적의 전차를 막을 수단이 없다는 것이다.

안타까운 일이 아닐 수 없다. 오십칠 밀리 대전차포가 우리 포병부대에 있었지만, 적 전차의 전면 철판이 두꺼워서 맞아도 끄떡없이 전진한다고 했다. 구경 2.36인치 로켓포(바주카)는 물론이고, 백오 밀리 곡사포 역시 제이차세계대전 당시 미군이 쓰던 낡은 것이어서 사정거리도 짧고 위력도 적의 것에 미치지 못했다. 일선 부대에서는 사력을 다해 전투를 계속했지만, 그 전투과정에서 용감하게 싸우다 전사한 연대장, 대대장, 중대장, 소대장 들이 수다했고, 많은 병사들이 목숨을 잃었다. 전투력의 차이로 아군은 밀릴 수밖에 없었다. 운동회에서 줄다리기할 때에 전체 힘이 열세한 쪽이 힘이 센 쪽으로 질질 끌려가듯이 뒤로 질질 밀리고 있었다. 우리에게는 전차가 없다. 한남동에 있던 기갑연대 소속 일개 대대로 있던 장갑대대는 인민군 전차에 비하면 장난감 같은 것이었다. 아군의 장갑차는 폭동 진압용이지, 전차와는 비교도 안 되는, 고양이 앞에 쥐 같은 것이었다. 이것마저 적이 김포반도(金浦半島)에 상륙했다 해서 그리로 돌려 버렸다.

이놈의 전차를 막을 방법은 없을까. 공군이 있다면 손쉽겠지만 전투기도 폭격기도 우리에게는 없다. 연습기 엘사(L4), 엘오(L5)가 열 내지 스무 대밖에 없는 우리 공군이다. 이놈의 전차를 막지 못해 속수무책인 육군본부 간부진, 당시 대령으로 잠을 못 자서 얼굴이 부은 듯한 J작전국장 앞에 나가서 나는 건의를 했다.

"전차를 막는 방법을 건의 드리겠습니다."

"어떻게?"

"의정부에서 서울로 오는 길목 좁은 여러 곳의 도로를 끊어 버리지요."

"어떻게?"

"원효로에 가면 재목점(材木店)이 많습니다. 위로 자동차가 굴러가도 견디는 두꺼운 목재 통나무나 각목을 잔뜩 싣고 가서, 인부를 동원해 길 반쪽을 깊게 파서 자른 뒤 목재로 덮고, 다음에 남은 쪽 도로를 파서 목재로 덮어 교량을 만들고, 아군이 철수할 때 불태워 버리면 적 전차의 전진 속도를 줄일 수 있습니다. 저에게 차량을 주시고 명령만 하신다면 수행하겠습니다."

국장은 아무 말도 없었다.

『삼국지(三國志)』같은 얘기지만, 대항 무기가 없다고 속수무책인 것보다는 낫다. 당시 서울 장안에는 목재도 많았고 인부도 강권을 발동하면 얼마든지 있었다. 더군다나 정부는 서울 시민에게 국군을 믿고 동요하지 말고 생업에 종사하라고 포고해 놓은 상태였다.

군의 전통적인 교훈 속에는, 어떤 급한 상황에 처해서 우유부단하여 이리도 못 하고 저리도 안 하는 것보다, 설혹 최선의 방법이 아닐지언정 무언지 대처하여 행동하는 것이 낫다는 말이 있었다. 구 일본군 「작전요무령(作戰要務領)」에서 본 적이 있다. 아 어찌하랴! 창동을 적에게 빼앗겼다. 아군은 미아리까지 겹겹이 배치됐지만 자꾸 밀린다. 육군본부에서는 본부 장교 전원을 운동장으로 비상소집시켰다. 나가 보니 참모부장 되시는 김백일(金白一) 대령(육군 중장 추서)

이 훈시를 시작하셨다. 이분은 그 후 전란 중에 군단장이 되셨는데, 악천후 상태에서 탑승 항공기가 산악에 충돌하여 1951년 전사하셨다. "전방의 부대들이 자꾸 후퇴를 하니 서울 사수가 위태롭다. 조국의 위기에 처해서 육군본부 장교들이 미아리 고개에 독전대(督戰隊)로 나가야 되겠는데, 지원하는 장교는 나서라"는 것이다. 몇몇 장교들이 손을 들고 나섰다. 그들만 따로 남게 하고 나머지는 해산시켰다.

'나의 애국심이 모자라서 손을 못 든 것일까' 자문자답했다.

'나의 애국심도 남만 못지 않다. 그러나 어리석게 죽고 싶지는 않다. 군인은 죽을 시기와 장소를 가려야 한다.'

권유 설득하시는 김백일 참모부장은 내가 사관학교 생도 시절의 교장이셨지만, 나는 '독전대'라는 말이 싫었다. 나의 판단에 따라 손을 들고 나서지 않았다. 그러나 사무실에 돌아와서 '내가 비겁해서가 아니겠지' 곰곰이 생각을 해 보았다. 여담이지만, 그때 손을 들고 나선 장교 중에 일제 때 나의 경성대학 법문학부 두 해 선배로 나보다 늦게 사관학교에 입학하여 법무관으로 임관된 장교가 있었는데, 내내 생환하지 못했다. 아마 미아리전투에서 전사했던 모양이다.

육군본부 장병 모두가 몇 끼씩 굶었다. 긴장해서 법 먹을 사이가 없었다. 작전국의 상황판을 정리하고 적과 아군의 배치를 기록하는 상황장교는 젊은 육사 팔기생 중위들인데, 전화 받느라고 목소리가 꽉 잠기고 잠을 자지 못해 두 눈이 충혈되어 있었다. 눈에 익은 두 사람 중 한 사람은 그 후에 살아남아서 장군도 되고 아직 생존해 있다. 한 사람은 육이오 후 폐결핵으로 작고했다. 얼굴이 희고 곱살스럽게 생긴 귀여운 중위였다.

창동에서 전투가 한창일 무렵, 나는 잠깐 후암동에 있는 집을 찾아가서[4] 우선 서울을 떠나 한강 이남 부모님이 계시는 시골집으로 피신하라고 아내에게 일렀다. 6월 27일 오전, 육군본부가 시흥(始興)으로 이동하니 보따리를 싸라고 했다. 나는 가지고 갈 짐도 없었지만, 약 삼 개월에 걸쳐서 처음으로 육군 교육에 필요한 보병대대 전투교범을 번역해서 교정 중이었는데, 그 원고와 영어사전을 모두 불태워 버렸다. '이것을 언제 다시 쓸 때가 있겠나' 하는 생각에서였다.

작전국 차량에 직원 일동이 타고 한강다리를 건너 영등포를 지나 시흥보병학교 정문 앞에서 하차했다. 차에서 내리자마자, 유엔에서 북한을 응징할 것을 결의하고 곧 맥아더 사령부가 서울에 설치된다는 소식을 전하면서, 그러니 수도를 사수하기 위해 서울로 다시 돌아간다고 했다. 놀랍도록 기뻤다. 우리들은 용산 육군본부로 되돌아왔다. 상황지도를 다시 부착하여 정리하고 작전국은 다시 작전을 지도했다.

그날 밤이 다가왔다. 정보국 산하의 정보장교인지, 육사 삼기생으로 추측되는 소령 한 사람이 작전국에 나타나서 작전국장에게 구두보고를 하고 있었다. 곁에서 들으니, 숫자를 알 수 없는 적의 전차가 청량리 북방 홍릉(洪陵) 쪽으로 진입하고 있다고 했다. 적 전차가 청량리로 들어온다니, 머지않아 서울 시내로 들어올 것이 틀림없었다. 아무 대책도 없고 당황스러운 상황이다. 곧 "육군본부는 즉각 철수 개시하여 수원으로 옮긴다. 지체 말고 행동하라"는 명령이 내려졌다. 나도 하는 수 없이 퀀셋(Quonset, 콘셋이라 불리는 반원형의 군대막사) 건물의 편찬위원회 사무실로 돌아와서 위원장께 보고하고 철수 준비를 했다. 위원회에는 위원장 K대령 한 분 아래 나를 포함해서 소

4. 당시 육군본부는 후암동 집과 가까이 있었다. —편자

령이 두 명, 대위와 중위 약간 명과 통역장교 십여 명, 사병 몇 명이 있었다. 위원장은 과거 해방 전에 중국에서 중국 군인 노릇을 한 분으로서 국군에 입대하여 육이오가 일어나기 전에 수도경비사령관까지 지내신 분인데, 무슨 이유인지 몰라도 좌천되어 작전국장 산하의 편찬위원장이란 직을 맡고 계셨으며, 나이가 쉰이 넘은 분이었다. 모든 인원이 지프차 한 대와 스리쿼터(3/4톤 트럭) 한 대에 나누어 탔다. 그것이 편찬위원회 장비의 전부였다. 나는 대원과 함께 스리쿼터에 타고 가려 했더니 위원장께서 "김 소령은 나의 지프차를 타라"고 하셨다. 고맙게 생각했으나, 다른 한편으로 다른 동료들에게 미안하게 생각되었다.

지프차를 타고 육군본부 영문(營門, 한강로 동쪽에 있는 옛 용산우체국 옆에 위치함)을 나서니, 한강 인도교로 향하는 길가엔 내리는 비에도 아랑곳없이 한강 남쪽으로 서울을 벗어나려고 피란가는 흰옷 입은 시민들이 양쪽 보도를 메우고 물 흐르듯이 움직이고 있었다. 그 가운데로, 시내로부터 쏟아져 나오는 아군의 자동차들이 전속력으로 질주하고 있었다.

2. 한강 도강

내가 탄 지프차도 철수하는 아군 자동차 대열 속에 끼어들어 전속력으로 인도교 쪽으로 접어들었다. 바로 뒤에는 위원회 스리쿼터가 좇아오고 있었다. 인도교 중간쯤 있는 중지도(中之島, 노들섬)를 지나서 아치가 세워져 있는 교량 속으로 들어섰다. 바로 밑은 한강 물이다. 갑자기 달리던 앞차들이 브레이크 소리도 요란하게 미끄러지면서 멈춘다. 속력을 높여 달리던 우리의 차도 급히 브레이크를 잡았지만 미끄러지면서 앞차 꽁무니에 '꽝' 하고 부딪쳐 버렸다. 추돌한 것이다. 차의 앞 유리가 산산조각이 났지만 튀지는 않았다. 역시 미제 차는 튼튼하다. 앞 좌석에 앉아 마음 놓고 계시던 K대령이 이마를 유리에 부딪치셨다. 그러나 부상은 가벼워서 다행이었다.

"괜찮으십니까?" 하니 "괜찮다"고 하신다. 상처도 나지 않았으며 충격으로 울리기만 한 것이라 별 문제는 아니었지만, 노령이었기 때문에 심신의 충격이 있었을 것이다. 앞차들이 회전해서 나온다. 우리가 탄 차도 회전해서 되돌아 나와야 한다. 천만다행으로 차의 발동이 일단 꺼졌다가 겨우 걸린다. 간신히 방향을 바꾸어 되돌아 나오려는데 이번에는 먼저 되돌아 나왔던 차가 와서 우리 지프차 옆구리를 들이받는다. '꽈당' 하고 차가 진동하는 데 또 한번 놀랐다. 인도교 북쪽을 향해서 우리 차는 달려 나갔다.

그런데 이게 웬일인가. 적이 김포반도에 이미 상륙해서 우리 기갑연대와 교전하고 있다는 것은 미리 아는 처지였지만, 적이 벌써 노량진까지 진격하여 우리의 퇴로를 막는 것은 아닐까 하는 별의 별 추측이 순간 뇌리를 스쳐 간다. 적 전차라도 인도교 남단에 버티고 있는 것은 아닐까. 한강로 큰길이 경원선과 교차하는 제방 위에 다다르자 나는 K대령께 우선 이곳에 내려서 상황을 판단한 후 행동하자고 제의했다. 우리들은 차를 멈추고 내려섰다. 한강 남쪽을 바라보며 우두커니 서 있으려니까 칠흑 같은 밤에 내 평생 들어 보지 못한 '꽝' 하는 폭파 소리가 천지를 진동한다. 나는 본능적으로 땅에 엎드렸다. 원자탄 터지는 소리가 아마 이런 것이었을까.

땅에서 일어나서 한강 인도교가 파괴되는 소리로 직감하고 "위원장님, 인도교가 파괴됐으니 나루터를 찾아서 강을 건너야 합니다" 했다.

"어디로 말이오?"

"제가 강 건너 땅에서 자랐기 때문에 이곳 지리를 잘 압니다. 서빙고 나루터를 건너는 것이 제일 가깝고 좋습니다."

K대령은 주저하셨다.

"제발 저를 믿어 주십시오. 빨리 강을 건너가야 합니다."

K대령은 "그러자" 하고 지프차에 올라 타셨다. 나도 위에 올라탔다.

동으로 향해서 제방 위를 달리니 제방은 경원선 철로와 합쳐진다. 철로의 침목 판자때기 위를 차로 운전해 가자니 기름 먹은 나무에 빗물이 젖어서 이리 왔다 저리 갔다 미끄러져서 걸어가는 속도만도 못했다. 적은 분명히 서울 시내에 진입했을 터이니 빨리 이 생지옥을 벗어나려면 한 발이라도 앞서 도강(渡江)해야 하는데, 이렇게 걷는 것보다 느린 지프차를 타고 서빙고 나루터까지 삼 킬로가량을 가야 하니 답답하고 초조했다. 더군다나 사람의 몸도 빠져나가기 힘든 터에 차까지 가지고 건너갈 수는 도저히 없다고 생각되었다.

"위원장님, 차를 이곳에서 버립시다."

그러나 듣지 않았다. 노인에게는, 다리에 자신이 없으니 차에 대한 미련이 클 터였다. 나는 재삼 설득했다.

"제가 부축하여 드릴 테니 저를 믿고 걸어가십시다."

그제야 K대령은 미련이 많은 지프차에서 내렸다. 나는 K대령의 왼팔을 끼고 걷기 시작했다. 젊은 나 혼자 같으면 뛰어서라도 가겠지만, K대령을 부축해서 걷기란 더디고 더디어 끌다시피 해서 속도를 냈다.

왜냐하면, 강을 빨리 건너가야 하는데 배가 있는지 없는지조차 모를 노릇이다. 우리는 시간과 싸우고 있었다.

중사인지 하사관인 운전수는 무거운 가죽 트렁크를 들고 따라온다. 육군본부를 떠나기 전에 위원장실에 놓여 있던 중형의 보스턴백인데, 여는 것을 곁눈으로 보니 가방 속에 지폐 뭉치가 가득하다. 나는 놀랐지만 모르는 척했다. 돈도 많으신 분이로구나. 내 수중엔 비상금 지폐 몇 장밖에 없는데….

시간은 새벽 두시 반쯤 된 것 같다. 빗방울은 계속 떨어진다. 철로 위로 고삐 풀린 말들이 두서너 필 달려온다. 한남동에서 멀지 않은 곳이니 혹시 그곳에 있는 기마대대의 주인 없는 말인지도 모른다는 생각이 들었다. 바로 이 부대는 나의 가장 가까운 육사 오기 동기생인 친구 장철부(張哲夫) 소령이 지휘하는 부대였다. 철로 곁을 흘러내리는 한강변은 평소 같아서는 모래사장일 터인데, 상류의 빗물이 불어서 모래사장이 덮이고 붉은 물이 칠흑 속에 도도히 흐른다.

드디어 내가 지리를 잘 아는 서빙고 나루터에 가까이 도착했다. 나의 고향은 지금은 서울시 강남구 논현동인, 한강 남쪽의 광주 땅이다. 여덟 살 때부터 서울에서 학교를 다녔기 때문에 주말이면 늘 이 서빙고 나루터를 건너서 서울과 고향을 오가곤 했다.

칠흑 같은 어둠 속에서도 나루터에 사람들이 우글거리고 있는 것이 보였다. 왁자지껄하는 소리도 들렸다. '아, 사람이 많구나! 어찌하지? 이럴 때일수록 질서가 있어야 하는데. 서로 먼저 살려고만 하면 다 죽는 법이다.' 나는 생각했다. 이럴 때에 질서를 세우려면 강권이 필요한데, 강권을 발동하려면 무기가 있어야 했다. 그러나 나에게는 무기가 없다. 위원장님은 대령이시니까 권총을 가지셨지만, 운전수가 호위병 격으로 그분의 권총을 차고 있었다. '옳지, 저것을 빌리자.' 나는 정중하게 위원장님을 납득시켰다.

"이곳에서 살려면 질서를 세우고 강권을 발동해야 하는데 무기가 필요합니다. 운전수의 권총을 좀 빌려 주십시오" 했다. 과히 달가워하는 표정은 아니었지만, 위원장님은 운전수의 권총을 풀게 하여 나에게 빌려 주셨다.

'옳다, 됐다. 한판 해 보자.' 수백 명의 이 부대 저 부대의 오합지졸 같은 우리 패잔병들이 마찻배에 꽉 올라타 있었고, 일부는 미처 다 타지 못한 채 육지에 콩나물시루같이 빽빽하다. 마찻배란 자동차와 마차까지 한두 대 실어서 건넬 수 있는 평판배를 가리킨다.

나는 노(老)대령을 깍지 끼고 "저만 따라 오십시오" 하고 군중을 헤치면서 쑤시고 들어갔다. 나이 스물아홉의 한창이었던 청년장교 기개로 나룻배 안으로 밀치며 들어갔다. 배는 꼼짝하지 않고 있었다. 너무 많은 군인이 배에 올라타서 배가 땅에서 떨어지지 않았던 것이다. 뱃사공이 군인들 보고 배를 띄우기 위해서는 일부가 내려야 한다고 소리쳤으나 누구 하나 내리는 사람이 없었다.

나는 강권을 발동해야겠다고 생각하여 큰 목소리로 "나는 육군본부 작전국에 근무하는 육군 소령 김익권이다. 이제부터 나의 명령에 복종하지 않는 자는 총살한다" 하고 외치면서 오른손에 권총을 높이 들어 왼손으로 탄환을 '찰카닥' 재웠다.

"우리가 이럴 때일수록 질서를 지켜야 함께 산다. 질서가 없으면 다 죽는 법이다. 배가 무거워서 뜨지 않으니, 바로 여기부터는 다음 배를 타라. 우리가 건너가서 배를 다시 돌려보낼 것이다."

"빨리 내려라!"

내가 지시한 선 밖의 병사들 수십 명이 내렸다.

"다 같이 힘을 합쳐서 배를 떠밀어라!"

배가 물 위에 떴다. "자 뱃사공, 노를 저으시오!" 하고 군인들도 거들게 했다.

배가 강을 건너가는데 "이거 김 소령 아니오?" 한다.

보니, 나와 육사 동기생인 박춘식(朴春植) 소령이다. 육군본부 부관부에 근무 중 자기의 상관인 C중령과 함께 도강하느라고 같은 배를 탄 것이다. 칠흑 같은 밤이라 누가 누구인지 모르고 있었는데, 목소리로, 그리고 나의 관등성명을 듣고 알게 된 것이다. 피차 반갑기 한이 없었다. 박 소령은 해방 전에 만주군관학교를 졸업하고 소위로 해방을 맞은 것으로 안다. 육사 졸업 후 함께 임관되어 육사에서 교관으로 근무하면서 관사도 이웃에서 살며 가까운 사이였다. 성격이 활달 명랑하고 대범하여 좋은 친구다. 나이는 나와 동갑인지 한 살 위인지 한데, 나보다 앞서 소령에 진급했으며, 휴전 후 장군도 빨리 되어서 군단장과 육군 관리참모부장을 지냈으며, 소장으로 예편했다. 그리고 박정희(朴正熙) 대통령에게 사랑받아서 교통부 장관까지 지냈다. 거짓말인지 정말인지 모르지만, 그의 군단장 시절 에피소드로는, 군단장 도장(사인)을 책상 위에 매달아 놓고 참모들이 알아서 찍어 가게 했단다. 참모를 믿고 큰 것만 지침을 주고 명령하는, 대범한 지휘관 타입이다. 부하를 믿었던 통이 큰 사람이다. 그러나 아깝게도 장관을 지낸 후 고혈압으로 쓰러져 회갑을 채우지도 못하고 병사했다.

내가 대령 때 빈한하게 살았을 무렵, 그는 서울 후암동에서 우리와 같은 동네에 살았었는데, 우리 가족 일동을 서울에서 제일 큰 중국 요릿집 '아서원'에 초대하여 흠뻑 먹여 준 일도 있었고, 어느 자기 생일날 그의 선배인 이 모 장군과 더불어 나를 초대하여 대접하기도 했다.

한강 남쪽에 가까워지니 훤하게 동이 터 온다. 강물이 불어 유속(流速)이 있는지라 배가 상당히 떠내려와서 피안에 다가간다.

나는 박 소령에게 "몇 시간 후에 적이 서빙고 강변에 도달할 것이니, 우리 군인(배에 탄 패잔병)들을 임시 편성해서 한강 남쪽 제방에서 적을 저지하는 게 어떠하오?" 했다.

"되든 안 되는 한번 해 보세" 박 소령이 응수한다.

배가 물에 닿았다. 모두 다 내린다. 내가 선두에 내려서 그곳 모래사장에 정렬하라고 했다.

"우리들이 강 남쪽을 지키자! 몇 시간 후면 적이 서빙고에 도착할 것이다. 우리는 싸워야 한다."

그러나 사기가 극도로 저하된 군인들은 대부분 사병 같았는데, 총이 있는 사람이건 없는 사람이건 뿔뿔이 흩어지고 말았다. 나는 "에이, 할 수 없구나" 하며 임기응변의 전술을 포기하고 배를 되돌려보낸 다음 모래사장을 걸어 나왔다.

노대령에게 "시장하시지요? 우리 요기나 하고 가십시다. 저의 고향이 바로 이곳에서 오 리밖에 안 됩니다. 그곳에 가면 먹을 것이 있겠지요." 전투도 먹어야 한다지 않은가. "어서 가시지요."

노대령은 주저하면서 "아니야, 나는 나의 친척이 흑석동에 살고 있으니 우선 그리로 가 봐야겠어." 내가 같이 가자고 권해도 노인의 고집 또한 대단하다.

하는 수 없이 "그럼 저는 저의 갈 길을 가겠습니다. 용서하십시오" 하고 작별했다.

"권총은 나중에 돌려드리겠습니다."

"그래!"

나는 전우인 박 소령과, 그의 상관으로 만주군 선배인 C중령과, 그의 부관인지 당번인지 기억이 희미하지만 너댓 명의 일행과 함께 동남쪽으로 이 킬로미터쯤 걸어서 약 오십 호가량이 사는 나의 고향 부락으로 들어섰다. 그 부락에는 동리 한복판에 기와집이 있는데, 그것이 우리 집이었다. 천 석(石)을 하신 나의 증조부께서 지으신 구옥(舊屋)이다. 바깥마당 안마당 할 것 없이 강 건너 서울에서 온 흰 옷 입은 피란민들이 가득했다. 아마 한남동이나 무시막(옥수동) 또는 뚝섬에서 건너온 사람들이었을 것이다. 피란민 속을 헤치고 들어가서 아버지와 어머니, 그리고 처자들을 만났다. 감격이 새로웠다. 부모님께 인사드리고 우선 배가 고프니 밥을 지어 달라고 했다. 하루 정도는 굶은 것 같았다. 조금 있으려니까 하얀 쌀밥에 닭을 볶아서 내어 온다. 어찌나 맛있게 먹었는지 꿀맛이다.

"적이 서울에 들어왔으니 어서들 남쪽으로 떠나세요. 저희들은 수원으로 갑니다" 하고 나섰다.

수원을 향해서 걸어갔다. 도중에 산마루에서 박 소령이 "이제 강도 넘었으니 한잠 자고 갑시다" 한다.

"그럽시다" 하고 풀썩 드러누워서 푸른 하늘만 쳐다보았다. 눈을 감아도 잠이 올 리 없다. 예전에 대학에 다닐 때 읽은 톨스토이의 「전쟁과 평화」 주인공이 생각났다. 귀족 집안 출신의 청년 장교가 전쟁에 시달리며 전선을 이동하면서 감미로운 사랑의 추억을 되씹었는데, 그런 얘기는 기억할 수조차 없었다. 오직 한 가지 기억되는 것은 주인공이 전쟁터를 행군하다 보리밭에 말을 풀어 놓고 말이 먹이를 먹는 동안 풀썩 드러누워서 하염없이 푸른 하늘을 쳐다보며 옛 추억에 잠기던 모습이었다. 부모 처자를 뒤에 두고 나의 갈 길을 가야 하는 나의 처지가 그 모습과 비슷하리라 생각했다.

한 시간이 지났을까, 다시 산에서 내려와서 신작로 길로 나왔다. 띄엄띄엄 바삐 걸어가는 피란민의 모습들이 보였다. 눈에 익은 사람이 있다. 가만히 가까이 가서 보니 나의 맏형수가 아닌가. 자전거 뒤에 두 살배기 막내아들을 태우고 팔촌 형뻘 되는 분이 자전거를 끌고 간다.

"도련님 아니우?"

반갑기도 했지만 한편 의아했다.

"아버지 어머니는 어디 계셔요? 또 우리 집 식구들은요?"

"뒤따라오실 거예요" 한다.

"어디로 가시는 길이에요?"

"용인 외가댁으로 가는 길이에요."

경기도 용인 구읍(舊邑)이 나의 어머니의 친정이다. 그렇겠거니 하고 작별하고, 나는 수원을 향했다.

나중에 서울 수복한 후에 알고 보니, 어머니도 형네 가족들도 용인으로 피란가셨는데, 아내는 부모님과 행동을 같이하지 않았다고 한다. 아내와 가족은, 배화여고 시절에 의형제를 맺었었던 나의 작은누이의 가족과 내 고향 동리 집에 남아서, 국군과 인민군이 우리 동네 앞 뒷산에서 총질하고 싸우는 것을 보게 되었다고 한다. 나의 동리 앞뒤 산이 표고 팔십 미터로 인근 지역 중에서 가장 높은 곳이어서 한강 도하를 감제(監制)할 수 있는, 소위 군대에서 말하는 요지요부(要地要部)였던 것이다. 따라서 그 지역의 쟁탈전이 있을 수밖에 없었다.

나에게는 당시 딸이 둘 있었는데, 큰 아이는 다섯 살, 둘째는 두 살이었다. 아내가 피란길에 오르지 않았던 이유로는 두 살짜리 딸이 병이 난 때문이기도 했다. 아기가 설사병이 걸려 늘어져 있었는데 약도 없고, 막상 떠나려고 하니 딸 두 식구에 짐 보따리가 있고, 아홉 살부터 우리 집에서 아이들을 봐주고 크면서 살림을 도와주던 나의 식구나 다름없는 나의 팔촌 여동생도 딸렸다. 거기에다 수중에 돈도 없고 양식도 없는데, 어떻게 남편의 낯선 용인 외가로 데리고 간단 말인가. 그래서 아버지께서는 머뭇거리셨던 모양이다. 나의 추측에 의하면, 나의 아내도 용인으로 갈 바에야 친정인 수원으로 가고 싶었을는지도 모른다.

후에 나의 아내가 육이오 회고담을 하는 가운데, 당시 우리 아버지께서 나의 둘째딸이 설사해서 늘어진 것을 보시고, 그 애를 놔두고 네 몸이나 먼저 빠져나가라고 하셔서 무척 섭섭했다는 얘기를 들었다. 나는 이런 것을 부모의 욕이 되는 것이기에 말하고 싶지 않지만, "갑자기 청천벽력 같은 전란이 닥치면 평소에 온전한 사람도 이성을 잃기 쉬운 일이오. 이것을 전쟁심리라고 하는 것이라오. 사람들은 흔히 난리를 당해서 극한상황에 빠지면, 자신도 모르게 전쟁심리에 사로잡혀 물에 빠진 사람처럼 이기적인 행동을 취할 때가 있소. 그러니 부모님께도 관대해야 하오" 하고 아내를 타일렀다.

더군다나 우리 아버지와 같은 구세대에게는 남아선호사상이 분명하여, 자손들 중에서 손자들은 모두 피란시켜도, 둘째형 댁의 다 큰 손녀들도 피란시키지 않으셨다. 그러나 며느리의 생각은 달랐다. 또한 서울에서 후퇴하기 전에 왕십리에 사시던 나의 맏형수님 댁에는 마침 전화가 있으므로 직접 전화를 걸어 광주 고향으로 속히 피란가시라고 일러 드린 바도 있었는데도, 용인 피란길에 형수님 혼자 가시고 나의 처자는 보이지 않기에 마음 한구석이 서운했다.

아내는 어렵게 자식들을 거느리고 가는 도중에 항공기의 총격도 받아 가며 구사일생으로 수원 친정까지 찾아갔다가, 나중에 그곳도 인민군 수중에 떨어지자 거기서도 있을 수 없어 다시 광주 고향으로 되돌아왔다. 그런데, 그곳에서도 국군 장교의 가족은 쪄 죽인다는 소문을 듣고 다시 서울로 강을 건너 집에 돌아와서 숨었다. 그 후 공산당 치하에서 원효로에 있는 인민위원회에 출두를 명 받아 딸을 등에 업고 가서 자수하자, 원래 국민학교 교사인지라 노량진에 있는 을로국민학교에 다시 배정되었다. 나의 아내는 후암동에서 그곳으로 배를 타고 인도교 부근을 건너서 출퇴근을 했다. 이때 인도교 부근 한강 백사장에는 많은 철모와 헬멧이 눈에 띄었다고 한다. 한강 교량이 폭파될 때 어둠 속에서 많은 국군 장병이 추락사한 것이 아닌가 추측되었다.

그 후 몇 개월이 지나 9월 28일 서울 수복 직전에 인민군이 서울로부터 황급히 퇴각할 무렵, 많은 양민을 학살하거나 이북으로 끌고 갔다. 나의 아내도, 우리가 살고 있던 후암동의 아랫마을인 길야동까지 인민재판을 하고 있다는 얘기를 들었다. 그래서 머지않아 고개 넘어 후암동까지 인민재판을 하기 시작하면 최후의 운명이 닥칠 것이 아닌가 하고 모든 것을 체념하고 담담하게 시간을 보내고 있었다고 한다. 그런데 미국의 비이십구(B29) 폭격기가 폭격을 시작하자 적은 길야동에서 벌이던 인민재판 도중에 도망가고 말았다.

한편, 피란지 용인도 인민군의 지배하에 들어가자 아버지께서도 고향집으로 돌아오셔서, 그곳에서 멀지 않은 봉은사(奉恩寺)에 설치된 인민위원회 본부에 불려 가서 심문을 받으시곤 했다. 그러다가 구이

팔 수복과 함께 서울이 아군 수중에 들어오자 모두 생지옥을 벗어날 수 있었다는 것이다.

우리들은 그날 저녁에야 수원 근교까지 이르러 지나가는 군 트럭에 편승해서 밤에 수원에 도착하니 육군본부가 그곳에 와 있었다. 한강 인도교 폭파 때문에 미처 강을 건너지 못한 국군의 일부는 행주 · 마포 · 서빙고 · 한남동 · 뚝섬 · 광나루 등 여러 나루터로 뿔뿔이 흩어져, 군복으로 또는 민간 복장으로 강을 건너기도 하고 행방불명되기도 했다. 우리 위원회의 주력인 스리쿼터에 타고 있던 장병들도 뿔뿔이 헤어져서 그 중의 몇 명만을 그 후에 보았을 뿐이다. 따라서 나중에 '육군본부도 다 빠지기 전에 한강을 폭파했으니 시기상조였다. 누가 그따위 짓을 했느냐'는 논란과 질타가 빗발쳤다.

채병덕(蔡秉德) 참모총장의 명령으로 했다, 맞다, 아니다 등등의 말이 요란했다. 결국 채 참모총장은 초전의 실패에 책임을 지고 총장직에서 물러난 뒤 진주에서 적탄에 맞아 전사하시고 말이 없으니, 실무자인 공병감 최창식(崔昌植) 대령이 그 책임을 지고 총살형에 처해졌다. 작전국장도 이때 강문봉(姜文奉) 대령으로 바뀌었다. 공병감 최 대령은 나의 중학교 일 년 선배이고 일본 육사 출신이다. 생각건대 후퇴작전 시에는 교량 파괴 자체보다 그 타이밍을 맞추기가 더 어려운 일일 것이다. 아군이 전방에 있을 때 미리 파괴할 수도 없고, 아군을 다 뒤로 뺍은 뒤에 파괴하자니 적이 꼬리를 물고 들어올 수도 있다. 더욱이 아군은 전차가 없고 적은 전차가 있으니, 적이 전차를 선두로 하고 파죽지세로 내리밀어서 아군이 교량을 파괴할 시간을 주지 않는다면, 아군은 전면 붕괴의 위험이 있었을 것이다.

나는 제이차세계대전 당시 독(獨) · 불(佛) 국경 하천 위에 독일군을 추격하던 미군 전차부대가 교량 교두보를 고스란히 점령함으로써 후퇴하는 독일군을 포위, 붕괴시킨 전례를 후에 미국 참모대학에서 배웠다. 만약 그 당시 인민군 전차부대가 대담하게 서울을 관통하여 인도교 이남으로 진입했다면, 한강이란 천연 장애물은 그 구실을 못함으로써 아군이 한강과 수원 사이에서 며칠간 지탱할 수 없었을 것이다. 그러나 다리가 끊겨 배를 타고 구사일생으로 살아남은 군인들에게서는 한강 폭파가 너무 조급했다는 비난을 받게 된 것이다.

3. 수원에서

장교 척후

수원에 당도하여 육군본부 작전국에 합류했다. 작전국 사람들 대부분은 한강 인도교가 파괴되기 전에 수원까지 내려왔다. 나는 작전국 내에서 연락장교 역할을 했다. 국장이 작전명령을 내리면서, 지금의 공군본부 자리인 대방동 육군병원에 위치한 혼성7사단 전투지휘소에 가서 그것을 전달하고, 아울러 적이 한강을 도하하였는가 여부를 정찰하고 돌아오라는 것이었다.

비가 부슬부슬 내리고 있었다. 지프차를 타고 갔는지, 오고가는 차를 타고 갔는지 기억이 희미하다. 칠흑 같은 밤이었다. 하여튼 대방동에 있는 육군병원 자리까지 가서 사단장 유재흥(劉載興) 준장을 뵙고 한강 방어 작전명령을 전달했다. 전깃불도 없이 촛불을 켜 놓고 태연자약하게 명상이라도 하는 사람처럼 조용히 책상 앞에 앉아 있는 사단장의 모습을 보면서, 매우 침착하고 훌륭한 지휘관이구나 하는 인상을 깊게 받았다.

나는 지휘소를 나와 한강변으로 정찰하러 나갔다. 어둠 속에 아군 부대 병력이 더러 머물러 있는데, 적의 직사포탄이 날아와서 부상자가 생겼다. 노량진 철로 길 밑에 있는 굴다리 속으로 들어가서 적탄을 피했다. 새벽이 되어야 시야가 밝아져서 정찰을 할 수 있었다. 훤하게 동이 트기 시작하여 나는 굴다리에서 나왔다. 전망이 좋은, 좀 높은 곳으로 자리를 옮겨야 정찰을 할 수 있을 것 같았다. 그런데 날이 밝자마자 적의 곡사포탄이 날아와서 터지기 시작한다. 앞과 뒤에서 번갈아 가며 터지기 시작하는데, 나와의 거리가 점점 가까워지는 듯했다.

포병 교리에 협차사격(夾叉射擊)이라는 것이 있는데 아마 이런 것일까. 어떤 포탄은 논 속에 파묻혀 들어가 터지지 않은 불발탄도 있었다. 나는 독립 가옥 옆에 있는 하수도에 엎드려 몸을 가리고 지켜보았다. 다행히도 나에게는 명중하지 않았다. 이때 나는 처음으로 포탄 세례를 가까이 받아 본 경험을 했다. 포성이 멎었으므로 자리를 옮겨 강이 내려다보이는 높은 언덕으로 갔다. 이곳은 반 사면(斜面)이라 적의 직사탄을 피할 수 있었다. 그곳에는 피곤해 기진맥진한 아군 병사들이 수십 명 드러누워 있었다. 패잔병들이었다. 어떤 병사는 포판도 없는 박격포 포신만을 가지고 있었다. 포탄도 물론 없었다. 나는 그들에게, 불원간 맥아더사령부가 서울에 설치된다는 뉴스를 알려 주고 잘 싸우자고 격려했다. 과연 그것을 뒷받침이라도 하듯이 비이십구(B29) 폭격기 한 대가 고공으로 서울 상공을 크게 휘돌아갔다. 흰 손수건을 꺼내 손을 흔들며 환호했다.

강 쪽을 내려다보니 철로 길 저편에 있는 강 제방으로 적병이 쥐 모양으로 기어서 움직이는 모습이 눈에 뜨인다. 옷 색깔은 불그레한 흙

빛이다. 이미 적의 선두가 강을 건넌 것이다. 그런데 우리 앞에 있는 고지에만 가면 인도교 남쪽 끝이 보일 것만 같다. 그곳에 적이 있는지 없는지 모르겠다. 나는 태극기를 상의 가슴에서 꺼내어 커다란 막대기 끝에 붙들어 매고, 이쪽 능선 뒤에 드러누워서 능선 위로 깃대를 흔들어 보았다. 적탄이 나의 가슴을 관통하더라도 태극기가 막아 주려니 하는 낭만적인 기대와, 또 언젠가는 사용할 날이 오겠지 하는 믿음에서 집에서 나올 때 깨끗한 태극기 하나를 접어 왼쪽 가슴에 지니고 다녔던 것이다. 별안간 적의 기관총 집중사격이 앞 능선으로부터 이곳을 향해 퍼부어진다. 알았다! 적이 이미 앞 능선에 와 있는 것이다.

나는 깃대를 내리고 태극기를 다시 가슴에 접어 넣고, "우리 다같이 앞 고지로 돌격해 가서 저놈들을 무찔러 버리자"고 제안했다. 그러나 아무도 응하지 않았다.

아군의 기갑연대 소속인 장갑차 한두 대가 태극기를 안테나에 꽂고 노량진 쪽으로 들어왔다가 적탄에 못 이겨 되돌아가곤 했다. 그러는 동안 벌써 오후가 되었다. 나는 수원으로 되돌아가서 국장에게 복명을 해야 한다. 도중에 7사단 지휘소에 들러 사단장께 내가 본 광경을 보고했다. 그런데 웬일인지 나도 모르게 '중대'란 말 대신에 '컴패니(company)'란 영어가 자꾸 튀어나와서 난처했다. 아마도 너무 긴장했던 탓으로 반은 제정신이 아니었던 것 같다. 그래서 수개월 동안 전투교범 번역에 골몰할 때 많이 익혔던 군사영어 '컴패니'라는 단어가 반사적으로 나온 듯하다.

수원에 돌아와서 작전국장에게 복명을 하니 수고했다고 한다. 그런데 놀란 것은, 국장이 날보고 나의 전우이며 육사 동기생이고 일제강점기 시절 학병 출신인 C소령을 헌병사령부까지 호송해서 인계하라고 한다. 나와 함께 편찬위원회 요원으로 일했던 그는, 영등포 방면으로 가서 그곳 우신초등학교에 가면 18연대가 있으니 작명(作命)을 전달하고 적정(敵情)을 정찰하고 오라는 지시를 받았었단다. 그런데, 비가 오는 데다 차도 없다는 이유로 명령을 수행하지 않았으므로 총살에 처한다는 것이다.

나는 그 친구를 지프차에 실어 헌병사령부까지 호송해서 인계하면서 "설마 총살이야 하겠나, 너무 근심 마오" 하고 위로해 주었다. 나는 무척 언짢았다. 과연 그 친구가 잘못은 했지만 어찌 될는지 근심스러웠다. 천만다행히 그는 수원 철수와 더불어 용서받았고, 육이오 이후 계속 근무하다가 대령으로 예편했다. 마음은 착하지만 기질이 허약한 친구였다. 사관학교 시절엔 위장이 약해져서 주로 죽을 끓여 먹을 정도였다. 반합을 들고 취사장을 오가던 그의 모습이 눈에 선하다. 예편 후 그는 나이 쉰도 못 채운 채 가난한 생활 속에서 병사했다. 나는 현역에 있으면서 그의 상(喪)을 당해, 조상하고 애도하면서 육이오의 비극 한 토막을 되새겼다.

용인 고지에서

강문봉 작전국장의 현지 즉흥 명령으로 용인 땅 무명고지 위에 경찰병력 약 이백 명을 거느리고 그곳을 이박삼일 동안 지킨 에피소드의 한 토막을 소개한다.

참모총장도 갈리고 작전국장도 바뀌었다. 북한의 공군 야크 전투기 몇 대가 나타나자 공습경보가 울려 일을 멈추고 대피하는가 하면, 이번에는 동체가 둘인 이상야릇한 비행기가 햇빛에 반짝거리며 우리의 상공을 휘돌았다. 이것이 우군인 호주 비행기라 했다. 처음 보는 제트 비행기였다. 그런데 이놈이 아군을 향해 총격을 가하지 않는가. 나는 큰 나무줄기를 붙들고 비행기가 공격해 오는 반대 방향을 찾아서 뺑뺑 돌며 피했다. 나중에 전사(戰史)의 기록을 통해 안 일이지만, 처음으로 참전한 유엔 제트기인 호주 비행기가 유엔의 지시로 참전했는데, 안성천(安城川)을 한강으로 오인하여 그 북쪽에 있는 부대는 모두 다 북한 침략군인 줄 알고 총격을 가했다는 것이다. 혼란한 초전(初戰)에는 피아 분간이 어려워 이런 일도 있을 수 있다. 또 뒤에 안 일이지만, 이때 유엔군 총사령관인 맥아더 장군이 우리의 대통령 이승만 박사를 이곳 수원비행장에서 만났다고 한다. 적기와 마주칠 위험을 무릅쓰고 동맹국이 위기에 처하자, 이곳까지 날아온 장군의 용감성은 위대하고 고마운 노릇이다.

하루는 갑자기 작전국 차장을 하고 있는 P중령이 날보고 빨리 엠원(M1) 소총 한 자루를 가지고 나오라고 했다. 내가 부랴부랴 작전국 총가(銃架)에 걸린 엠원 소총 한 자루를 들고 나오니, 같이 가자는 것이었다. 지프차 위로 그의 뒷자리에 올라탔다. 가면서 하는 말인즉, 우리의 상관인 작전국장님이 행방불명됐으므로 찾으러 가자는 것이다. 지프차는 속도를 내고 김량장(金良場) 쪽으로 향했다. 신갈리를 지나서 김량장으로 넘어가기 전에 산 구비를 돌아가는데, 길가에 작업복 차림의 오합지졸 같은 부대가 웅성웅성 백 수십 명가량 얽혀 있다. 그곳에 작전국장이 있질 않은가. 국장은 우리를 보고 반색을 했다.

다가가서 거수경례를 하니, "됐다, 김 소령!"

"예."

"이 사람들은 황해도 청단(靑丹)으로부터 후퇴해 온 경찰 병력이다. 이들을 자네가 지휘해서 김량장과 풍덕천(豊德川) 사이에 있는 고지를 점령하고 방어해 주게" 하신다.

황해도 청단은 원래 삼팔선 이남이었다.

국장은 땅 위에다 지도를 그리고 "김량장에는 우군 8연대가 있다. 그러니 적이 김량장과 풍덕천 사이로 뚫고 들어오는 것을 막아야 하네" 하신다.

"예, 그렇게 하겠습니다" 하고 떠나가는 국장에게 경례를 붙였다.

작전 초기에는 이와 같이 손이 모자라, 경찰 병력이건, 나중엔 대구로 내려가서 그러모은 학도의용군이건, 현역과 함께 비상시에 대처하듯 했다. 경찰 병력을 정돈하여 경위를 소대장으로, 경사를 분대장으로 삼아 부대를 편성하고 나는 부대장이 되었다. 나의 관등성명을 대주고 일장의 훈시를 한 다음, 조국의 위기를 구하기 위해서 앞으로 생사고락을 같이할 것을 당부했다. 그들이 지니고 있는 장비란 겨우 캘빈 소총과 약간의 탄약, 일본군이 버리고 간 구구식(九九式) 소총과 탄약 약간 정도였다. 중대본부와 삼 개 소대로 편성이 끝나자, 나는 첨병대형(尖兵隊形)을 취하여 접적(接敵) 행군을 시작했다. 지도도 없었다. 나의 호주머니 속에 있는 수첩에 딸린 조그만 한국 지도가 의지할 전부였다.

동북 방향으로 제일 높은 고지로 올라갔다. 몽실몽실한 산봉우리가 서너 개 이삼백 미터씩 떨어져서 몰려 있는 정상에 자리잡고, 각 소대를 주위에 떼어서 배치하여 사주방어 태세를 갖추었다. 그 봉우리가 무슨 산인지 지명도 몰랐었는데, 삼십여 년을 지난 1984년에 우연히 광주와 용인 지도를 얻게 되어 찾아보니, 그 이름이 법화산(法華山,

385.2미터)이었다. 이게 무슨 인연인가. 내가 후일 불교에 입신하여 법화종(法華宗)에 귀의해서 후반생에 목탁을 두드리는 몸이 되었는데, 이름도 모른 채 이 법화산과 육이오 때 인연을 맺다니…. 전생에 무슨 인연이 있었는지, 혹은 『법화경(法華經)』과의 인연으로 전란 중 살아남았는지도 모르겠다.

경찰은 어디서나 현지 조달에 능하다. 물론 먹어야 싸울 수 있다. 산 밑에 사는 부락민들이 주먹밥을 지게에 지고 올라와 주었으므로, 주린 끝에 허기를 채웠다. 그 다음날에도 한 끼는 잘 얻어먹은 것으로 기억한다.

밤이 되었다. 김량장 쪽 산 너머에서 한창 교전 중인지 총성이 울려왔다. 우리들이 포진한 곳으로는 적이 오질 않았으므로 고요했다. 이따금 멀리서 플래시 신호가 깜박 깜박 하는 것은 적의 척후가 신호라도 하는 것처럼 느껴졌다.

다음날이 밝아 왔다. 지금은 육사 십기생이라 부르는 육사 생도 일기 후보생 몇몇이 두세 명씩 전방에서 낙오하여 능선을 타고 우리 있는 곳으로 내려왔다. 내가 육사에서 교관 노릇을 한 적이 있어 이들은 나를 알고 있었다. 나는 이들을 붙들어 놓고 함께 싸우자고 했지만 듣질 않았으며, 한 사람만이 남았다. 나는 그를 나의 보좌관으로 삼았다. 경찰보다는 훈련받은 후보생이 훨씬 든든했다. 나는 수첩 종이에다 약도를 그려 부대 배치를 기입하고, 아직 적정(敵情)이 없음을 기록하여 보고서를 작성했다. 경찰 전령을 수원으로 보내 국장에게 상황을 보고했다. 물론 그 사람은 되돌아오지 않았다. 오후가 되었다. 경찰들이 슬슬 빠져나가 도망간다는 보고를 들었다. 나는 그대로 둘 수 없어 무슨 조치를 취해야겠다고 결심을 하고 나머지 경찰 병력을 집합시켰다.

한 절반가량의 인원이 남았다. 난 그들에게 훈시를 하고, "나도 처자를 적지에 버리고 온 몸이지만, 그대들도 처자의 안위가 걱정될 것이다. 처자가 그리워 뒤로 빠지고 싶은 사람은 붙들어 놓아 보았자 큰 힘이 못 된다. 돌아가고 싶은 사람은 내가 보내 줄 터이니, 나와 함께 끝까지 싸울 사람은 뒷줄에 서고, 돌아가고 싶은 사람은 앞줄에 서라" 했다. 결국 남고 싶은 자만 남는 것이다.

"돌아갈 사람은 무기와 탄약이 필요 없으니 그 자리에 무기를 놓고 탄약을 풀어 놓아라."

나는 권총을 빼어들고, 가려는 자의 무장을 해제한 다음 산에서 내려 보냈다. 나머지 병력은 삼사십 명밖에 안 되었다. 적에게 위치가 노출될지도 모르니까 야음(夜陰)을 이용해서 위치를 바꿀 필요가 있을뿐더러, 병력이 적으므로 고지를 옮겨 전망이 좋은 한 곳에다 집중 배치했다. 그날 밤에는 아무런 적정이 없었다.

날이 밝았다. 오전 중에 풍덕천 쪽에서 뽀얀 먼지가 도로에 낮게 깔리면서 내려온다. 망원경이 없어 명확하지는 않으나, 틀림없이 적의 전차일 것이다. 일반 차량으로는 그런 짙은 먼지가 나지 않을 것이다. 동쪽에서는 우군 병력들이 트럭을 타고 김량장-수원 가도를 질주하며 후퇴를 하고 있다. 우리도 할 수 없이 재차 약도를 그려 상황을 적어서 수원에 있을 국장 앞으로 전령을 띄워 보고했다. 이미 육군본부는 수원에서 떠난 후일는지도 모른다. 적한테 포위되기 전에 빠져나가야 한다. 산 아래 어머니의 친정부락이 보인다.

'어머니가 그곳에 계시겠지…' 라는 서글픈 생각을 하면서 엠원 소총으로 앞산에다 실컷 탄알을 퍼부은 다음, 산을 내려와 남쪽 방향 오산(烏山) 쪽으로 향했다. 내 주위에 남은 병력은 일 개 분대밖에 되지 않는다. 나는 그 당시 지니고 있던 일본도를 홧김에 내리 후려쳐서 소나무가 잘리는지 시험해 보았다. 그것은 과거 일제강점기 때 중국 북지에 학도병으로 출진(出陣)을 강요당하여 종군할 때 얻은 일본 장도(長刀)였는데, 해방 후에 집에 간직하고 있다가 육이오 발발과 동시에 사용하려고 지니고 다녔던 것이다. 칼이 휜다. '이놈의 칼도 소용이 없구나' 하며 용인 산속에 내던졌다. 부지런히 산과 시골길을 걸어서 오산 부근에 당도하니 오산역이 불타고 있었다. 갑자기 적의 직사포가 오산역을 향해 세차게 때린다. 전차포인지 또는 단순한 직사포인지 몰랐으나, 후의 경험으로 비추어 볼 때 전차포 소리였던 것 같다. 우리 병력들이 개미집 쑤셔 놓은 것처럼 논두렁으로 흩어지는 것이 목격되었다. '평택(平澤)으로 가 보자.'

어두워졌다. 남쪽을 향해서 걷고 또 걸었다. 평택은 아직 우군 손에 있었으며, 육군본부 작전국 전방지휘소가 열차 곳간 안에 있었다. 내가 나타나자 놀라면서 어떻게 살아왔느냐고 위로해 주면서 대전으로 내려가라고 했다. 아마 내가 용인에서 빠져나오지 못한 줄 알았던 모양이다. 이내 열차를 타고 대전으로 내려갔다. 육군본부가 그곳에 위치하고 있었다. 자초지종을 국장에게 보고했으며, 그는 칭찬하며 반겨 주었다.

그 훗날 얘기이다. 육군본부는 대전에서 대구로 이동했으며, 대구에 한참 머무르면서 작전을 지휘하다가 마침내 부산으로 옮겨 갔다. 그동안 신성모(申性模) 국방장관 지시로, 육군본부에 필요 이상으로 병력이 너무 많으므로 필수 요원만 남기고 나머지 인원은 모두 전방으로 내보내졌다. 육이오 이전부터 작전국에 근무하던 고참 국원 장교들 태반이 전방으로 전속가게 되었는데, 웬일인지 나는 전방으로 차출되지 않고 계속 본부에 남게 되었다. 그 후 강문봉 작전국장이 부산에서 대령에서 준장으로 승진되어 축하 파티가 댄스홀에서 열렸다. 모두들 춤을 잘 추는 것이 인상적이었다. 특히 파티의 주인공은 기분도 좋았겠지만, 블루스 춤을 모르는 나에게는 일품이었다. 그 자리에 서였다. 나는 춤을 출 줄 몰라서 맥주만 마시고 있었는데, 국장이 얼큰히 취한 몸으로 내 곁에 와서 귀에다 대고 "왜 김 소령을 내 곁에 두는지 알겠나? 그건 그대가 책임관념이 강하기 때문이야" 하지를 않는가. 나는 그제야 그의 뜻을 알아차렸다.

4. 대전을 거쳐 대구로

대전에서

대전에서는 육군본부가 충남도청에 자리잡고 있어서 제대로 된 식사를 할 수 있었다. 일본에 있던 미 24사단의 선발대가 딘(A. Dean) 소장의 지휘로 오산 남방까지 진주했고, 후속 부대인 주력이 속속 증강되어 온다니 천만다행이었다. 마음가짐이 든든하게 되어 앞으로는 전투다운 전투를 해 볼 수 있을 것 같았다. 우리 국군도 사기가 올라 전세를 가다듬기 시작했다. 시흥에서 자발적으로 설치된 김홍일(金弘壹) 장군의 전투지휘소가 개편되어 1군단을 구성하고, 7사단장을 역임했던 유재홍 장군이 2군단장을 맡았다. 유 장군은 전쟁 전인 1949년에 장군으로 일찍 승진되신 것으로 안다. 위 두 분 모두 초전(初戰)에 나라를 위해 영웅적인 역할을 하셨다.

한번은 야밤에 작전국장이 옹진(甕津)에서 철수한 17연대가 대전

유성국민학교에 집결해 있으니 그곳까지 가서 작전명령을 전달하고 오라고 했다. 나는 운전병만 데리고 지프차로 단신 나섰다. 유성으로 가는 길은 비포장도로인데, 야밤에 지프차로 가면 얼마 멀지 않은 거리이다. 그런 도중에 미군 전차부대 대열의 꽁무니에 도달했다. 지프차의 라이트를 껐다. 전차부대는 일 개 소대인지 미군 소위가 지휘하고 있었다. 나는 서툰 영어로 나의 임무를 얘기했다. 그의 말에 의하면, 그는 미국 육군사관학교를 졸업하고 소위로 임관하여 전차부대의 소대장으로 임명되었다고 한다. 스무 살가량의 새파란 청년장교다. 오직 상관의 명령에 따라 낯선 이국 전쟁터에서 전방과 좌우에 우군의 엄호도 없이, 그것도 캄캄한 밤에 조마조마한 마음으로 전진하고 있는 미군 장교. 적정이 혼미한데 어디서 적과 마주칠지 모른다. 그 장교의 모습이 내 눈에 약간 초조해 보였던 것은 나만의 상상이 아닐 것이다.

스몰 라이트만 켜고 낯선 도로를 조심조심 가자니 걸어가는 속도보다도 느렸다. 때문에 나는 차에서 내려 걸어가며 뒤를 따랐다. 나는 그 장교의 처지를 되새기며 측은함을 금치 못했다. '군인, 상관의 명령 하나면 어떤 모험 앞에서도 생명을 걸고 움직여야 하고 싸워야 하는 특수 인간.' 이런 것을 체질화하는 것이 군인의 특성일 것이다. 이런 기질을 후천적으로 쌓기 위해서 평소에 부하를 가르치는 것이다. 나는 미국 군인의 강점을 이 애송이 미 육군 소위에서 보고 느꼈다. 그 소위가 과연 대전전투에서 살아남았을까. 그 일은 지금까지도 궁금하다.

이윽고 동이 트기 시작할 무렵 유성국민학교에 도착하니, 부대가 운동장에 집결하여 부연대장인 중령의 훈시를 듣고 있던 중이었다.

훈시가 끝난 다음 나는 명령을 전달했다. 명령대로 그 부대는 중동부 전선으로 이동하여 선전했으며, 부대장은 육이오가 끝난 후에 중장까지 승진했다.

대전에서 사오 일 머물 때로 기억된다. 하루는 작전국 앞 복도에서 우연히 장철부 소령을 만났다. 그는 가장 가까운 육사 동기생 전우였다. 어찌나 반가운지 서로 얼싸안았다. 그는 기갑연대 예하의 기마대 대장이었다. 우리 국군에 하나밖에 없는 기마대대를 창설한 말〔馬〕 부대의 대대장이었던 것이다. 그는 일찍이 젊어서 일본 동경에 유학하여 중앙대학 법과에 다니다 학병으로 끌려나가, 중지(中支, 중국 중부)에서 갖은 고초를 겪으며 구사일생 중경(重慶)으로 탈출했다. 우리의 임시정부 주석 김구(金九) 선생을 뵙고 황포군관학교(黃浦軍官學校)의 단기과정인 기병과를 졸업하고 소위로 임관되어 광복군으로 활동했다. 그러다가 해방이 되자 귀국하여 육사 오기로 들어온 애국 청년이다. 나와는 같은 구대(區隊) 출신으로, 지기(知己)가 되어 서로 존경하던 둘도 없는 전우였다. 그는 나와 같이 육사에 근무하며 교관 노릇을 했고, 과거 경력으로 인해 일찍 소령까지 진급했으며, 창설 부대인 기마대대장이 되어 호탕한 기개를 마음껏 펼쳤다. 그의 집은 서울 상도동이었으며, 서로 왕래하며 살았다. 그가 나의 둘째딸 돌에 선물로 준 놋그릇 주발을 지금도 간직하고 있다. 그는 결혼 후 아들 하나를 두었다. 육이오 초전에 김포 방면으로 출동했을 때였다. 중과부적으로 악전고투하면서도, 적이 우리 후방을 우회하여 공격하는 것을 저지하는 데 큰 공을 세웠다. 나는 그의 휘하에 아직도 말이 몇 필이나 남아 있는지 궁금했다. 그의 부하들은 아직도 다소 건재한 것으로 보였다.

그런 장철부 소령에게 반가운 마음으로, 웬일이냐고 물으니, 작전국장한테 명령을 받으러 왔다는 것이다.

"얼마나 고생하오?" 하고 위로하니, 그는 "○○ 때문에 죽겠어!" 한다.

그 당시 우리들은 상관을 호칭할 때 곧잘 별명을 썼다. 나는 즉각 그가 그의 상관과 전술상 의견이 엇갈려 호되게 당하고 있다는 것을 직감했다. 그의 얼굴은 원래 거무스레한 편이었지만, 수염이 텁수룩하게 나고 야전에 그을려서 더욱 시꺼멓게 된 모습이 무척 애처로웠다. 그러나 그는 임무가 급한 전투지휘관이라 오래 붙들고 얘기할 사이도 없었고, 별다른 위로방법도 없어서 서로 건투를 빌며 총총히 작별했다. 그런데 그것이 이승의 마지막 이별이 될 줄은 몰랐다. 그 후 서로 행방을 모르고 있었는데, 경북 청송(靑松)에서 대대장으로서 작전 수행 중 지프차로 부대를 돌아보다가 적의 기습사격을 받아, 부관과 운전병, 통신병과 더불어 비참한 전사를 했다고 한다. 나와 같은 세대로 일제하에서 대학을 다니다 중국 중부지역 벌판 전지(戰地)에 끌려가 서주(徐州)에서 중경까지 탈출했던 용감한 평안도 출신의 청년 애국자는 중국 전쟁터에서도 모진 생명을 유지했었는데, 이제 내 나라를 구하느라 청춘의 정열을 불태우다 일찍 꺾이고 보니 애석하기 이를데 없는 심정이었다.

서울수복 후 내가 부산 동래보병학교에 근무하고 있을 때였다. 장철부의 아우 되는 장교가 나를 찾아왔다. 그는 육사 팔기였다. 경북 청송 전적지에서 부락 사람들에게 수소문하여 형을 가매장한 곳에서 유골을 찾아냈는데, 그것을 나에게 갖고 와서 동기생 장례를 지내 달라고 부탁했다. 내가 제주(祭主)가 되어 동기생 장례를 지낸 후 동래

여고 뒷산 양지 바른 곳에 안장했다가, 한참 후에 그 아우가 국립묘지로 옮겼다. 아, 그 이름 장철부! 용감한 이 쾌남아는 이렇게 파란 많고 빛나면서도 슬픈, 그리고 짧은 일생을 살았음을 우리는 기억해야 했다. 그의 원명은 김병원(金秉元)이었다. 중국 망명 시절에 신분을 숨기기 위해 장철부로 변성명했다. 그의 아들은 성장해서 나에게 가끔 세배하러 들르더니 지금은 미국으로 이민갔다.

육군본부는 수삼 일 있다가 대구로 이동했다. 나중에 안 일이지만, 오산 부근까지 진주했던 미군 '스미스 전투단'은 선전하다가 중과부적으로 급기야 희생자도 많이 생기고 포로도 생기는 등 옥쇄하고 말았다. 그러나 우리 국군의 후퇴를 엄호해 주고, 적의 전진 속도를 더디게 한 공로는 실로 컸다. 더욱이 미 24사단장 딘 소장은 대전전투에서 적에게 포로가 되기까지 했으니, 그 전투가 얼마나 비참했으며 또한 딘 장군이 얼마나 용감한 지휘관이었는가를 엿볼 수 있다. 소문에 의하면, 장군은 3.6인치 로켓포를 들고 적 전차와 마주 싸우다가 포로가 되었다고 한다. 내가 육사 후보생 시절에 딘 장군이 육사를 방문한 적이 있었다. 열병을 받던 그의 눈은 예리하게 빛났고 걸음도 매우 빠른 분으로, 전형적인 군인의 풍모가 인상적으로 기억되었다. 육이오 전쟁 중 싸우다 포로가 된 유일한 장군이시다. 포로생활 수기를 남겼는데, 장군은 거기서 할 일이 없어 날마다 파리 잡는 것으로 시간을 보내며 외로운 마음을 달랬다는 기록을 읽은 기억이 있다.

대구에서

대전에서는 학교 교실 같은 방에서 장병이 한곳에 모여 먹고 자고 했었다. 대구로 와서는 제법 질서가 있는 전쟁을 하게 되고, 동서를 잇는 전선도 가냘프나마 연결이 이루어지고 있었으며, 작전의 지휘도 8군사령관의 지휘 아래 조직적으로 이루어지고 있었다. 군수(軍需) 지원도 차츰 향상되었으므로 심적으로도 우리 장병들의 마음에 여유가 생겼다. 장기 항전할 태세로 우리들은 주야로 교대근무를 하게 되었다. 식사는 장교식당에서 하고 민간 숙소에 방을 얻어 잠자리를 마련했다.

나는 작전국의 연락장교로서 예하 부대에 작전명령을 전달하는 책임을 지고 동분서주했다. 숙소는 양조장을 하는 부잣집으로, 그 당시 작전국 교육과정을 담당했던, 나의 육사 후보생 시절 구대장이면서 교관을 맡아 하시던 육사 이기생 김희덕 중령과 함께 묵었다. 술 냄새는 싫도록 맡았으며, 주인으로부터 식사 대접 받은 적도 있었다. 김 중령은 일본 주재 미군부대에 파견교육 받으러 가 있다가, 적의 남침으로 즉시 귀국하여 대구에서부터 작전에 참가하셨다. 나이도 나와 동갑이고 같은 일제강점기 때의 학병 출신이지만, 나를 평소에 아껴주던 분이라 선후배의 예의를 깍듯이 지켜 존경했으며, 늘 구대장님으로 불러 올렸다.

연락장교의 일은 때로는 고되기도 했지만, 나는 피곤함을 모른 채 주야불문 임무를 수행했다. 야반에 홀홀단신 지프차를 타고, 무기라고는 권총 한 자루를 지니고 작전명령을 가슴에 품고 수백 리를 오가곤 했다. 그러나 기분은 통쾌했다. 더구나 그 일은 나의 기질에 맞는 임무였다. 상의 윗도리 속에다 천을 크게 오려 대고 주머니를 손수 만들어 그곳에 작전명령 봉투를 넣고, 비라도 오면 젖을까봐 신주처럼 품고 다녔다. 마치 멋진 영화의 주인공이 된 듯한 기분이었다.

책상에 앉아 일하는 것보다 몇 배 더 시원시원했다. 이곳저곳에 구경거리도 많았다. 한때는 대구에서 김천(金泉)을 거쳐 상주(尙州)를 지나 점촌(占村)에 있는 2군단 사령부까지 작명(作命)을 가지고 가는데, 도중에 소나기로 하여 냇물이 불어서 차량이 건너지 못하게 되었다. 냇물이 빠질 때까지 기다리는 시간이 아까워서, 기다리다 못해 전방으로 보충되어 가는 병정들과 허리에 깍지를 끼고 건너려고 하다가 떠내려갈 뻔하기도 했다. 점촌·안동(安東)·의성(義城)·영천(永川)·왜관(倭館) 등지로 그야말로 동분서주했다.

그 즈음에는 미군 증원부대도 오키나와에서, 하와이에서, 또는 미 본토에서 속속 도착하기 시작했다. 한국군의 방어전선은 미군에 비해 좁은 편이었으나 적의 주공(主攻) 방향은 우리가 맡은 셈이었다. 유엔군사령관 지휘하에 연합작전이 잘 이루어지고 있었다.

지연전이란 전술적으로 후퇴 철수하는 것이므로, 자칫 잘못하면 장병의 사기가 떨어져서, 정예롭지 못한 군대에서는 혼란이 오기도 쉬운 전투였다. 그러나 전선에서 새 전선으로의 후퇴도 질서정연하게 성공적으로 이루어졌다. X선에서 Y선으로 전선이 좁혀지면서 서쪽으로는 천연의 장애물인 낙동강에 완강히 의탁하고, 왜관으로부터 중동부 산악지대로 연결되는 전선의 폭이 줄어듦으로써, 아군은 방어가 점점 용이해졌고 적의 보급로는 신장되어 공격이 수월치 않게 되었다.

나는 후일 육군대학 총장으로 재직 시, 육이오를 테마로 하는 교내 연극을 보면서, X선에서 Y선으로의 전략적인 지연작전의 상황도를 볼 때마다 '아, 바로 저 작전명령을 가슴에 안고 대구에서 군단 사령부까지 전달한 것이 바로 소령 시절의 내가 아니었던가!' 회고하면서 빙그레 웃곤 했다.

1950년 7월 중순의 일로 기억한다. 육군본부가 대구에 있을 때의 일이다. 갑자기 작전국장님이 부르신다. 앞으로 가니 나를 데리고 신성모 국방장관 앞으로 가신다. 경례를 하고 지시를 기다리니 장관이 직접 서명한 훈령을 나에게 건네면서 말씀하기를, 영남지역에 작전 지휘체계가 혼미하니 이 훈령을 그곳에서 싸우고 있는 민기식(閔機植) 대령에게 직접 전달하고, '영남지역의 한국군 총지휘관은 민 대령이니 지시대로 작전을 시행토록 하라!' 는 명령을 전하라고 하셨다. 그 말씀을 들으니, 작전 초기 혼란기에 노(老)장군들은 영남지역 계엄사령관으로 임명되어 직책은 있었지만, 휘하에 병력이라곤 없는 간판뿐이며, 실제로 작전을 수행할 수 있는 부대는 호남을 거쳐 영남으로 후퇴해 온 민 부대, 즉 시흥에 있던 보병학교의 일 개 대대 병력뿐이라는 것을 깨닫게 되었다. 나는 복창을 한 다음 물러나와서 민 부대 위치를 작전국 상황도 속에서 찾아냈다. 분명히 영남 땅인 함양(咸陽)에 민 부대의 전투지휘소 표시가 있었다. 나는 그것이 맞는가 여부를 관계 장교에게 확인했다.

대구에서 함양을 가는 제일 가까운 코스는 고령(高靈), 거창(居昌), 안의(安義)를 거쳐 곧장 가는 것이었다. 다행히도 인민군으로부터 노획해 온 소련제 지프차 한 대가 작전국에 있어, 그것을 타고 가게 되었다. 운전수는 능숙하게 차를 몰아 주었다. 고령을 지나 거창읍에 도착했다. 피란민이 우글거리는 가운데 미군들이 웅성웅성 모여 있었다. 그런데 뜻밖에도 나와 육사 동기생인 박재곤(朴宰輥) 대위[5]가 스

5. 박재곤(1916-1997) 대위는 육사에 입교하기 전에 광복군으로 복무했고, 대령으로 만기전역했다. 김익권과 육이오 때 전우애가 깊어져 노년에 김익권이 마련한 시곡농장(柿谷農場)을 자주 방문하였다.—편자

무 명 남짓한 국군 병사와 더불어 그곳에 있지 않은가! 참으로 반가웠다. 연유를 물으니, 특공대를 조직하여 호남지방을 거쳐 싸우면서 이곳까지 왔다는 것이다.

나는 육군본부에서 중요한 훈령을 직접 국방장관한테 받아 가지고 함양에 있는 민 부대까지 가야 하는데, 같이 가지 않겠느냐고 제안했다. 성격이 매우 쾌활하고 용감한 군인이었던 박 대위가 쾌히 응낙하므로 함께 길을 떠났다.

피란민 속에는 수백 명의 경찰 병력도 무질서하게 우글거리고, 우체국 여자 전화교환수는 마지막까지 분주하게 통화를 직접 중개하고 있었다. 그녀의 모습과 음성은 매우 애처로울 정도였다.

나는 지프차로 선두에 서고, 박 대위는 자기 병력과 함께 트럭에 탔다. 우리는 거창을 떠나서 안의를 향해갔다. 산굽이를 돌고 돌아서 서진하던 중 거창과 안의의 중간쯤에서 민간인 농부 한 사람을 길에서 만났다. 나는 차를 세우고 "혹시 전방에 인민군을 보셨습니까?" 하고 물으니, 그는 그들이 부락에 내려와 밥을 지어 먹고 산으로 올라갔다고 했다. 함양에 민 부대가 있으니 이곳까지 적이 벌써 올 리가 만무하여 민간인의 말을 반신반의했지만, 적이 나타날 가능성에 대비하여 박 대위와 상의하여 부대를 하차시켜 첨병대형을 취했다. 척후를 이백 미터쯤 앞세우고 도보로 접적 행군을 시작했다. 그리고 차 두 대는 우리들 후미에서 약 이백 미터가량 떨어져서 뒤따라오도록 했다. 만약 앞에서 교전이 벌어지면 차를 돌려 뒤로 빼서 우리가 빠져나오는 것을 기다리도록 지시했다. 한 이 킬로미터쯤 전진했을 때였다. 안의까지 산 고개만 넘으면 도착할 것 같았다. 그런데 갑자기 전 측방 일대에서 총성이 요란하게 우리에게 퍼부어졌다. 인민군의 따꿍 총소리와 기관총 소리가 콩 볶는 듯했다. 우리들은 본능적으로 땅에 엎드렸다. 적정을 살펴보니, 나무 숲속에서 적은 보이질 않고 총소리만 났다.

박 대위와 나는 협의 끝에 각개 병사를 상호 지원하면서 축차로 철수시켰다. 나는 논두렁 후미진 곳을 골라서 뒤로 후퇴했다. 갑자기 당한 기습이라 소변이 줄줄 나왔다. 평생에 처음 겪는 일이다. 포대처럼 포진한 적 속으로 들어갈 뻔했다. 병력은 하나하나 뒤로 빠졌다. 적의 시계로부터 벗어나서 산길 후미진 곳으로 들어오니 차가 머리를 돌리고 대기하고 있었다. 인원을 점검하니 두 명이 모자라고 한 명은 부상이었다. 제일 앞 선두에 서서 가던 척후 둘은 적과 거리가 너무 가까운 곳까지 들어갔으므로 빠져나올 도리가 없었다. 안타까운 노릇이었다. 그러나 어찌할 도리가 있으랴! 조국을 위한 전쟁에는 이와 같이 무명용사의 고귀한 희생이 불가피했다. 나는 박 대위에게 미안함을 금치 못했다. 잃어버린 부하들이 불쌍했지만, 어쩔 수 없는 전쟁터의 상례가 아니겠는가. 중요한 훈령을 속히 전달하려는 나의 임무 때문에 아까운 목숨들이 희생된 것이다.

슬픈 마음을 안고 거창까지 돌아와서 박 대위에게 작별을 고했다. 나는 그곳에 주둔해 있던 미군부대 지휘관에게 서툰 영어로 상황을 설명한 후, 합천(陜川)을 거쳐서 마산(馬山)으로, 다시 진주(晉州)로 향했다. 그리고 진주를 지나 산청(山淸) 쪽으로 조금 올라가다 드디어 민 부대를 만났다. 민 부대장에게 훈령을 전달하니 희색이 만면했고, 미군 레이션(ration, 휴대 식량) 음식으로 환대해 주었다. 그의 국군 병력 수백 명은 미군 25사단 예하 연대에게서 레이션과 탄약을 지원받아 가며 협동작전을 수행하고 있는 중이었다. 민 부대장은 시흥

보병학교 교장으로 그 병력 약 일 개 대대를 거느리고 호남지역을 거쳐 이곳까지 지연전을 벌이며 내려오던 중 미군과 이곳에서 상봉하여 협동작전을 펼치고 있었다. 그런데 마산·진주 등지의 계급 높은 장군 선배들이 자기 지휘를 받으라고 압력을 넣고 있어서 입장이 매우 난처하던 차에 국방장관이 직접 지휘권을 명시한 훈령을 내린 것이다.

육이오 전란 초기에 작전국에서 연락장교의 임무를 수행하다가 거창에서 적에게 혼이 나고, 육사 동기생인 친구의 부하를 수 명 죽인 것이 안타깝기 짝이 없는 쓴 경험으로 오래오래 잊혀지질 않는다. 박 대위와의 만남과 그의 도움이 없었다면 나는 인민군에게 사살되어 임무도 수행하지 못했을 것이므로, 그는 내 생명의 은인이었다. 그는 전후에 대령까지 진급하여 활약하다가 예편했다. 지금까지도 나와는 친교가 두텁다.

5. 대구에서 부산으로

아군의 저항은 완강했지만, 아직도 전력은 적이 우세한 편이다. 항공기는 아군이 절대적으로 우세하며, 삼면 바다 위에 유엔군의 해군력 또한 절대적이었지만, 지상 병력은 적이 수적으로 우세했다고 보는 것이 타당할 것이다. 아직도 아군이 공세로 전이하여 반격을 하기엔 인적·물적 준비가 부족한 모양이다. 국군과 미군이 용감히 싸우고 있었지만, 아직도 조금씩 밀리고 있는 형편이다. 방어하는 쪽은 어느 전선이고 소홀히 할 수 없지만, 공격하는 쪽은 때와 장소를 가려 자유롭게 선택할 행동의 자유가 있기 때문에, 공격하는 쪽이 집중적으로 전력을 한곳에 투입하면 뚫리게 마련이다. 방어 쪽은 뚫린 전선에 맞추어서 방어선을 축소할 수밖에 없다. 그래서 마지막에 더 이상 안 뚫릴 정도로 공격자와 방어자의 힘이 팽팽해지면, 방어자에게는 반격의 순간이 다가왔다고 볼 수 있다. 이를 위해 방어자는 그동안 인적 · 물적 전력을 예비로서 축적해야 한다. 이런 상황을 만들기 위해서, 우리는 적에게 최대 손실을 강요하면서 전선을 조금씩 조금씩 오므려 갔다.

전선이 대구에 바짝 가까워지자 육군본부는 대구에서 부산으로 옮겨갔다. 정부는 물론 부산에 위치해 있었다. 그러나 본부에 근무하는 우리들로서는 대구를 떠나 부산으로 내려가는 심정이 매우 괴로웠다. 더 이상 물러설 곳도 없는 한반도의 최남단인 부산! 고슴도치처럼 오므라진 유엔군과 국군, 그리고 우리의 정부! 언제야 이 교두보를 벗어나서, 서울을 수복하고 여세를 몰아 북진통일을 이룰 것인가!

그런데 이제는 유선무선이 예하부대에 통하게 되니, 사람이 차를 타고 작전명령을 일일이 전달할 필요가 없어졌다. 나는 하루아침에 한직(閑職)이 된 것이다. 국장은 내게 이제부터는 전사(戰史)를 꾸밀 준비를 해야겠으니, 우수한 문관을 모집해서 전사편찬위원회를 조직하라고 명령한다. 나는 부산에 있는 신문에 공고를 내어 영관 대우 문관을 스물 내지 스물다섯 명 모집했는데, 수백 명이 몰려왔다. 문제출제를 해서 필기시험과 구두시험을 치렀다. 시험문제는 「전사 편찬의 의의를 논함」이라는 제목의 짤막한 글을 쓰는 것이었다. 많은 사람의 논문을 나 혼자 검토하기에는 너무나 많은 시간과 노력이 소요되므로, 내가 데리고 있던 전사계(戰史係) 중 유능한 병사가 한 명 있어, 그로 하여금 일차로 모집 정원의 삼배수 정도로 우수한 작품을 골라내도록 했다. 그것을 내가 세밀히 검토해서 점수와 서열을 정하고 면담했다. 나도 약간 꾀를 부린 셈이지만 결과가 좋았다. 나중에 알고 보니 그 병사는 서울에서부터 작전국을 따라다녔는데, 기실은 군번도 없는 군인이었다. 이북 출신으로 그곳에서 중학을 졸업하고 월남하여 갈 곳 없는 청년으로서 반공의식이 강하고 매우 똑똑한 사람이었다. 나는 그가 군번 없는 군인임을 그 후에야 알게 되고 놀랐다. 그는 의젓이 상등병인가 병장의 계급장을 가슴과 모자에 달고 다녔다. 이런 일은 호랑이 담배 피우던 시절의 이야기처럼 들릴 것이다. 여하튼 나는 그의 조력을 받아 일을 퍽 수월하게 처리할 수 있었다. 지금쯤 어디서 무엇을 하며 살고 있는지 궁금하다.

문관들에게 기초교육을 하고, 군복으로 갈아입히고, 문관 계급장을 달아주고 그럭저럭 재미있고 바쁘게 보냈다. 그 중에는 전쟁이 끝난 후 각각 자기의 인생을 개척해서 국회의원이 된 사람도 있고, 고병익(高柄翊)·이기백(李基白)같이 저명한 대학교수가 된 사람들도 있으니, 그때 선발한 문관의 수준이 얼마나 높았는지 상상이 갈 것이다. 그러는 동안 전방의 아군은 왜관에서, 의성에서, 포항에서 적과 사투하여 막아냈으며, 서쪽 낙동강에서는 미군이 완강하게 적을 저지했다. 적은 왜관 쪽에 주력을 퍼부어 돌파를 시도하다가 비이십구(B29)의 융단폭격과 더불어 우리의 결사적인 저항에 못 견뎌 주력을 영천 방면으로 돌렸다. 한때 영천이 적의 수중에 들어가기도 했으나, 우리 측의 적절한 예비대 투입으로 적을 오히려 포위, 섬멸했다. 육이오 전쟁 중 최대의 전과를 올리며 적 일 개 사단을 완전히 섬멸했다. 경주 방면에서도 마찬가지였다. 포항을 점령하고 경주를 거쳐 부산으로 내리밀려는 적의 예봉을 바로 경주를 굽어보는 산 능선에서 저지했다.

후일 육군대학 학생들을 데리고 경주를 시찰 여행할 때 이곳에 바로 김유신(金庾信) 장군의 묘소가 있는 것을 확인했다. '아! 신라를 지키고 삼국통일을 이룩한 성장(聖將) 김유신 장군의 묘소가 이곳에 있으니, 그 영혼이 어찌 경주를 범하려는 적을 허락할 것인가! 『삼국유사』에 보면 나라가 위태로울 때 신병(神兵)이 나타나질 않았던가!' 나는 "침략의 물결이 바로 이 능선에서 멈추다니 우연이 아니다"라고 학생들에게 내 생각을 일러 주었다. 그곳이 떨어지면 경주가 떨어지고, 경주가 떨어지면 대구를 지키지 못했을 것이다.

6. 일대 반격

맥아더 장군의 결심

반격의 시기는 차츰 무르익어 갔다. 미군의 물적 지원도 월등해지고, 국군의 사기도 왕성했으며, 인적 자원도 충분히 보강되고 있었다. 그러나 언제 어디에서일지는 아무도 몰랐다. 작전국 내에서는 국장실에 기밀실을 만들어 놓고 국장과 작전과장만 들락날락했다. 도대체 무슨 일을 하고 있는지 추측이 가지 않았다. 나중에 알고 보니, 영덕상륙작전을 계획하고 있었던 것이다. 즉 대규모의 상륙작전을 하려면 적을 기만해야 한다. 그러기 위해서는 진짜 상륙할 곳을 은폐하기 위해서 반대 방향이나 딴 곳에 소규모 상륙작전을 시도하는데, 이를 양동작전이라고 부른다.

아군은 일 개 대대병력 규모의 부대를 영덕 해안에 상륙시키는 작전을 폈다. 여기에는 호국군(護國軍) 출신인지 잘 모르겠지만, 경상도 출신의 유지 한 분이 작업복 차림으로 계급장도 없이 작전국에 출입하더니 이 작전에 참가했다. 그분은 사오십 세의 비현역으로, 휘하에 학도의용군을 거느리고 있었다. 임진왜란 때 의병장처럼 무장을 시켜주면 무엇이든지 조국수호 전쟁에 기여하고 싶다고 군에 간청했던 것 같다. 따라서 그분이 상륙부대 사령관을, 나의 육사 동기생인 L대위가 대대장을 맡아 학도의용군을 편성하여 우리 해군 지원하에 적 배후인 영덕 해안에 상륙을 시도했다. 그러나 병력을 싣고 간 배는 새벽에 적전 해안에서 암초에 부딪혀 행동의 자유를 잃고 적으로부터 사격을 받았다. 학도의용군 대부분이 적탄에 희생되었거나 익사하고 대대장은 구사일생으로 살아남았다. 사령관의 생사 여부에 대해서는 나의 기억이 희미하다. 사실, 전시에는 그런 얘기를 쉬쉬했지만, 후에 R씨로부터 이 얘기를 들었다. 대대장이었던 L대위는 전후 대령까지 진급하고 예편했다. 이렇게 수많은 애국심에 불탄 학도의용군의 비참한 얘기는 역사의 뒷전으로 사라져 버렸다.

수삼 일 후에 맥아더 장군이 유엔군사령관으로서 휘하의 미 10군단을 인천에 상륙시켰다. 후일 육군대학에서 교관에게 들은 얘기지만, 맥아더 장군은 인천이 간만의 차가 심해서 상륙작전에 부적당하다는 부하 참모의 건의에 대해서 "그렇기 때문에 적을 기만하여 적의 불의(不意)를 찌를 수 있지 않은가?"라며 건의를 물리쳤다고 한다. 그뿐 아니라, 군산 부근이 어떠냐는 미 본토의 합동참모본부의 의견도 무시하고 마침내 적의 의표(意表)를 찔러 인천상륙을 감행한 것이다. 그리하여 인천-서울을 향한 미 상륙군과 남에서 북으로 반격하는 미 8군이 오산 부근에서 연결됨으로써, 호남지역의 적을 포위, 섬멸하여 적을 양분하고 또한 조속히 서울을 회복한다는 정략에 기여했다. 명장 맥아더 장군의 예지와 대담성! 어려서 초급장교 시절에 역시 군인이셨던 자기 아버지로부터 "군 지휘관으로서 참모의 건의만 잘 듣는 것은 바보스러운 것이다."라는 교훈을 듣고 컸다는 후문이 전해진다.

문관 우위라는 미국의 정치적 전통 아래에서 트루먼 대통령에게 해면된 노원수가 마지막으로 국회에서 이임인사를 하는 가운데 "노병은 죽지 않는다. 다만 사라질 뿐이다."라고 갈파한 불멸의 용기를 지녔던 멋진 군인이었다.

워커 장군의 풍모

1950년 9월 20일 부산 육군본부에서였다. 전 장병은 광장에 모이라는 소집령이 내렸다. 무슨 일인가 하고 전 장병이 모여서 정렬했다. 키가 조그마하지만 땡땡한 미국의 삼성장군이 우리 참모총장 정일권(丁一權) 장군과 함께 단상에 올라섰다. 경례를 받은 다음 참모총장께서 미 8군사령관인 워커(W. H. Walker) 장군의 훈시가 있다는 소개의 말씀을 하셨다. 그분의 훈시가 시작됐다. 물론 한 구절 한 구절 통역장교가 통역을 했다. 워커 장군은 입 양쪽이 약간 아래로 벌어진 듯한 모습이 마치 불도그 투견 같은 인상을 주었다. 아니나 다를까, 그분이 입을 열었다.

"오늘 이른 아침에 우군 제10군단이 적 후방 깊숙이 인천에 상륙을 개시했다. 우리들은 이제 총반격으로 침략군을 무찌를 것이다."

놀랍도록 기쁘기 짝이 없는 얘기다.

"포악무도한 공산군을 모조리 섬멸하여 이 땅의 방방곡곡의 모든 산야를 그들의 흘린 피로 거름지게 할 것이다. 여러분은 용감히 싸워 잃어버린 땅을 적으로부터 되찾고, 부모형제 가족들을 위시한 모든 동포들을 적으로부터 구출해 내야 한다."

얼마나 적개심에 불타는 힘찬 야전군사령관의 사자후이냐! 가슴이 찌릿하고 눈물이 핑 돌았다.

아! 이제 우리는 전진한다! 서울을 다시 수복하고, 그리운 부모처자 가족들의 안부를 확인할 수 있고, 동포를 구해 낼 수 있게 되었구나! 애타게 아쉽던 지연전, 더 이상 후퇴할 곳도 없는 이 땅! 이제 반격이라니, 그 희망으로 피가 끓어올랐다. 부모 처자를 적지에 남겨 두고 그 생사도 모르던 수 개월, 악랄한 공산분자들 치하에서 처자나 부모가 어찌되었는지 모를 일이다.

대구에서 부산으로 육군본부를 옮길 때 작전국 선발대로 내려오면서, 육사 시절 나의 구대장이셨던 김희덕 선배와 더불어 도중에 차를 멈추고 잠시 쉬면서 한 얘기가 있었다.

"이제 뒤로 가면 어디 물러설 곳도 없습니다. 여차하면 나는 엠원총 하나 들고 지리산에 들어가 최후까지 싸우겠습니다."

오죽 안타까우면 이런 회포를 얘기했으랴! 그런데 워커 장군의 말씀을 들으니, 적체가 뚫린 듯 시원하기 그지없고, 기쁨과 희망이 용솟음쳤다. 그분이 마치 나의 할아버지처럼 믿음직스러웠다. 그러나 그 용장(勇將)은 북진 후 삼팔선이 멀지 않는 곳에서 애석하게도 차량사고를 당했다. 차를 세차게 달리는 성격이라 우리 국군 6사단 소속의 스리쿼터와 충돌하여 사망하셨다. 이런 것을 두고 운명의 아이러니라 해야 할까.

육이오에 관한 나의 견해

육이오 전쟁을 치르고 나서 전략적인 반성 평가를 한다면, 유엔군과 국군이 남침 공산군을 반격하여 서울을 수복하고 북진할 수 있을 정도로 한숨 돌리게 될 때까지, 초전에 왜 계속 패전으로 대구, 경주, 마산, 부산이란 최후의 교두보 전선까지 계속 밀려나갔느냐는 의문을 고려해 보자.

우선, 삼팔도선에 배치된 북한군 전선으로부터 우리의 수도 서울이 너무 가까웠다. 월등한 병력으로 적은 불의 기습하여, 개전 삼 일 만에 서울을 함락하고 한강선에 도달했다. 우리 국방 당국(육군)은 삼팔선으로부터 서울 북쪽 내지 동쪽에 예비 진지도 없었고, 주요 교통로에 대전차호 같은 장애물 설치도 없었다. 즉 삼팔선상에서 일상 다반사적인 국지적인 충돌 정도에 대한 대비만 있었지 '대규모 침공'이란 '전쟁 대비 전략'이 없었다는 것이다.

이것은 북한 측 군 수뇌들의 기도와 능력을 판단하는 정보 능력이 우리에게 부족했던 탓이다. 우리 군은 심지어 북한이 소련제 중탱크(전차)나 '야크' 전투기 같은 중무장을 소련한테 지원받아 훈련 중이란 것도 육이오 전쟁 개시 후에 알게 되었다. 이에 당황하면서, 미국과 미군의 얼굴만 쳐다보고 지원을 기대했던 것이다. 정보가 어두워서 육이오 침공 개시 전날인 토요일 밤에 서울 용산 육군기지 관내에 '육군 장교 집회소'의 준공 파티가 있어 주요 군 수뇌부들이 음주 연회를 가졌다니 한심한 노릇이었고, 삼팔선 부근에 배치돼서 경비의 책임이 있는 부대(사단)들마저 오래간만에 공일 휴가를 허용하여 외출과 휴가로 주둔지 병력이 희소했다니, 더 말할 것 없이 적에게 기습당해 패전할 수밖에 없었다.

돌이켜 보건대, 우리나라가 조선왕조 오백 년의 조국을 일본에게 먹혀 삼십육 년간 일본의 식민지생활을 하는 동안 독립된 국가로 외국과 전쟁을 벌여 싸워 볼 수도, 싸워 본 경험도 없었다. 또 우리 군부의 지도층은 이러한 규모 큰 전쟁에 대한 전략을 배워서 터득할 수도 없었다.

제이차세계대전에서 일본이 연합국에 무조건 항복함에 따라 우리는 팔일오 해방을 맞이했다. 그러나 미 · 소 양국 간의 전후 처리 협약에 따라, 삼팔선을 경계로 삼고 남북한에 미 · 소군이 진주하여 일본군을 무장해제하고 항복을 받았다. 그 후 남북으로 우리 국토가 나뉘어 미 · 소의 군사정권이 약 삼 년간 우리 국민을 지배하다가, 1948년에 유엔 결의에 따라 국민 총선거로 자유민주주의 대한민국 독립정부가 수립되고, 이북에는 소련 후원하에 김일성 수령의 공산주의 독재정권이 수립되었다.

그 후 약 삼 년 동안, 이북에서는 소련의 지도와 지원을 받아 중무장한 공산군인 인민군을 양성하여 대한민국을 무력으로 침공하여 공산통일을 하려고 준비하였다. 우리 남쪽은 독립정부 수립에 도취되어 북한과 소련의 기도를 모르거나 믿지 않았다. 일본군이 버리고 간 구식 일본 소총과, 미군이 고문단만 약 백 명 정도 남겨 놓고 떠나기 몇 달 전에 넘겨 준 낙후되고 빈약한 무기밖에 없었다. 그것은 미군이 제이차세계대전에 쓰던 낡고 무거운 엠원 소총에다, 낡고 사정 짧은 대포, 소구경 대전차포, 소구경 로켓포(바주카) 등 경무장뿐이었다. 공군은 비무장된 연락기 엘사(L4), 엘오(L5)밖에 없었고, 전투기는 육이오 개전 후 반격 북진 시에야 우리 공군이 갖게 되어 전쟁에 기여했다. 이런 상황하에서 전차의 실물조차 적에게서 처음 보는 군대에게 침략을 막을 방법이 있었겠는가.

삼팔선으로부터 서울을 향한 접근로의 사각진 요소에다 대규모 대전차호라도 전략적인 안목으로 파 놓았으면 좋았을 것이었다. 그러나 그렇지 못했으니, 개전 후에라도 임기응변의 대전차호라도 파서 적 전차를 막겠다는 착안이라도 했으면 나았을 것이다. 그러나 그런 마음의 여유를 갖지 못한 것이 우리의 현실이었다.

일시에 적 공산군이 대규모로 남침전쟁을 개시했다 하여 한강 이남에 있던 전 육군의 주력(主力)을 몽땅 한강 이북 서울 북방에 투입하여 수도 서울을 사수해야겠다는 의기는 '나라 사랑'과 '불타는 적개심'의 관점에서는 이해할 만하다. 그러나 냉철한 군사적인 전략에서는, 일부 후방 병력을 한강 남쪽(남안) 도하 예상 지역에 배치하여 적의 도강에 대응하는 준비를 하였다면, 서울 함락 후의 지연전의 양상이 좀 수월하지 않았을까 하는 생각이 든다. 그러나 우선 정보 능력에 있어서 미국과 미군도 속았는데, 누구를 탓하랴! 우리나라에서 북측이 남으로 공격해 올 때, 제일 방어하기 쉬운, 제일 좋은 장애물이 한강이거늘 그것을 방어할 마음의 준비가 없었다니!

이런 것을 사관학교를 나온 지 일천한 위관급 장교가 알 리가 없다. 우리 군부의 지도층 대부분은 일본 육군사관학교나 또는 일본의 괴뢰정부인 만주국 군관학교에 입학하여 졸업한 후 겨우 육군 소위가 되어 군 생활을 시작한 지 얼마 되지 않은 이들 뿐이었다. 설혹 약간의 중년급 영관장교가 있다 해도, 그들은 군사교육으로는 사관학교 이상

교육을 받지 못했다. 전략적인 부대 운용에 대한 전시교육은 각국의 육군대학에서나 연구하게 되는데, 우리 군 창설 초기의 장교들 중에는 중년 이상의 연배로 주로 일본군에서 영관 계급이었던 분들이 있었다. 그러나 그들은 소위부터 연차로 연공에 따라 영관이 된 분들이지, 높은 군사 지식과 식견이 부족했으니 그 아래의 참모들에게서야 전략적 판단과 지략과 추진력이 어찌 나오겠는가!

이러한 견지에서 육이오 전란 전에 우리 신생 정부나 우리 군부의 고위 지도층에는 나라의 안보와 국방 전략을 다룰 기관과 인재가 없었던 것이다. 그러나 오직 한 분이 계셨으니, 그분이 김홍일(金弘壹) 장군이시다. 그분은 교장으로서 육군사관학교를 질서있게 다듬어 놓으시고, 우리가 육군대학이라 칭하는 미국 지휘참모대학 같은 육군군사학교를 설립하려고 준비하셨다. 그 교육기관은 사단 이상 군단, 야전군 내지 집단군 같은 대부대 관련의 전술 전략을 다루는 곳이다.

그러나 그 준비 중에 전쟁이 발발하여 그 일을 중지하고, 삼 일 만에 서울 방어가 무너지자 경부가도에 붙어 있던 경기도 시흥보병학교에 임시 전투사령부를 급조하였다. 거기에서 전방에서 무질서하게 밀려내려오는 패잔병을 헌병으로 하여금 수습케 하여 한강 남안에 배치하고, 서울을 점령한 공산군의 한강 도하를 저지하였다. 아울러 북한 지휘부가 서울 점령을 구가하며 서울에서 수삼 일간 휴식을 취하는 틈을 타서, 수원 남방에서 비교적 전략적인 지연전을 벌였다. 그리하여 낙동강 전선까지 싸워 내려오면서 시간을 끌어, 미군이 부산, 대구 교두보에 상륙 후 전열에 가담할 수 있는 시간을 벌었다. 이것이 유엔군의 인천 상륙과 더불어 미 8군이 반격, 북진할 수 있는 계기가 된 것임을 상기할 때, 김홍일 장군이야말로 탁월한 전략을 구사하였다고 판단된다.

그분은 청년 시절에 중국에 망명하여 그곳에서 군관학교를 졸업하고 중국군에서 임관되어 항일전에 가담하며 광복군 참모장까지 지내면서 미국식 대부대 전략 전술을 익히셨다. 제이차세계대전 종료 후 중공군과 국부군이 만주 땅에서 싸울 때, 국부군 참모장으로서 중공군과 대회전을 하면서 대부대전략을 체험한 유일한 분이셨다. 그분은 우리 국군이 서울 북쪽에서부터 무너져 내려올 때, 한강 남안에 패잔병과 패잔부대라도 임시 수습하여 한강 남안 요지를 틀어막아 수삼일간의 시간을 벌어 미군의 증원을 가능케 했으니, 꺼져 가는 등불 같은 대한민국의 국가라는 몸통을 살려 낸 민족의 영웅, 은인이라고 생각한다.

고전(古典)의
가르침을 따라

가치관에의 성찰

1. 가치관 정립의 필요성

조상들이 물려 준 조국 땅 위에 남아로 태어나서 한평생을 살다가 차츰 일생을 정리해 가야 할 시기에 처한 것 같다. 공자는 일찍이 "아침에 도를 깨치면 저녁에 죽어도 후회가 없다(朝聞道 夕死可矣)"고 했지만, 아직도 도를 깨닫기 위한 길은 멀고 짐은 무거운 것 같다. 후회 없는 인생이 되기 위해 안심입명할 수 있는 자아의 구축과 완성이 아쉬운 가운데서도 우왕좌왕해 보이는 젊은 세대들을 대할 때 '이렇게 사는 것이 바람직하다' 라는 자기 나름대로의 가치관의 정립과 제시가 있음 직하다.

우리들 기성세대가 자라난 역사적 배경과는 달리, 빠른 속도로 물밀 듯이 밀어닥치는 서구문화의 거센 풍조 속에서, 겉보기에 갈피를 잡지 못하는 듯 헤매는 젊은이들을 선배로서 과연 어떻게 지도해야 할 것인가 하는 문제는 퍽 절실하고도 어려운 노릇이다. 그들을 못마땅하다고 단순히 외면하기에 앞서, 기성세대가 지니고 있는 기존 가치관의 시대적인 적응성과 합리성을 한번 반성해 보는 마음의 여유를 가지는 것이 좋을 것이다. 아울러 젊은 세대들의 외형적인 혼미 속에도 기실 그들 나름대로의 발전적이고 창조적인 새 가치관을 모색하기 위한 진지한 몸부림이 있음 직도 하므로, 이를 폭넓게 이해해 주고 선도할 수 있는 마음의 아량 또한 필요하다.

2. 전통적인 동양적 가치관

우리 조상들은 수천 년 동안 동양문화권 속에서 살아 왔고, 우리들은 주로 그런 유산 위에 서서 근대화를 서두르며 살아가고 있다. 이런 전통적인 문화인즉 다름 아닌 유교와 불교의 가치관을 핵심으로 하고 있다.

유교적인 것

공자는 유교의 조종(祖宗)이요, 우리 조상들이 성인으로 우러러보며 존경하는 구원의 스승이다. 그는 경천애인(敬天愛人)하는 사상을 '인(仁)'이라는 이념으로 집약했으며, 이것은 유교문화의 핵심을 이루는 사상이다. 지공무사(至公無私)한 천도〔天道, 우주자연의 질서 이법(理法)〕를 구현하려는 것이 '인'의 사상일 게다. 『논어(論語)』에 보면,

공자가 만년에 이르러 "나는 이제부터 아무 말도 안 하련다"고 하시니, 자공(子貢)이 "선생님께서 말씀하지 않으시면 우리 제자들은 무엇으로 선생님의 가르침을 펴오리까?" 하고 여쭈었다. 공자 이르시되 "하늘이 무엇을 말하더냐? 아무 말 없어도 춘하추동 사계절은 틀림없이 돌고, 만물이 생성하는데 하늘이 무엇을 말하더냐!"(子曰 予欲無言 子貢曰 子如不言 則小子何述焉 子曰 天何言哉 四時行焉 百物生焉 天何言哉)

라고 술회하고 있다. 이를 보면 인도(人道)의 극치는 즉 천도(天道)를 본받는 것으로 풀이된다. '하늘에 죄를 지으면 빌 곳이 없다'는 말대

로 천(天)은 즉 최고의 신(神)이다. 인간이 천을 본받는다 함은 천지이법(天地理法)에 순응 조화함을 뜻한다.

주자(朱子)는 도통한 심정을 이렇게 읊었다.

閑來無事不從容　마음을 비우고 한가히 지내오니 만사에 종용치 않음이 없어
睡覺同窓日已紅　잠을 깨고 보니 동창에 해가 이미 불그레하이.
萬物靜觀皆自得　만물을 고요히 바라보니 모두 제자리를 얻어 왔네
四時佳興與人同　춘하추동 아리따운 흥취를 사람들과 더불어 즐기다.
道通天地無形外　도는 천지 형상 밖에까지 통달하고
思入風雲變態中　생각은 바람과 구름의 변태 속에 이르도다.
富貴不淫貧賤樂　부귀한 몸이로되 음란치 않고 빈천을 즐기니
男兒到此時英雄　남아 대장부 이에 이르러야 영웅 아니겠느냐!

주자학을 통해서 우리나라의 성리학을 심화하시고 빛내신 퇴계(退溪)는 한평생 '성(誠)' 과 '경(敬)' 두 글자를 삶의 신조로 삼으셨다 한다.

율곡(栗谷)은 청년시절에 유학에 통달하고 친상을 당한 후, 뜻이 있어 금강산에 들어가 불법(佛法)을 더듬고 일 년 만에 하산할 때, 불법보다는 유교 특히 성리학에 의지하여 진리를 탐구하려는 결심을 하셨다 하는데, 그가 읊은 「하산시(下山詩)」에 잘 나타난다.

鳶飛魚躍上下同　솔개가 날고 물고기가 뛰노는 상하운동은 같은 것 〔성리학의 이기론(理氣論)〕

這是非色亦非空　이것은 색도 아니고 공도 아니다.
〔불교의 공사상(空思想)〕
等閑一笑看身世　등한히 껄껄 웃음 짓고 내 처지와 세상을 돌아보니,
獨立斜陽萬木中　해 기우는 석양의 숲속에 홀로 서 있네.

동양인은 토지에 정착하여 농경하는 백성으로서 계절풍이 몰아다 주는 빗물로써 농사를 지으며, 자연을 사랑하고 자연과 조화를 이루어 순응하며 인생의 행복을 추구해 왔다. 자연과 인간과의 조화사상은 인간사회 안에서의 '남과 나의 조화', '나와 사회와의 조화', '더불어 사는 공동체의 행복'을 추구하는 중용사상(中庸思想)을 최고의 덕으로 삼았다. '중용은 천하의 달덕(達德)', 즉 인간 최고의 덕성이라고 『중용』에 명시되어 있다.

옛 선비들의 이상, 즉 선비정신은 『대학』에서 보듯이, 학문을 닦고〔格物致知〕 인격을 길러〔誠意正心〕 수신제가 치국평천하함으로써 덕을 밝히고 백성을 새롭게 한다〔明德新民〕에 두었다. 자기 개인의 수양의 목표는 성현에 두면서도 일반 백성을 대하고 다스림에는 중용, 즉 중화사상(中和思想)을 행함으로써 조화를 얻으려고 애를 썼던 것이다.

중용사상은 우리들에게 '지족(知足)의 철학'을 남겨 주었다. 자기의 분수를 알고 그 안에서 족함을 깨닫는 사상이다. 모든 인간에겐 본능적으로 많은 욕망이 도사리고 있다. 그러나 채워지지 못할 무한한 욕구, 특히 남만 못한 데서 오는 욕구는 인간에게 고뇌를 가져다 준다. 따라서 현명한 인간은 자제할 줄 알아야 하고 극기로써 예로 돌아

가는 극기복례(克己復禮), 즉 절제를 소중히 여겨 왔다. 중국의 고전인 『황석공소서(黃石公素書)』에 "괴로운 것은 원하는 것이 많은 것보다 더한 것이 없고, 길한 것은 족함을 아는 것보다 더한 것이 없다(苦莫苦於多願 吉莫吉於知足)"란 말이 있다. 이 책은 황석공이라는 신선이 한(漢)나라 고조(高祖)의 천하통일 대업을 도운 모사 장량(張良)에게 젊은 시절에 이교(圯橋)에서 수여한 비서(秘書)이다. 이 짧은 한마디 말이야말로 인생의 소중한 진리이다. '지족(知足)' 을 모르거나, 알면서도 행하지 못해 인생을 파멸로 장식한 예는 부지기수이니, 수양된 지성인은 지족할 줄 알아야겠다.

우리들은 민족의 태양이신 충무공의 인격에서 많은 것을 배워야 한다. 그분과 같은 위대한 인격자가 많이 배출되어 난국을 헤치고 조국통일의 성업(聖業)을 이룩해야 한다. 그분께서 젊어서 유학을 공부하고 무예를 닦으면서 문무를 겸전(兼全)하게 됐지만, 비교적 늦게 무과에 급제하고 무관이 되어서 북방 함길도(咸吉道) 변방(邊方)에서 또는 비(非) 변방에서 오랫동안 중견급 장교생활을 하셨다. 의세(依勢)하여 출세할 줄 모르고 자기의 인격적인 존엄성과 주체의식을 견지하면서 고결한 무사정신으로 한평생을 관철하셨는데, 그분이 어려운 역경에 처할 때 하신 말씀 속에 공자의 인생철학이 묻어난다. 물론 충무공의 천성 탓이겠지만, 공자의 인생관과 사생관을 많이 본받으신 것으로 믿어진다. 예컨대, "죽고 사는 것은 하늘이 정하는 것이지 사람 마음대로 못 하는 것(死生有命)"이라는 말씀이나, "나라에서 써 주면 효도와 충성을 다하고, 안 써 주면 고향에서 밭갈이함으로써 족하다(用則以死孝忠 不用則耕野足矣)"라는 말씀은 공자의 "써 주면 행하고, 안 써 주면 숨는다(用則行 不用則藏)"는 『논어』 속의 말씀과 같은 것이다. 그러고 보면 고매한 충무공의 인격 형성의 토대는 당시 조선 시대의 국교인 유교라는 토양 속에서 길러진 것이라고 믿게 된다.

불교적인 것

우리 조상들이 지녔던 불교적 가치관을 더듬어 보자. 인간은 누구나 태어났다 죽는 존재이다. 젊어서는 그다지 죽음이란 것을 깊이 생각하지 않지만, 장년, 노년에 접어들수록 자기의 종말을 예견하면서 산다. 그리고 '단 한 번밖에 없는 소중한 현세의 일생을 여하히 후회 없이 보낼 수 있을까?' 자문하기도 한다. 매일매일 사는 그 삶을 어떻게 하면 격조 높은 인간으로서 내면적으로 충족되고 평화로운 마음으로 살아가느냐가 문제이다.

허무와 허탈, 번뇌와 회의의 극복이란 인간이기에 갖는, 인간으로서의 영원한 숙제일는지 모른다. 이런 숙제의 극복을 위해서, 불교는 우선 대우주의 '법(法)'이란 절대질서를 전제하고, 인간의 마음을 소우주로 삼아 인간의 마음 수양으로 부처〔佛〕를 이루려는 종교이다. 탐진치(貪瞋痴) 삼독(三毒), 즉 인간의 속성인 욕심·성냄·어리석음의 세 가지 독성을 수양과 정진으로 정화하고, 세속적인 상념에 대한 미련과 집착을 버리고 '일체가 공(空)한 것' 임을 깨닫고 애착을 가질 필요가 없음을 달관하도록 가르친다. 이에 따라 고요한 마음의 평화를 얻어, 자기 마음속에 내재하는 원래의 마음인 자성(自性)이란 불심을 깨달으면 견성성불(見性成佛)한다는 것이다. 이리하여 보리(菩提) 곧 깨달음〔覺〕의 경지를 얻어 열반(涅槃) 곧 적멸(寂滅)의 경지에 들 수 있다. '나' 만이 아닌 '남' 도 구별 없이 함께 정진하여 성불함으로써 이 지상에 극락정토를 구현하자는 것이 대승불교의 보살정신이다.

일체가 공(空)한 것이니 세속적인 가치를 공으로서 부정하고, 그 공마저 집착이니 다시금 그마저 부정함으로써, 현실의 차원 높은 긍정으로 이르는 과정이 불교 수도의 길인 것 같다. 이런 인생에 대한 가치관이 역사상 우리 조상님들 중에서 신라의 원효(元曉)라든가, 조선시대 국난 중에 영웅적 역할을 하신 고승 서산대사(西山大師)나 사명대사(四溟大師) 같은 위대한 인간상을 배출했다. 세계 역사를 개관하건대, 위대한 문명과 문화는 위대한 종교적 토양 속에서 조성되고 발전해 온 것을 알 수 있다. 우리나라의 역사에서도 유교적인 지적(知的) 양분과 아울러, 불교라는 국경을 넘어선 영적(靈的)인 고등종교의 덕택으로 근대문명과 문화를 소화할 수 있는 민족적 역량이 누적된 것 같다.

3. 발전적인 서구적 가치관

우리들은 서구의 문명에서 확실히 배울 점이 많다. 그들의 주지주의(主知主義)에서 오는 과학의 문명이 그러하고, 자유와 평등을 추구하는 합리주의에서 오는 민주제도가 그러하며, 기독교 전통문화에 터전을 둔 박애사상이 그러하다. 인간 존재에 대한 실천철학적인 자아의 발견에서 유래된 개인주의 또한 현대적인 의미에서는 서구적인 소산이라 하겠다.

서구의 인도주의와 인권사상은 동양의 그것과는 다르다. 동양의 인도주의 내지 인본주의는 우주 및 자연과 인간의 조화, 인간사회 내에서의 상하좌우, 각계각층 간의 조화를 바탕으로 한 너그러움〔仁〕과 자비(慈悲)의 정신이지만, 서구의 인도주의는 "만민은 신 앞에 평등하다"는 이지적이고 합리적인 비판정신의 소산이요 투쟁정신의 산물이다. 따라서 서구의 인도주의는 한 민족사회 안에서 인간의 평등이 전취(戰取)되는 동안, 타민족 특히 비기독교인들을 힘으로 정복, 지배하는 약육강식의 역사적 과오를 범했다.

동양인은 '지족(知足)'을 소중한 인격으로 삼고 평화로운 홍익인간(弘益人間) 사회를 이념으로 삼은 데 비하여, 서구인들은 끊임없는 개척과 창조와 투쟁과 경쟁을 통해 과학문명을 이룩했고, 풍요의 사회를 거쳐 탈공업시대 내지는 금융 및 정보산업 시대에 접어들고 있다. 한없이 프런티어(frontier)를 개척하는 투쟁정신이 서구인들의 생활철학이다.

두 번의 처참한 세계대전을 통해 항구적인 세계평화에 목마른 나머지 유엔 같은 세계평화기구는 마련되었지만, 지역 간 또는 선진국과 개발도상국 등 다른 발전 단계에서 오는 다양한 국가 간의 이해관계가 엇갈려 인류 공존공영의 길엔 아직도 풀어야 할 과제들이 허다하다. 물론 이념 갈등의 냉전이 종식되어 소련 공산체제가 와해 변화되고, 세계 각국이 핵(核)·비핵(非核) 군축의 필요성과 지구촌 환경오염 방지와 지구온난화 예방 등에 눈을 뜨기 시작한 2000년 후엔 세계평화의 서광이 비쳐 오고 있지만 말이다.

인간은 누구나 의당 행복스러워야 하지만, 사실은 그렇지도 않은 것이 현실이다. 물질은 인간 행복의 필요조건이지만, 충분조건은 되지 못한다. 끝없는 욕구 불만! 이것은 기독교에서 말하는 인간의 원죄에 속하는 숙명일는지 모른다. 인간을 물질적으로 풍요롭게 만들려는 과학주의와 합리주의와 주지주의는 결과적으로 꽉 짜여진 사회제도 속에 인간 개개인을 비인간적으로 소외시켜 인간상실을 초래하기도 했다.

이런 자기모순을 극복하기 위해 튀어 나온 것이, 하나는 서구 자본주의 문명의 기존체제를 뒤엎어 평등사회를 건설하자는 공산주의 이념이요, 또 하나는 자본주의 문명체제를 긍정하면서 인간상실의 극복과 인간긍지의 회복을 추구하는 실존주의 철학의 대두라고 하겠다.

서구 자본주의의 사생아 격인 공산주의는 이상사회 건설이란 꿈이 소련 및 동구 공산권 체제의 해체, 몰락과 더불어 허사임이 입증됐거니와, 서구의 자본주의 문명도 끊임없는 모순의 생성과 지양이란 과정을 통해 자기수정을 해 나갈 것이다.

한편, 산업근대화로 선진 국가 대열로의 진입을 서두르고 있는 우리는 서구와 미국, 일본을 뒤따라가기 바쁜 나머지, 물질만능 금전만능의 풍조 속에 휘말려서 가치관의 혼란과 인간의 소외와 도의의 타락을 겪고 있다. 이런 것을 막아낼 길은 없을까.

'끊임없는 투지'가 미국인의 주된 생리라면, 대문호 헤밍웨이는 그런 미국인을 대표할 만했지만 인생의 막다른 골목에서 자결하고 말았다. 미국의 근대 여성을 대표할 만한 미모의 마를린 먼로 역시 인생의 수수께끼 앞에 스스로 목숨을 끊었거나 혹은 약물중독으로 요절했다. 이웃 나라 일본의 현대 지성을 대표하는 문호 가와바타 야스나리(川端康成)도 노벨문학상의 명예를 지닌 채 자결로써 인생을 종말지었다. 실존철학이 넘지 못하는 벽이 있는 것 같다. 아니, 인간이란 원래 그런 것으로 불가해(不可解)의 존재일는지 모르겠다. 오늘날 문명 속에 사는 서구인들이 고도의 문명 가운데 무엇인지 갈증을 느껴 동양의 문화나 종교에 관심을 기울이고 있는 소치도, 비단 현대에 시작된 것은 아니지만 흥미로운 일이다.

4. 우리가 지녀야 할 가치관

전통과 발전이라는 개념을 놓고 비교해 볼 때, 우선 동양문화는 서양문화보다 전통에 치우친 가치관에 서 있다고 보이며, 서양문화는 발전에 치우친 가치관에 서 있다고 보인다.

한국사회가 시급히 발전해 가야 한다는 대명제 아래에서는 우리들의 새로운 가치관은 많은 부분을 서구의 그것에서 섭취하여 채장보단(採長補短, 장점을 취하고 단점을 보완함)해야 한다. 인간이 주체의식을 가지고 자연을 슬기롭게 지배, 통제해 가면서 한없이 발전해 나가는 존재로서 인간을 파악하려는 실존주의적 가치관에서 우리는 배울 바가 크다.

그러나 우주의 섭리는 지표 또는 지구 중심권상의 잗다란 변모에도 불구하고 근본적으로 항구적인 것이므로, 인간의 힘에는 한계가 있음을 인정하는 인간적 겸허가 필요치 않을까. 마치 신 앞에 뭇 인간이 경건해야 한다는 말대로, 우주와 대자연의 장엄 앞에 공자나 칸트처럼 엄숙하고 겸손한 마음의 자세가 필요한 듯하다.

인간이 오만하여 자제와 자족할 줄 아는 이성을 상실할 때, 과학이 정신적 · 물질적으로 조화된 인류의 행복에 봉사하는 수단임을 벗어날 때, 그리고 인간이 우주와 자연과의 조화로운 관계 속에서 참다운 주체자로 행동하지 못할 때 인류는 스스로 발견해 낸 불로 스스로를 파멸시키게 될지도 모른다. 예컨대, 과도한 농약이나 공기와 수질의 오염처럼, 또는 핵물질의 위협처럼 말이다. 석학 토인비가 서구의 몰락을 경고한 의미도 그런 것을 지적한 거시적인 안목이지 않았을까.

공자는 일찍이 『논어』에서 말씀하시기를, "지혜로운 자는 물을 즐기고 어진 자는 산을 즐긴다, 지혜로운 자는 움직이고 어진 자는 고요하며, 지혜로운 자는 생활을 즐기고 어진 자는 수복하다(知者樂水 仁者樂山 知者動 仁者靜 知者樂 仁者壽)"고 하셨다. 이천 수백 년 전에 오늘날의 동서문화의 형태를 예언해 놓은 듯해서 의미심장하다. 그분의 말씀과 같이, 서구는 해양(물) 문명의 터전으로 지(知) 즉 과학이 발달했고, 동양은 대륙(산) 문명의 터전으로 인자(성현)가 무수히 배출되었다. 서구는 생활태도가 비교적 동적인데, 동양은 정적이다. 서구인은 인생을 향락하는 편인데, 동양인은 수복강녕(壽福康寧)을 으뜸으로 삼는다. 성현님의 직관력에 감탄할 따름이다.

로켓을 타고 달나라에 가는 우주인과, 삶을 자연과 더불어 즐기던 이태백, 누가 더 행복할는지 모른다. 지구의 한쪽이 밝으면 딴 쪽이 어두운 것처럼, 동서양은 그 문화의 모습이나 생활철학적 사고방식이 매우 대조적이다. 인류문화의 궁극의 길은 우리의 생활철학인 중용과 조화가 가르쳐 주듯이, 또 '정반합(正反合)'이란 모순지양의 헤겔 철학이 암시해 주듯이, 동서문화 양극의 지양융합(止揚融合)이란 새로운 차원을 향해 지향될 것 같다. 그런 관점에서 우리들은 동양문화의 유산을 되새겨 현대적인 의미 부여를 게을리함이 없이, 동양 풍토에서 자란 재래종 나무줄기인 인(仁)과 자비(慈悲)에다 서구에서 들어온 신품종 나뭇가지인 지(知)와 사랑과 합리주의를 접목시켜, 조화균형있게 동화해 나가야 할 것이다.

공자(孔子), 그 영원한 고전의 발견

기록에 의하면, 공자께서는 기원전 551년에 중국 노(魯)나라에서 탄생하시어, 일흔셋에 돌아가신 어른이시다. 당시는 춘추전국시대 말기라 주(周)나라의 정치적 통제력은 소실된 지 오래이고, 천하의 제후국들이 군웅할거하여 약육강식 각축하던 어지러운 세상이었다. 이런 세상에 태어나 학문에 뜻을 품고, 주나라의 옛 문화와 고전을 더듬어 연구하고 정리하면서 그 문화에 심취하게 되셨다. 특히 주공(周公) 같은 위대한 인간 스승이 그의 주군(主君)을 받들어 천하를 통치하면서 찬란한 주 문화를 일궈 낸 업적을 추모하며, 그 아름다운 문화전통을 계승, 발전시켜 보려는 꿈을 지니고 천하를 주유(周遊)하였으나, 받들 만한 제후를 만나지 못했다.

마침내, 공자는 하늘이 자기에게 내려 준 소명이 정치로써 '치국평천하(治國平天下)'를 추구하는 데 있지 않다는 운명을 자각하고, 더 늙기 전에 고향으로 돌아가 후진의 교육을 통해서 '선비의 문화' 즉 '군자(君子)의 도(道)' 또는 '인(仁)의 정신'을 일깨워 내는 것에 여생을 바치리라 결심한다. 이를 실천함으로써 그의 사후 몇천 년 동안 동양천하에 개화 결실된 '유교문화의 꽃'을 피우게 되었다.

중국의 유교 고전인 사서삼경(四書三經), 즉 『대학(大學)』『중용(中庸)』『논어(論語)』『맹자(孟子)』와 『시경(詩經)』『서경(書經)』『주역(周易)』 가운데 우리 후대에게 가장 큰 영향을 미친 것이 아마 『논어』일 것이다. 이것은 공자 사후에 그 제자들이 평소에 자기 스승의 말씀과 행동, 그리고 사제 간에 있었던 대화를 기술한 평범한 이야기로서, 너무나 구수한 냄새를 풍기는 '인생 교훈'의 '뭉치 덩어리'인 것이다.

과학문명의 발전은 우리 인류세계를 20세기의 역동적 산업사회를 거쳐서 세계화, 정보화 사회로 일진월보(日進月步)의 속도로 휘몰아 가고 있다. 이런 가운데 우리 후손 세대들이 과연 어떤 모습으로 살아갈 것인지는 예측 불허이다. 그러나 인간이 사회생활을 하고 살아가는 이상, 사람의 영혼이나 마음은 이천 년 전이나 대동소이한 것이다. '마음의 지혜'를 닦는 데에는 몇천 년 전에 동양 중국에서 태어나서 후대 유교문화의 꽃을 피우신 '큰 스승'의 언행록(言行錄)에서 배울 바가 큰 것이다.

1. 주(周) 문화에 대한 동경

공자는 주나라의 문화를 동경하고 살았기에, 그 문화의 창조적 주역이던 주공을 매우 존경했다. 그래서 반평생 동안 주공을 꿈속에서 자주 만나볼 수 있을 정도였는데, 노쇠경에 이르러서 스스로 한탄하시기를 "내 요사이 꿈속에서 주공님을 자주 뵙지 못하니, 내가 쇠약해진 탓인가 보다" 하고 자탄하는 글귀를 본 일이 있다.

주공은 위정자로서 인재 등용에 관심을 기울이며 방문객들을 귀히 여겼다. 이에 따라, "한 차례 목욕할 때 방문객이 찾아오면 세 번이나 자기 머리채를 부여잡고 나와서 만나 주고, 한 끼 밥을 먹을 때 손님이 찾아오면 입속의 밥을 세 번씩이나 뱉고 나와서 대해 주면서 맞아주었다(一沐三握髮 一飯三吐哺)"고 한다. 과연 몇백 년 뒤에 태어난 공자가 반할 만한 '지성의 정치인'이요, 선정을 베풀어 백성을 하늘처럼 여겼기에 백성들이 자기 아버지처럼 존경하고 받들었던 것이다.

2. 만고의 교육철학

공자는 『논어』에서 "시로 정서를 함양하고 예로 바로 서며 음악으로 인품을 완성하느니라(興於詩 立於禮 成於樂)"고 말씀하셨는데, 천금만금 같은 말씀이다. 소년 시절부터 교육의 기본학이라 할 수 있는 『시경』을 읽어 순진한 인간성을 계발해야 하고, 두번째로 예절을 가르쳐서 자기가 설 자리를 알아 사회생활에 적응할 수 있도록 하며, 셋째로 음악을 즐기도록 가르쳐 조화로운 정서를 길러 인격을 완성한다는 것이다. 이 어찌 고금을 관통하는 교육철학상의 금언이 아니겠는가? 장차 이 사회의 지도자로서 '선비' 내지 '군자'가 될 사람에겐, 소년 시절에 이 세 가지 교육이 기본이 되겠으며, 매우 중요하다.

3. 공자의 정치철학

자공(子貢)이 스승인 공자께 "정치의 요결이 무엇입니까" 하고 여쭈니, "먹을 것 즉 경제가 충족해야 하고〔足食〕, 국방이 튼튼해야 하며〔足兵〕, 백성들로 하여금 서로 믿고 신의 있게 하는〔民信〕 것이다"라고 대답하셨다.

자공이 말하기를 "그 세 가지 중에 무엇이든지 하나를 버리지 않으면 아니 될 때에는 무엇을 먼저 희생해야 합니까" 하니, 공자가 대답하시기를 "국방을 희생하라."

자공이 재차 묻기를 "나머지 둘 중에 불가불 하나를 더 버려야 한다면 무엇을 희생해야 하겠습니까" 하니, "먹을 것, 즉 경제를 희생해라" 하시면서, "자고로 인간은 한 번은 죽게 마련이다. 하지만 백성들 가운데 믿음과 신의가 없으면 국가 사회는 존립할 수 없는 법이니라" 라고 말씀하셨다. 이 얼마나 무서운 진리인가!

4. 공자의 인본주의(人本主義)와 인생관

공자의 탁월한 수제자인 안연(顔淵)과 자로(子路)가 더불어 공자를 모시고 있었다. 자로는 좀 모자라지만 충성스런 점은 뛰어나서, 공자가 때로는 핀잔도 주지만 마음으로 사랑하는 제자였다.

공자께서 심심풀이로, "자네들 마음속에 간직한 포부라도 있으면 말해 보겠나" 하시니, 자로가 선뜻 말하기를 "저는 만약 수레〔車〕나 말〔馬〕과 가벼운 털외투 같은 것이 있다면, 친구와 같이 쓰다가 낡아 떨어져도 유감이 없겠습니다" 했다.

다음에 안연이 말하기를 "저는 착한 일을 해도 남에게 자랑하지 않으며, 제가 싫은 일을 남에게 베풀지 않겠나이다" 한다.

그러자 자로가 "선생님의 포부는 어떠하십니까" 하고 여쭙는다.

공자께서 대답하시기를 "내 뜻은 별것 아닐세. 늙은이는 편안히 해 올리고, 친구에겐 신뢰를 주고, 어린이들은 따르게 하고 싶네" 하셨다.

이렇게 '도(道)'란 일상생활 속에서 너무나도 자연스러운 인간 존중의 마음씨, 즉 휴머니즘이 넘치는 생활 속에 존재하는 것이지 멀리 있는 것이 아니다.

한때 공자께서 공무를 마치고 퇴청하실 때에 "마구간에 불이 났습니다" 하고 하인이 아뢰니, "사람은 상하지 않았느냐"라고 물으시며 말에 관해서는 묻지 않으셨다.

어떤 사람이 공자님께 여쭙기를 "덕으로써 원한을 갚는 것을 어찌 생각하십니까" 하니 "남이 덕을 끼쳤을 땐 무엇으로 갚으리오. 직(直, 곧은 것)으로써 남의 원한을 갚고, 덕(德, 은혜)으로써 남의 은혜를 갚아야 하겠지요"라고 대답하셨다.

공자는 이렇게 누구에게나 실천 가능한 윤리적 보편성을 강조하신 것이다.

자공이 공자님께 "한마디 말로써 종신토록 실천할 만한 것이 있습니까" 하고 여쭈니, "아마 서(恕)일 것이다. 자기가 싫어하는 일을 남에게 베풀지 말라"고 대답하셨다. '서'는 관용과 용서, 어진 마음인 인(仁)의 정신이며, 현실적인 미덕이다.

한편, 『논어』의 「양화(陽貨)」편에 보면, 공자가 말년에 "난 이제부터 말 안 하련다. …하늘이 무엇을 말하더냐. 그래도 춘하추동 네 시절이 운행하고, 삼라만상이 태어나는 법이다"라 하셨다. 공자께서도 만년에는 노자(老子)처럼 무위자연사상에 가까운 말씀을 하셨으니, 의미심장하다.

5. 공자의 문명관

『논어』의 그 많은 내용 가운데, 내가 가장 감복하는 바이고, 과연 공자께서는 성인의 안목을 지니시어 인성을 꿰뚫어 보시고 인류의 미래 운명을 예언하신 것 같은 대목이 있어 우러러 마지않는 구절이 있다.

그것은 바로 중등교육만 받은 사람이라도 알 만한 '요산요수(樂山樂水)' 란 말이다. 여름철에는 많은 사람들이 산과 물을 즐긴다. 공자는 "지자(知者)는 물을 좋아하고 인자(仁者)는 산을 좋아한다. 지자는 동적이고 인자는 정적이다. 결과적으로 지자는 인생을 즐기고(enjoy), 인자는 수복강녕(壽福康寧, happy)하다"고 말씀하셨다. 그것은 지자는 성품이 지혜로워 동적이고 예민하여, 변화무쌍한 주위 환경에 잘 적응해 가며 사는 모습이 흘러가는 물과 같고, 또 마음이 어진 인자는 대의명분에 안주하면서 마음의 중심이 흔들림 없이 평온을 즐기는 모습이 중후한 산과 같음에서 일컬으셨을 게다.

생각건대, 서양은 바다(물)의 문명인 해양세력이고, 동양은 육지(산)의 문명인 대륙세력이다. 서양엔 지적인 과학이 발전하고, 동양엔 인자인 성인이 허다하다. 이천오백여 년 전에 공자께서는 오늘날 지구상의 인류의 모습을 예언이라도 하신 것 같아 감탄스럽다.

중용(中庸)의 덕(德)

앞서 얘기한 바 있지만, 나는 우리나라가 일제 식민지로부터 해방되어 대한민국 정부가 수립되기 전 미군정하에서 조선경비사관학교를 졸업하고, 장교로 임관되어 정부 수립 후 국군으로 편입되었다. 그 후 육이오 전란을 겪은 뒤, 대령 때 사년제 육군사관학교의 제이대 교수부장을 역임한 바 있는데, 부임해 보니 육사의 교훈이 '智仁勇(지인용)'으로 비석에 새겨져 정문 앞에 우뚝 솟아 있었다. 우리나라 초대 대통령이신 이승만(李承晩) 박사께서 친필로 내리신 것이라고 한다. 그때 나는 조국의 간성(干城) 지도자들을 키울 위대한 철학이 그 속에 깃들어 있음을 알고 그 뜻을 감명깊게 여겼다.

장년에 접어들자, 우리 선인들이 아끼던 고전인 『논어(論語)』를 탐독하게 되고, 『논어』와 더불어 사서의 하나인 『중용(中庸)』도 훑어보는 가운데, 육사의 교훈이 『논어』와 『중용』에서 나온 것임을 확신하게 되었다.

『논어』에서 "지혜로운 자는 사물에 의혹되지 아니하고, 인자한 자는 걱정하지 아니하고, 용기가 있는 자는 두려워하지 않는다(知者不惑 仁者不憂 勇者不懼)"라고 하였다. 또한 『중용』 속에 "지와 인과 용의 세 가지는 천하의 달덕으로, 세상을 살아나가는 데 매우 긴요한 덕성이다(智仁勇 三者 天下之達德也)"라는 구절이 있다. 아울러 『논어』에서 공자는 "중용의 덕이란 참으로 지극한 것이다. 그러나 지금은 그것을 좇는 사람이 드문 지 오래되었구나(中庸之爲德也 其至矣乎 民

鮮久矣)"라고 말씀하셨다.

위와 같은 고전의 문구를 살펴보니, 위대한 성인 공자의 중용사상이 그의 사후 그의 손자인 자사(子思)에 의하여 『중용』이란 책으로 꾸며진 것이 정설로 돼 있다.

나이 오십에 군대를 하직하고 민간 사회인으로서 어언 삼십 년의 세월이 흘러가는데, 나이 먹을수록 중용의 덕이 훌륭한 인간수양의 덕목임을 느끼게 된다. 젊었을 때는 아직 경험이 부족하고 수양이 원숙하지 못한 탓으로 개성에 따라 자기 주관에 치우쳐 "이것만이 정의다" "이것만이 절대 옳다"는 식의 과격한 사고와 고집과 행동도 더러 있는데, 나이 들수록 인간의 판단은 상대적인 것이며, '신(神)' 또는 '천(天)' 앞에 자기 주장을 절대적인 진리라고 믿는 것은 과만하고 오만한 것임을 차차 알게 되는 것 같다. 인간은 누구나를 막론하고 '신천(神天)' 앞에 겸손해야겠다.

장수(將帥)도 지장(智將)이 있고, 덕장(德將)이 있고, 용장(勇將)이 있다고 하는데, '지인용' 삼덕의 세 가지 인격을 겸비한 장수가 '중용의 지덕(至德)'을 갖춘 명장일 것이다. 우리 겨레 역사상 성웅으로 떠받들어지는 충무공 같은 어른이야말로 그런 지덕의 장사일 것이다.

중용의 덕은 유교에서만 소중히 여겨진 것이 아니다. 불교의 가르침 가운데도, 석존께서는 중용의 덕을 녹야원(鹿野園)에서 최초의 제자들에게 초전법륜(初轉法輪)하실 때 설법하셨다고 한다. 자기 자신이 육 년 고행하시다가 피골이 상접하셨는데, 육체를 괴롭히는 것만으로 인생과 우주의 법, 즉 진리를 깨칠 수 없다고 자각하시고, 이련선하(尼連禪河)에서 목욕하고 빨래하는 여인이 보시하는 우유죽을 얻어 잡수신 후, 편안한 마음으로 수하(樹下)에 정좌하셔서 선정하시는 가운데 정등각(正等覺)을 얻으시어 성불하신 것은, 중용 즉 중도의 길을 일깨워 주시는 모습일 게다.

한때 석가모니 부처님의 제자들 가운데, 재가(在家) 시절에 출신이 고귀했던 집안의 청년 한 사람이 있었는데, 집에 있을 때 거문고를 잘 뜯었다고 한다. 그가 출가하여 불도를 속히 성통해 보려고 밤낮을 가리지 않고 정진하다 보니, 안질이 심해져서 잘못하면 실명할지 모를 지경에 이르렀다. 부처님께서 그 얘기를 들으시고, 그 청년에게 찾아가시어 대화를 나누었다.

"그대가 밤낮 가리지 않고 정진을 해서 안질이 심해 고생하고 있다는데, 눈을 버리게 되면 어찌 하려는가. 그대가 집에 있을 때 거문고를 잘 뜯었다고 들었는데, 그런가."

"네, 거문고를 좀 할 줄 아옵니다."

"그러면 물어보겠는데, 거문고 줄을 너무 꽉 조여서 뜯으면 소리가 잘 나는가."

"잘 안 납니다."

"그럼 거문고 줄을 느슨히 하면 어떠한가."

"그것 또한 소리가 잘 나지 않습니다."

"그것 보게. 이치는 마찬가지라네. 불도에 정진하는 것도 지나치게 몸을 학대하면서 정진한다고 이루어지는 것이 아니라네. 반대로 게으름 부리면서 공부를 해도 안 되는 것이야. 자기 자신을 조화롭게 조율하면서, 급하지도 느리지도 않게 꾸준히 정진해야 불도를 성취할 수 있는 것이라네."

이와 같이 가르쳐 주신 덕분으로 그 청년은 불법을 득도하게 되었다고 전해 온다.

공자께서 인간의 품격에 관해서 바람직스런 인간상을 말씀하시기를 "문과 질이 빈빈한 연후에야 가히 군자라고 할 수 있다(文質彬彬然後君子)" 고 하셨다. 즉 문화인다운 외형적 깔끔함과 세련미를 지니면서도, 한편으로 소박한 농부 같은 성실성을 겸비해야만 군자라고 칭할 수 있다는 것이다. '중용의 덕' 이란 이런 잘 조화된 인간미를 추구하는 것 같다.

한 인간으로 태어나서 한평생을 살아가는 가운데 여러 가지 시련과 여건과 환경이 자기 앞에 닥쳐올 때 어떻게 처세해 나갈 것인가. 항상 중용의 도를 생각하며 '지인용' 의 삼달덕(三達德)을 지성으로 추구해 나간다면, 인생행로에 대과 없을 것이다.

불도(佛道)에
뜻을 두고

불교와의 만남

내가 불교, 특히 『법화경(法華經)』과의 인연을 맺은 것은 진해(鎭海)에서의 일이다. 육이오 전란 중 진해에는 우리나라의 사년제 육군사관학교가 개설되어 몇 해 있다가 서울 태릉(泰陵) 지금의 위치로 옮겨 갔다. 그 후 여러 해 동안 육군대학(이하 육대)이 그 자리를 이어받았다가, 현재는 대전 계룡대(鷄龍臺)로 옮겨 갔으니, 십 년이면 강산이 변한다는데 한 사십여 년 전의 일을 얘기하려 한다.

당시 진해 육대에는 육이오 전란 중에 육군참모총장을 역임하고, 미국 지휘참모대학에 유학 갔다 돌아오신 이종찬(李鍾贊) 삼성장군이 총장으로 계셨다. 나는 미국 지휘참모대학을 마치고 귀국하여 육군본부에서 참모직을 맡아서 근무하고 있는데, 적성에 맞지 않는데다가 매일같이 시시콜콜한 잡무에 시달려 신경이 쇠약해졌다. 소화불량에 만사가 귀찮아 건강을 해치게 되자 차라리 퇴역할까 생각했는데, 상사께서 휴가를 주시고 우선 근심 말고 쉬라고 말리셨다. 쉬고 있는 사이에 들리는 이야기가 이종찬 장군께서 내 얘기를 술좌석에서 듣고 본인이 원하면 육대로 와서 자기 곁에서 좀 쉬어도 좋다고 하셨다는 것이다. 감사하다는 서신을 냈더니, 곧 육대로 발령이 났다. 부임하자 반가이 맞아 주셨고, 한직이지만 간부직인 육대 학생을 돌보는 학생감[1] 자리가 비었으니 해 달라 하시니, 고맙기 짝이 없었다.

1. 일반 대학의 학생처장 같은 직책.—편자

관사도 있고, 학생들이 어른들이라 별 문제도 없고, 부하 사병 서너 명이 고작이요, 사무실은 총장이 계신 본관에 있어서 바쁘시지도 않은 총장님의 주로 듣는 역할의 말 상대를 해 드리는 것이 즐거운 낙처럼 되었다. 별 부담 없으니 병은 스스로 물러가 정상을 회복했다. 그 분은 말씀을 잘하셔서 사리에 맞는 얘기를 많이 들었는데, 개중에는 평생의 교훈이 될 고매한 식견도 많았다. 어떤 때는 시내에 있는 저택에 가서 밤새 얘기하다 늦게야 돌아올 때도 있었다.

한때는 저녁을 먹고 저택을 방문한 적이 있었다. 서재에서 기다리는 사이에 서가를 훑어보니 『금강경(金剛經)』이라는 책이 눈에 띄었다. 빼내서 보니 불교 경전이었다. 원광대학 교수들이 펴낸 책으로, 첫 표지 안쪽에 '박병권(朴炳權) 장군 증'으로 되어 있었다. 깜짝 놀랐다. 그분은 서울에서 나 없는 주석에서 내 얘기를 이 장군께 해 올린 분으로, 내가 군에 있을 때 나를 가장 아껴 주시고 밀어 주시던 선배 장군이며, 이 장군님과는 미국 지휘참모대학에 함께 유학갔다 오신 분이다.

불교 경전으로서는 처음이니, 아리송 아리송하면서도 불가해하므로, 장군님께 빌려와 정독하느라고 시일이 흘러도 돌려 드리지 못하고 세월이 흘렀다. 이 장군은 나보다 육 년이나 연상이신데, 여러 해 전에 타계하시고 나는 이제 여든이 넘은 황혼기이다. 『금강경』은 석존(釋尊)께서 평생 사십여 년간 깨치신 바 불법의 핵심인 공(空) 철학을 설파하신 반야부(般若部)에 속한 주경(主經)으로 너무나 유명한 경이며, 우리나라 조계종〔선종(禪宗)〕이 의지하는 소이경전(所以經典)이다. 우리나라 승려들은 이것을 배운다. "일체 만상에 착을 갖지 마라"는 철학이다. "모든 형상 있는 것도 실체는 공한 것으로 변해 가고 무상한 것이니, 모든 모습 있는 존재에 애착을 갖지 마라"는 가르침이다. 즉, "만약 모든 상이 상 아님을 보고 깨달으면, 네가 여래를 볼 수 있다(若見諸相非相 卽見如來)"는 것이다.

박 장군께서는 육군의 건군 원로의 한 분이셨고, 나는 육사에서 후배로서 사랑받았고, 육이오 전란 중 전방 전투지역에서 사단장을 하실 때는 부하로 대대장과 부연대장을 겪은 바 있었는데, 참 자상하신 분이다. 나중에 장관까지 하셨는데, 그분은 기독교도이시지만 나는 그 책을 인연으로 불교인이 되었다. 이 장군께서는 조부님이 불교를 이해하시고, 선친께서는 한평생 불교에 귀의하신 분으로 듣고 있으며, 이 장군께서도 불교를 이해하시는 분으로 알고 있다. 『금강경』, 그리고 이 장군님과 박 장군님이 나로 하여금 불교에 눈 뜨게 한 인연을 만들어 주신 것이다.

한데, 일이 생겼다. 내가 육군대학에서 학생감을 하고 있을 때, 제일 어린 부하 사병 하나가 대학 본관에서 자살을 했다. 대학의 의무대에서 '아다프링'이라는, 말라리아 걸렸을 때 먹는 극약을 얻어 모아 뒀다가 그것을 한꺼번에 먹고, 밤에 사무실에서 본관 복도로 기어 나와 피를 토하고 절명한 것이다. 책상 위에 유서 한 장이 남아 있었다. 전북 이리(裡里, 지금의 익산)가 고향으로 조실부모하였고, 있는 재산이란 부모님이 남겨 주신 집 한 채란다. 손위 누이와 매형에게 집을 맡기고 어린 나이에 지원해서 육군대학에 근무하게 됐단다. 그런데 매형이 그 집을 잡혀 사업하다가 날리니, 이 세상에 믿을 것 아무 것도 없다고 비관한 것이었다. 나이도 어리고 귀여웠으며, 초등학교에 다니던 나의 딸들도 무척 따르던 사병이었다. 나는 총장께 보고 드리고 사후 대책을 건의했으며, 총장께서는 영결식을 치러 주도록 지시하셨다. 대학에는 두 대의 연락기 엘-십구(L-19)가 있었다. 지시에 따라 총장님의 비행기를 몰고 가 유가족인 매형을 데리고 와서, 내가 제주가 되어 학교 본청 뒤 솔밭에서 불교식으로 영결식을 올렸으며, 화장하여 골분을 고향으로 보내 주었다. 영결식에는 대학의 본부사령으로 하여금 승려 두 분을 모셔 와서 염불독경하여 극락왕생을 빌어 주었다.

그 후 약 한 달 정도가 지나서였다. 대학 위병소에 웬 여성이 면회 왔다는 연락이 왔기에, 데려 오도록 했다. 모르는 사람인데, 키가 작달막하고 오동통한 나이 마흔가량의 여성이었다. 진해시에 있는 묘법사(妙法寺)에서 왔다는 것이다. 사유인즉, 지난번에 병사 장례식을 올릴 때 그 절 주지 스님이 오셔서 독경불사(讀經佛事)를 해 주셨는데, 아직 사례금을 접하지 못했다는 것이다. 나는 깜짝 놀랐다. 그런 일은 대학의 본부사령이 알아서 해 주게 마련인데, 이런 결례가 어디 있는가! 즉시 전화로 확인한 다음 사례금을 마련해 오도록 하고 깊이 사과드렸다.

이 얘기 저 얘기 하면서 그 여성이 상당히 똑똑하다고 느껴졌다. 그녀는 날 보고 묘법사 절이 대학 정문에서 멀지 않은 거리에 있으니, 공일날에 놀러 오라고 권했다. 나는 절에 다녀 본 일도 없으며, 향을 켤 줄도 모른다고 사양했더니, 오시면 차차 알게 된다고 했다. 이것이 계기가 되어, 어느 공일날인가 절에 들렀더니, 영결식 봐 주셨던 주지 스님도 뵐 수 있어 불교 얘기도 듣고 절 구경도 하게 되었다. 그리고 별 일 없으면 절에 나가기로 얘기가 되었다. 이 절이 『법화경』을 소이 경전으로 하는 묘법사인 것이다. 그 여성은 절에서 주지 스님을 도와 드리면서 불법도 배우고 사지(寺誌) 편집과 섭외활동을 하는 비서 격이었다. 중앙대학교 국문과를 나오고 수필과 시와 문장에 능하여, 육이오 전란 중에는 대구와 부산 등지에서 활동하면서 우리나라의 저명 문인들과도 교분이 두터웠던 사이라고 한다.

그 여성과의 우정이 차츰 깊어지게 되었다. 그런데 나의 아내는, 나의 뒤를 살피러 절에 다니다가 아내도 나와 함께 급기야 『법화경』에 귀의하게 되었다. 야릇한 운명으로 우리 부부는 둘이 묘법사의 신자가 된 것이다.

그러던 중에 나는 대학에서 교수단장 자리를 맡게 되어 교육의 중추 역할을 하면서 자유당 말기에 장군으로 진급했다. 삼일오 부정선거로 사일구 혁명이 일어나고 과도내각이 세워지니, 총장께서는 국방부 장관이 되어 떠나시고, 나도 서울에 있는 육군정훈학교 교장으로 전근하여 진해를 떴다.

진해 묘법사도 원래 일본강점기 때에는 정토종(淨土宗)인 일본 절 본원사(本願寺)였는데, 해방 후 대처승이 적산(敵産)을 점령해서 절로 썼다. 그러던 것을 자유당 정권 때, 이승만 대통령의 명령으로 불교개혁의 바람을 타고 비구승들이 경찰력을 빌어 대처승을 내몰고 절을 차지하고 있었던 것이다. 그러나 사일구로 정치권력이 바뀌니 대처승들이 몰려와서 법당을 다시 차지하자, 이법화(李法華) 주지 스님은 묘법사 절을 내 주고 진해에서 서울로 올라오셨다.

나의 근무처가 서울이 되고 집도 서울에 있어 편리했는데, 또 이법화 스님은 서울 삼청동 공무원 관사를 빌려서 부처님을 모시고 사찰재건과 포교활동을 재개하셔서 나의 아내가 그 절에 나갔다. 그러나 그 절의 신도 사이에 어색한 분위기가 생겨 발이 끊기고 말았다.

수년 후 내가 전방 사단장을 지낼 무렵, 아내가 서울 청량리에 있는 학송사(鶴松寺)라는, 『법화경』을 받드는 절에 인연 따라 열심히 다니게 되었고, 나도 가끔 외출할 때는 절에 들르곤 했다. 그 절 주지 스님은 비구니 강일성(姜日成) 법사님인데, 일제강점기에 서울에 있었던 일본 절인 학송사에 열심히 다니시던 신도였었다. 당시 주지였던 일본인 다나카(田中) 스님이 팔일오 해방 후 일본으로 돌아가서 본문불립종(本文佛立宗)이란 법화종의 일파로 총본산을 일으키고, 그 신도님을 불러들여 삭발시킨 후 서울 학송사의 주지로 임명했다. 재정적으로는 분사(分寺) 격이 되어서 도봉산 밑에 절을 짓고 옮겼다. 강 법사님은 평생 불도를 닦아 고매한 인격과 교양을 갖추신 분이다. 연령도 일흔이 넘으신 노비구니 승려로, 나를 무척 아끼고 사랑해 주셨다. 사단장인 내 머리를 아이들처럼 쓰다듬어 주실 정도였다. 그분은 자기가 과거에 젊어서 북경에서 사귄, 청나라가 멸망할 무렵 황실 의사인 전의(典醫)로 있었던 사람으로부터 송별 기념으로 받은 「호계삼소도(虎溪三笑圖)」라는 중국 골동품 그림을 내게 주셨다. 그것을 아무도 줄 사람이 없으니 나에게 간직하라고 주신 것이다. 그분이 평생 간직해 오던 작품으로 유불선(儒佛仙) 세 도인이 활짝 웃는 그림이었다. 또 자신의 스승인 다나카 스님이 젊어서 공부하던 『법화삼부경(法華三部經)』책도 내게 전해 주셨다. 얼마 더 계시다가 여든을 채우시지 못하고 열반에 드셨다.

그렇게 여러 해 동안 학송사에 다녔다. 그러나 강 법사님이 입적하신 후 후계자 되는 여주지 스님이 마음은 착하고 신심이 두터우나, 일본 총본산의 새로운 압력에 못 이겨 『나무묘법연화경(南無妙法蓮華經)』을 일본어음으로 '제목구창' 하게 되므로, 민족적 자존심이 용납하지 않아 학송사와 결별했다.

『법화경』에 의지하고 평생을 살아야 할 몸인데 어느 절에다 의지할까 망설이다가, 아내와 상의하여 처음으로 불법을 만나 『법화경』과 인연을 맺었던 이미 타계하신 이법화 스님께서 창설하신 영산법화사(靈山法華寺)에 신도로 복귀했다. 그 절은 현재 서울 종로구 동숭동에 자리잡고, 제이대 주지 행산(行山) 스님께서 주관하고 계신다.

행산 스님은 이법화 스님의 제자 중에서 대를 이어받으신 비구 스님인데, 매우 지성스러우시고, 경기도 장흥(長興) 땅 경관이 수려한 곳에 이법화 스님 때부터 마련한 임야를 더욱 확충하시고 원당을 세우셨다. 그리고 조사 스님께서 지정해 놓으신 터에 세계평화불사리탑[2]을 세우시는 것을 평생사업으로 삼으시고 오래도록 추진 중이시다. 우리 국내에서는 보기 힘든, 인도 불교성지에서나 볼 수 있는 명사리탑으로서, 석가세존의 진신사리 십일 과(顆)를 탑신에 안치할 것이다. 창시자 유촉(遺囑)을 소원 성취해 올리는 충성심을 존경해 마지않는다.

나는 현역장교로서 젊어서 이십대로부터 나이 오십이 될 때까지, 도중에 소령, 중령, 대령 시절에는 육이오 전쟁을 대대장, 연대장으로 야전에서 경험했다. 미국 군사학교에 유학도 두 차례 갔다 오면서, 육사와 육대 등 교육기관에서 봉사했다. 그리고 육군 소장이 되어 마지막으로 진해에 있던 육군대학 총장으로 사 년 반을 고급 지휘관 양성에 심혈을 기울이다 오십 세에 정년퇴임하여 아무 유감없이 군을 떠났다. 육사 오기생으로 약 사백 명가량이 소위로 임관된 가운데, 약

2. 세계평화불사리탑은 김익권이 별세한 지 일 년쯤 뒤인 2007년 10월 3일 완공되어 현재 많은 불교도들이 참배하는 성역이 되었다.—편자

사분의 일이 육이오 전쟁에서 희생되어 유명을 달리했는데, 여든이 넘도록 살아남은 것을 미안하게 생각한다. 다만 인명은 재천이라 믿고, 아들을 위해 기도해 주신 아버지께 감사드린다. 육군 소장으로 퇴역하였으니 명예로운 일이고, 더욱이 민간인 신분으로 육해공군 장교와 고급 하사관의 자녀 교육을 위한 남녀공학 고등학교의 교장을 국방부 장관의 요청으로 오 년 동안 경험하면서 인생을 즐기다 쉰다섯에 공직을 사임하고 여생을 누리게 되니, 이만하면 만족스런 생애를 엮었다고 자위한다.

공직에서 물러나, 고향인 광주 언주면 학리에 아버지가 남겨 주신 농토가 삼천 평가량 되는데, 언주면 전체가 몽땅 서울시 강남구로 바뀌고 도시로 개발이 될 때에, 고개 마루턱에 걸친 그 토지 위에 남북으로 언주대로가 뚫리고 동서로 학동로가 뚫렸는데, 그 십자로 동북간방에 천오백 평을 환지받았다. 그것을 여러 필지로 나누어 변두리 대지를 팔고 네거리 요지에 도로 안쪽으로 널찍한 마당에다 집을 짓고, 도로 변에는 지하 일층 지상 삼층의 임대점포를 둔 빌딩 두 채를 지었다. 집안 마당 널찍한 곳에는 평소에 좋아하던 화강암으로 된 불상과 석탑, 석등을 조성하여 모시고 살았다. 그러나 집 지은 지 팔 년 만에 네거리의 차량교통이 폭주하여 매연이 독하고 소란스럽고 먼지도 많이 일어 살림집으론 부적당하므로, 집과 터를 팔아 같은 강남구 남쪽인 개포동에 아파트를 한 채 사서 거처를 옮겼다.

여생을 조용히 살 고향이 없어졌으므로, 십자로 서북쪽 코너에 환지받았던 조그만 대지를 팔아서 광주나 용인 땅에 산골짝이 있으면 부처님〔석불(石佛)〕을 모시고 야채나 가꿀 조그만 농장 터를 물색하게 되었다.

이 농토의 물색작업을 위해 광주와 용인의 오만분의 일의 지도를 사다가 군대에서 하듯이 지도상에 고지가 한눈에 띄게 색칠을 해 나가면서 용인에 먼저 칠했다. 칠을 다하고 나서 남향으로 된 소규모 골짜기의 쓸 만한 곳에다가 ○표를 했다.

그러다가 불현듯 생각나는 것이 있었다. 육이오 전란 당시 육군본부가 서울의 용산에서 작전을 지휘하다가 수원으로 철수하여 며칠 동안 머물던 때가 기억되었다. 내가 속해 있었던 육군본부 작전국에서 국장으로 모시고 있던 상관 강문봉 장군님께서 명령을 내리셨다. 그분은 당시 대령이었다. 이 일은 국장님이 행방불명되어 찾으러 나갔다가 그분과 마주칠 때 일어났다. 그분은 개성 서쪽 삼팔도선 청단(青丹) 지구로부터 철수해 오는 약 삼백 명 정도로 추산되는 경찰 병력을 혼자 지휘하여 내려오고 계셨다.

강 장군은 "우측의 김량장엔 우군이 방어하고 있고, 좌측의 풍덕천 방면에는 우군이 싸우면서 내려오고 있는데, 양쪽의 중간 지역에 우군이 없어 허전하니, 이 경찰 병력을 지휘하여 방어에 임하라!"는 현지명령을 내려주신 것이다. 이에 이박삼일 동안 산꼭대기에서 산을 지켰던 일이 기억났다.

용인에다 제이의 고향을 만들려고 지도를 들고 진지하게 탐사하고 있는 나에게, 옛날의 그 기억이 불현듯 떠올랐던 것이다. 그래서 그때 그 산이 어디쯤인가 하고 찾아보니, 이게 웬 일인가. 법화산(法華山)이라는 지명이 나오고 높이가 삼백팔십삼 미터로 명기되어 있질 않은가. 서울에서 갑자기 군대가 철수할 당시엔 지도도 없고 포켓 수첩에 손바닥보다 작은, 일제강점기 때 제작된 전국 지도인 『전선지도(全鮮地圖)』 한 장이 있었을 뿐이므로, 눈대중으로 제일 높은 산봉우리를 찾아서 경찰 병력을 이끌고 제일 높은 고지에 올라가 진지를 점령하고 두 밤을 지냈던 것이다.

산에 올라가 보니 중앙부가 제일 높은데, 산에 시계(視界)를 가리는 나무가 없어 멀리까지 잘 보이고, 전방과 좌우 이백 미터쯤 거리에 조금 낮은 봉우리가 있는데, 마치 연밥처럼 생겨서 중앙고지에는 중대본부가 위치하고 삼 방향에 소대들을 배치하면 사주(四周)를 방어하기에 안성맞춤이었다.

첫날 밤은 아무 상황이 없고 하여 수첩에다 요도(要圖)를 그려 아무 상황 없음을 연락병(경사)으로 하여금 수원에 있는 육군본부 작전국장에게 상황 보고를 하게 하였다. 둘쨋날 밤에는 우전방 김량장 쪽에서 쌍방이 총소리가 요란하게 교전했다. 날이 밝자 우군은 트럭 여러 대로 수원 방면으로 철수했는데, 좌측 풍덕천 방면에서는 적 전차로 판단되는 위장한 큰 물체가 뽀얀 먼지를 일으키며 도로에 서서히 내려오고 있었다. 이 상황을 연락병인 경찰을 시켜 수원의 부대에 알리며, 경찰 병력을 남쪽으로 빼겠다는 보고를 보냈다.

우리는 걸어서 오산으로 내려왔다. 적이 이미 오산으로 들어와 직사포로 오산역을 불태우자 국군 병력은 논으로 밭으로 흩어진다. 아니 되겠기에 다시 남하하여 어둠 속에 평택역에 다다랐다. 화물차 곳간에 자리 잡은 육군 작전국 전방지휘소 소속 장교는 고생 많으셨다고 반겨 주었으나, 작전국은 이미 대전으로 이동한 후였다. 우리는 최후 열차인 화차(貨車)를 타고 대전에 있는 본부에 복귀했다.

육이오 전란 중에, 그 많은 장교 가운데 내가, 또 그 많은 산 중에 용인 땅 법화산을 이박삼일 동안이나마 뜻밖에 경찰을 지휘하며 지키게 된 나의 운명을 돌이켜 볼 때, 예삿일이 아닌 것 같았다. 한평생 『법화경』에 의지하고 살 숙명을 타고난 것 아닌가 하는 생각마저 드는 것이다. 나의 어머니의 친정은 지금은 개발이 많이 된 용인 구읍(舊邑) 구성면(駒城面) 마북리(麻北里)인데, 그 동리 동쪽에는 높은 산이 있었고, 어머니가 처녀 시절에 손위 오라버니들이 포수로서 장산에 들어가서 노루 같은 들짐승을 가끔 잡아 오셨다는 얘기를 내가 어려서 몇 번 들은 적이 있었다. 법화산이 바로 장산이라고 불리던 산이었던 것 같다.

아버지의 기도

멀리 생각해 본다면 우리 집안은 신라 왕조 마지막 임금이신 경순왕(敬順王)의 후예이다. 경순왕은 나의 삼십대조이시다. 나의 십오대조이신 백촌(白村) 김문기(金文起) 충의공(忠毅公)은 문무겸비한 무장으로, 조선조 단종복위 거사에 가담하여 사육신과 더불어 순사(殉死)하셨다. 나의 조부이신 완주(完周) 김봉성(金鳳聲) 님은 조선말 고종(高宗) 때 강화도 서쪽에 있는 조그마한 섬 주문도(注文島)에서 첨절제사(僉節制使), 즉 첨사(僉使)를 역임하신 무장이신데, 은퇴하신 후에는 불도에 취향이 있으셨던 것으로 추측된다.

왜냐하면, 육이오 전란이 삼 년 만에 휴전이 되니, 내가 속한 연대지휘소가 중부전선 후방인 사창리(史倉里)에 있다가 강원도 인제군(麟蹄郡) 원통리(元通里)로 옮겼을 때였다.

오랜만에 부모님께 문안드리러 고향집을 방문했다. 아버지께서, "지금 어디에 머물고 있느냐"고 물으시기에 "예, 강원도 인제 땅, 원통리에 있습니다" 하니, 반색을 하시면서, "그래, 원통리에서 오는 길이냐. 나도 예전에 할아버지께서 강원도 간성(杆城) 땅에 있는 건봉사(乾鳳寺)에 유하시므로, 뵈러 가는 길에 원통리에서 하룻밤을 묵었느니라" 하신다. 군직에서 물러나신 후에 단순히 피서만을 위해 그리 먼 곳까지 가실 리 없었겠고, 노년기에 불도수양을 겸하신 것이라고 추리되었다.[1]

나의 아버지는 유교적인 학문과 도교적인 인생관을 겸한 분이셨다.

독농가(篤農家)로서 성실하고 부지런한 농부로 평생을 사시면서, 열심히 일하고 공부하며 자녀와 남을 가르친 지성의 인간이셨다.

향리에서 남보다 유식하시니 동리의 이장을 오래 하셨는데, 고향 동리인 학리에서 멀지 않은 거리에 봉은사(奉恩寺)가 있었다. 우리 동리 아래 벌판에 그 절의 사전(寺田)인 큰 논이 있었는데, 아버지께서 그 논의 임차 농사를 오래 하신 터이라, 절의 주지스님하고도 가까운 처지였다. 그래서 스님으로부터 불교의 기본교리인 탐진치(貪嗔癡) 삼독(三毒), 즉 사람이 살아가는 데 불행의 삼대독소를 꼽는다면, '욕심을 부리는 것' '화내는 것' '마음이 어리석은 것' 이란 말씀도 들으셨다. 또한 살다보면 어떤 어려움에 처할 때나 생명에 위험을 느낄 정도로 다급할 때, 또는 소중한 기도를 드리고 싶을 때, 정성껏 '나무관세음보살(南無觀世音菩薩)' 또는 '대자대비구고구난(大慈大悲救苦救難) 성모관세음보살(聖母觀世音菩薩)' 하고 합장하면서 부르면, 관세음보살님께서 도와주신다는 신앙을 가지셨었다.

한때는 일제시대에 봉은사의 본당이 실화로 소실되었다. 재건복구를 위해 절에서 의연금(義捐金)을 거두는데, 서슴지 않고 백 원을 시주하셨다. 일제치하에서는 황소 한 마리 값으로 큰 돈이었다. 그것도 지폐가 아니고, 오 전짜리, 십 전짜리 동전인 니켈화를 모아서 백 원을 만들고 모래와 수세미로 닦아 광을 낸 것을 꾸러미로 꿰서 불공드리며 바치셨다. 나의 둘째형이 청담동에서 조선기와 공장과 도선업(渡船業)을 겸하고 있었으므로 뱃삯으로 잔돈이 많이 들어왔었다.

1. 김익권의 조부 김봉성이 건봉사에 간 시기는, 조선의 구식군대가 해산되어 가던 1890년대말로 추정된다. 장군으로서 나라의 군대가 와해되는 것을 원통히 생각한 김봉성은, 세상 돌아가는 일이 뜻에 맞지 않아 마음을 추스르며 도를 닦기 위해 강원도 절에 갔을 것이라 짐작된다.—편자

아버지께서는 막내아들인 나를 위해서 예순이 넘으신 후에 세 번에 걸쳐 관세음보살님께 정성껏 명호를 부르며 기도드려 주심으로써 그 은덕을 내가 입은 것으로 믿고 감사드려 마지않는다.

그 은덕의 첫번째는 내가 서울 성동구에서 약제사로 약국을 경영하시던 큰형 댁에서 경복중학을 오년제로 졸업하고, 우리나라에 있는 유일한 대학인 경성대학 예과 법과를 지원하여 응시하였으나 낙방하여, 일 년을 재수할 때였다. 와신상담 노력하는 가운데, 대학에 합격하기 전에는 부모님 뵈올 면목이 없어, 강만 건너면 부모님 계신 고향이지만 일년 동안 한강을 건너지 않았다.

그때 아버지께서는 경제권을 놓으시고 한강변 나루터 근처인 청담동에서 둘째형이 경영하는 사업을 도우셨다. 늦가을이 되면 겨우내 기와 공장을 철막(撤幕)하고 봄이 올 때를 기다려야했다. 진흙 나르고 흙 밟아 물 뿌리며 짓이기고 하는 데는 큰 황소가 필수적인 요건인바, 겨울 삼동을 잘 먹여야 황소의 무게도 늘고 기운이 세져서 일도 잘하게 된다. 따라서 아버지께서 새벽에 해뜨기 전에 쇠죽을 끓여서 아침을 먹이는 일을 맡아 하셨다. 큰 가마솥에 콩깍지 등 여물을 넣고, 쇠죽이 푹 끓어오를 때까지는 군불을 두 시간 정도는 때야 했다. 아버지께서는 겨울 지나 봄이 올 때까지 삼동 석 달을 하루 같이 매일 새벽 두 시간 동안 쇠죽 군불을 때시면서 일심으로 "대자대비 구고구난 성모관세음보살, 막내아들 김익권 대학입학 성취발원" 하고 기도드리셨다고 한다. 그 덕분으로 우리 한인으로서는 십삼도의 수재 청년들이 겨루는 어려운 관문을 통과하여 대학에 들어가게 되었다.[2]

두번째로는 원래는 삼 년 과정이었던 대학예과를 전시(戰時)라 이 년 반으로 단기수료로 마치고, 본과인 학부 일학년 법과에 다니게 될 때였다. 제이차세계대전 말기라 일본이 점차 가용 전투병력의 부족을 느끼게 된 나머지, 장차 한인 청년들도 징병으로 동원할 전략을 갑자기 세웠다. 그에 앞서 우선 한인으로 대학 또는 전문학교에서 인문 계열에 다니는 만 이십 세 이상의 적령 학생을 일본군 요원으로 징집하여, 주로 학도지원병이란 명목으로 강제로 전선에 내몰았다. 그 수는 사천여 명이었던 것으로 판단된다.

나는 명분없이 전쟁터에 끌려나가 우리 겨레를 해방시켜 줄 연합군에게 총질은 할 수 없다는 신조로, 강원도 오대산(五臺山)과 계방산(桂芳山)으로 도망갔다. 그러나 강제 지원 마감일 후에 우여곡절 끝에 입대하게 되어, 일본군 북지(北支)[3] 파견군 산하 산동성(山東省) 소재 한 사단의 병정으로 전지에서 구사일생의 시련을 겪고 하사관이 되어 일 년 팔 개월여 만에 고국으로 살아 돌아왔다. 아버지께서는 아들이 전지에서 살아 돌아오는 날까지 "대자대비 구고구난 성모관세음보살, 막내아들 김익권 생명보존 발원"을 일 년 팔 개월 동안 기도드려 주신 것이다.

나는 북지 산동성에서 적의 포위 속에서 우군 시체를 두 번이나 업고 빠져 나온 적도 있었다. 한 사람은 같은 대학 문과 학병으로 간부후보생 교육을 전지에서 함께 받던 한인이요, 또 한 사람은 한 내무반에서 신병교육을 받던 일본인 청년인데, 평소에 유일한 한인인 나를 유달리 존경해 주고 좋아하던 마음 착한 신병이었다. 내가 부모님과 작별하고 일본군에 끌려갈 때, 아버지께서는 "전지에서 위태로울 때라도, 관세음보살님의 명호를 열심히 불러서 액을 모면토록 하라!"고

2. 당시 경기도 광주군에서 경성제대에 다니던 학생은 김익권 한 명이었다고 한다.—편자
3. 중국 북부라는 뜻으로 북지나(北支那)의 준말. 지나는 중국의 옛 명칭이다.—편자

말씀해 주셨다. 그 말씀을 명심하고, 총성이 요란한 가운데서도 허리를 구부리고 전장을 탈출할 때에 열심히 습관처럼 관세음보살 명호를 외우니, 공포도 잊고 살아 나왔으며, 탄환이 사람을 피해 주는 것 같았다.

세번째는 육이오 전쟁 때였다. 팔일오 해방 후 미군정이 약 삼 년가량 남한에 시행되다가, 조국은 북위 삼십팔도선으로 남북이 갈린 채, 남에는 자유민주주의를 국시로 하는 대한민국이 수립되고, 북에는 공산주의를 표방하는 인민공화국이 수립되어, 대치상태에 놓였다. 미군정 하에서 모교인 경성대학 이학년에 복학하여 한 학기가량 다니다 보니 삼학년이 되고, 학제 개편으로 국립서울대학교 법과대학에 다니다 보니 통합이 되어, 일 년 공부하고 구제(舊制) 삼 년으로 대학을 졸업하게 되었다. 사회는 어지럽고 질서는 덜 잡혔는데, 전시하에 일군에 끌려가 학문을 떠나 있었고, 해방 후 군정하에서 좌우의 불안정한 학원 분위기 속에서 제대로 학문이 될 리 없었으니, 이름만 대학 졸업이었다. 법률 공부는 하기 싫었고, 중고등학교 교사 정도는 할 수 있었겠지만, 과히 내키지 않아 망설였다.

그러던 차에 조선경비사관학교 제오기생의 모집광고를 지상(紙上)에서 보게 되었다. 정신이 번쩍 들었다. 일군에 학도지원병이란 강제된 명목으로 끌려가서 개죽음할지 모르던 전지에서 구사일생으로 돌아왔지만, 조국통일 과업이 남았으니 일군에서 배운 기술로 경험을 살린다면, 조국을 위해 신명을 바쳐서 자존심을 살릴 수 있는 영광스런 평생 직업을 얻을 수 있을 것 같았다. 그런 희망과 포부가 희열을 갖다주었다. 선두에 서서 용약 지원하고 합격하여, 1947년 7월 1일부터 1948년 4월 6일까지 구 개월간 시련과 훈련을 극복하고 경비대 육군 소위로 임관되었으며, 1948년 8월 15일 정부 수립과 동시에 국군이 된 것이다.

열과 성을 다 바치면서 연대와 사관학교에서 후진들 국군장병의 교육훈련에 땀을 흘렸다. 소령 때 육군사관학교로부터 육군본부 작전국 산하에 있는 군사교범 편집위원회로 전속되어, 대대 전투교범을 번역하여 출판 전 교정 중에 북한군의 기습 남침으로 전면적인 육이오 전쟁이 벌어졌다. 원고를 불사르고 영어사전까지 언제 써먹을 거냐고 불살라 버리고, 작전국 요원으로 연락장교가 되어 예하 부대에 작전명령을 하달하거나 장교 척후로서 동분서주하면서 낙동강까지의 지연작전에 신명을 기울이고 불철주야 종군했다. 미군의 재빠른 지원으로 꿈에 그리던 구이팔 수도 서울 수복이 이루어졌다.

초기에는 주일 미 24사단의 축차투입(逐次投入)이 있었으나, 사단장까지 공산군 포로가 될 정도로 비참했다. 그러나 미국의 하와이와 본토에서 병력이 동원돼서 질서있게 후속부대가 부산과 대구 교두보에 증강되었다. 한편, 유엔군총사령관 맥아더 장군이 개전 초기부터 육해공군을 통합 지휘하면서, 국군과 자유 우방의 십여 나라의 병력이 유엔군으로 혼연일체가 되어 반전의 발판인 대구, 부산, 경주, 마산의 교두보를 사투 끝에 지켜내고, 인천 상륙작전이란 기습 전략으로 북진이 가능하게 되어, 서울 수복이 이루어진 것이다.

여세를 몰아 유엔군이 삼팔선을 돌파하여 북한의 평양을 점령 해방하고, 압록강과 두만강을 향해 북진 중에 중공군이 의용군이란 명목으로 은밀히 만주를 거쳐 압록강을 건너왔다. 수십만 명의 중공군 병력이 북조선 인민군과 연합하여 인해전술로 겨울 준비도 안 갖춘 유엔군을 남쪽으로 압박하니, 유엔군은 전략적으로 후퇴하여 서울을 적에게 다시 내주고, 평택-안성 선까지 밀렸다. 그러나 그곳에서 적의 저지에 성공하고, 다음 해 봄부터 전비를 갖춘 끝에 반격전을 벌였다. 야금야금 징검돌〔비석(飛石)〕 전법으로 북진하면서 삼팔선 부근에서 동서 사선형(斜線形)으로 동쪽에서 영토를 넓히고 서쪽에서는 삼팔선 이남으로 개성과 옹진반도를 적에게 내주는 전략으로 남북의 전력이 백중지세를 이루었다. 전선이 일 년여를 교착한 끝에 남침 삼 년여 만인 1953년 7월 27일에 휴전이 성립됐다. 이 간에 인명 피해만 민간인을 포함하여 기백만이며, 양측 군인만도 기십만에 이르렀다. 전 국토가 파괴되어 황폐했고, 공산주의로 조국 강토를 무력 통일하려던 공산당이 민족에 끼친 죄악의 역사는 우리 민족사나 세계사에 길이 오점으로 남을 것이다.

삼 년여의 전쟁 중에 소령, 중령, 대령으로 종군하면서 전방의 대대장, 부연대장, 연대장을 역임하는 중 때로는 적의 포탄세례도 겪어 봤다. 또 연락장교로 육군본부 작전국에 복무 중 장관님의 훈령을 가슴에 품고 지휘관에게 전달하러 가는 길에 경북 안의(安義) 부근에서 인민군의 기습 집중사격을 받기도 했다. 나는 구사일생했지만 지원해주던 동기생의 부하 사병 두 명을 척후병으로 보냈다가 적에게 희생시켰다. 이는 불확실한 전투상황에서 어찌할 수 없었던 일이지만, 안타깝고 동정을 금할 수 없는 기억이다.

대의명분상 욕이 되는 비참한 전쟁, 민족상잔은 삼 년여 만에 끝났지만, 전몰한 군인들과 무고하게 희생된 백성들을 어찌할 것인가. 육사 동기생 사백 명가량이 임관됐는데, 약 사분의 일이 전사했으니 애석하다. 생명을 보전하면서 여든 넘어까지 사는 것도 미안할 지경이지만, 이 모두 아버지께서 종전될 때까지 기도드려 주신 덕분으로 알고 깊이 고마움을 느낀다.

부모의 자식에 대한 사랑은 하해(河海)와 같은 것이다.

시곡농장(柿谷農場)에서

'나무골〔목동(木洞), 목리(木里)〕' 시골 동리의 서에서 동으로 흐르는 계곡 북쪽에 작은 마을이 있는데, 그 북쪽에 낮은 야산과 골짜기 몇 개가 있는 가운데 '능(陵)골' 이란 옛 속명(俗名)을 지닌 곳이 있다. 좌측에 이웃해서 있는 골짜기는 규모가 약간 작은데 인가와 농장이 있으며, '당골' 이란 속명이 있는 큰 밭이 있다. 혹시 예전에 무속의 '당집' 이 있던 곳이 아닌가 물었더니, 나의 농장을 초기에 관리하던 청년이 그곳 밭에서 쟁기질하는데 큰 주춧돌이 몇 개 지하에서 나왔다는 얘기를 동리 사람들한테 들었다고 말해서 나의 추측이 맞았다고 느꼈다.

내가 노후에 석불을 모시고 농사짓는 이곳의 옛 이름이 속명으로 '능골' 이라니, 의미심장한 것 같다. 평생을 군인 노릇하고 더욱이 육이오 전쟁을 겪은 사람으로서, 이 농장은 만일 전시에 미지의 야전장(野戰場)에서 연대 전투지휘소를 안치해야 된다면 아주 알맞은 곳이라고 여겨진다. 사단의 전투지휘사령부를 안치하기에는 규모가 좀 좁다.

이런 지형, 즉 후방과 북쪽에는 표고 이백 미터가량의 주산(主山)이 버티고, 좌우에 청룡과 백호의 구릉이 흘러내리니, 지관(地官)은 아니지만 퇴역 군인인 나의 첫눈에도 명당처럼 느껴져서 여생의 근거와 의지처를 삼은 것이다. 귀찮게 ○○암(庵)이란 이름을 쓰지 않아도 "경이 존재하고 부처님을 받드는 마음과 정신이 있는 곳에 극락과 열반이 존재한다"고『법화경(法華經)』속에 말씀하고 계시지 않은가!

조그만 손아귀에 드는 불상 하나만이라도 가정에서 책상머리에 모시고 경을 받들고 외워도, 불교의 실(實)을 거둘 수 있는 가정불교를 가질 수 있다. 이런 가정불교가 보급되기를 바란다. 나는 자손들이 성장하여 철이 들 때를 기다려 내가 얻은 나의 인생관과 나의 종교관을 가르쳐 주고 싶다.

부처님 모신 곳은 산줄기 밑이라 청정수가 부처님 우물에 마르지 않는다. 그 앞에 수련꽃이 피는 조그만 연못을 만들었다. 연못 수면 위엔 바다거북처럼 생긴 돌 하나가 있다. 일부러 만들려고 해도 어려운 일인데, 과거 서울시가 강남지역을 도시로 개발할 때 강남 학동이 고향이라 그곳에 가옥을 짓고 팔 년 동안 살다가 사유가 있어 그것을 팔고 광주 시골로 살림을 옮겼다. 그 집 앞마당에는 화강암의 부처님 조각과 경주 불국사의 석가탑을 팔분의 일로 축소한 것을 모셨었는데, 그것들을 광주 시곡농장으로 이전했다. 이전할 때, 마당과 입구를 조경하던 대석(大石)들은 트럭으로 실어 와서 광주에서 다시 썼다. 그러나 연못을 만드는 데 잡석이 모자라 인부들이 조그만 짐차로 앞 냇가에 가서 돌을 주워 실어 왔다. 그때 우연히 큰 거북처럼 생긴 자연석을 발견하여 함께 실어 온 것이다.

『법화경』이십팔품 중에는, 인간으로 태어나서 불경을 얻어듣기란 깊은 바닷속의 거북이가 일백 년 만에 물 위로 떠 올라와서 햇볕을 쪼이며 세상구경하는 것을 보는 것보다 더 어렵다는, 부처님의 비유의 말씀이 있다. 또 삼천 년에 한 번 하늘에서 내려온다는 우담바라꽃을 보는 것같이 희귀하다는 비유도 있다. 그 거북이돌은 아무것도 모르는 조경(造景) 인부의 눈에도 뜨여서 예사롭지 않은 일로 여겨지니,

『법화경』을 한평생 받들고 이 세상을 살려고 마음먹는 나를 부처님께서 가상히 여겨주시는 징표일는지 모른다고 여기고 고맙게 생각했다.

살고 있는 곳의 지형 자랑을 늘어놓았으니, 이곳 돌부처님께서 좌정(坐定)하셔서 안하(眼下)에 바라보시는 풍경은 어떠한가. 부처님 눈에 들어오는 남방에는 서쪽에서 동쪽으로 흐르는 시냇물을 중심으로 길게 뻗은 계곡이 분지를 이루어 주로 논농사를 짓는 농토였으나, 차츰 도시 변두리의 공장화 현상이 전개되면서 평화로운 농촌의 풍광은 차츰 줄어가고 있다.

눈을 중앙에서 조금만 우로 돌려도 직선거리 약 이천 미터 전방 우단(右端) 부근에 표고 약 사백 미터가량 되는 주산(主山)이 우뚝 솟아 동쪽으로 단조롭지 않은 높낮이를 취하면서, 서에서 동으로 차츰 낮아지는 부드럽고 아름다운 땅의 모양을 자랑하고 있다. 나는 화가는 아니지만, 어찌 그다지도 부드러운 조화와 미를 창조하신 조물주에게 찬사를 아끼겠는가. 문득 그 산 이름을 무어라 하는지 처음 들었을 때 나는 쇼크를 받았다. 문형산(文衡山)이라 하지 않은가. 대개 무슨 뜻인지도 모르고 '문영산' 운운하지만 동양철학이 압축된 이름이다.

인류는 태고 시절부터 현재의 개화된 인류가 되기 위해서, 살기 위한 물자의 풍요와 더불어 고결하고 편리하고 아름다운 문화를 가꾸기 위해 얼마나 많은 노력과 땀을 끝없이 흘렸던가. 이렇게 아끼고 누리고 싶은 문화일지라도, 조화를 잃지 말고 품위를 잃지 않는 고결성이 필요하다. 문화는 그 환경과 어울리고 저울대처럼 형평이 이루어져야 한다. 이것은 동양문화, 특히 유교철학이나 불교철학이 추구하며 살아온 중용사상(中庸思想)의 뼈대인 것이다. 우리 백성들이 이러한 정신에 눈뜰 때 우리 겨레는 인류로서 만물(동물)의 영장 자격이 생기는 것이리라.

문형산 꼭대기에 지팡이 짚고 올라가 보니, 대제학(大提學) 벼슬하던 분이 이곳에 올라온 역사가 있던 데에서 그 이름을 '문형산'이라고 지었다는 산명의 내력이 비석에 새겨져 있었다. 아마 조선 시절의 한 지역 행정관리가 새겨 놓았으리라. 집에 돌아와서 사전을 찾아보니, '문형'이란 대제학의 별칭으로 문인 최고의 벼슬로 일컬어져 왔다고 한다. 이런 것을 알거나 알려는 사람이 몇이나 되랴. 옛날 조선 시절, 이름도 남기지 않은 지방공무원의 비석이라도 있으니 고맙긴 하지만, 설명이 너무 부족하다. 서구나 미국에서의 경우라면 여러 가지 교육적 안내문이 있을 것이다.

여행과 순례(巡禮)

시(詩)로 노래한 인도 불교성지 순례

1993년 1월 29일부터 2월 16일까지 국내 관광공사 안내로, 일연(一衍) 비구니 스님 인솔하에 남녀 십여 명이 단체여행을 했다. 나와 아내만 부부 동반이었다. 성지순례를 하면서 다음의 한시와 시조를 썼다.[1]

모정(慕情)

平生所願聖地行 俗齡於焉越古稀
春秋已隔千餘年 心中亦似慧超情

인도 성지 순례 길은 평생의 소원인고
이 내 몸 부질없이 나이만 칠십 넘어
마음은 천여 년 전 혜초 스님[2] 그리워

카트만두 소감

須彌山下高原國 自然景觀壯而秀
人心痲痺印度敎[3] 政治貧弱百姓困

히말라야 고원국이 자연경관 아름답네
종교에 마비되어 정치는 빈약하니
그 속에 사는 백성 가난하고 가여워

히말라야 원경(遠景)

遠望白雪峨峨峰 此是所謂須彌山
雲霧快晴日辰中 得見偉容千萬幸

멀리 백설 덮인 히말라야 연봉이여
이것이 불경 속의 수미산 아니던가
요행히 날씨 맑아 그 모습을 뵈옵니다.

불탄지(佛誕地)에서

春潭[4]出生日 幸遊佛誕地
千年榮華盡 唯有邊僧紅

늙은 아내 생일날에 룸비니 동산 찾아드니
천년영화 간 데 없고 목탁새만 홀로 우네
변방승 홍의 옷자락에 봄바람이 스치더라.

기원정사지(祇園精舍址)에서

祇園精舍址 佛說金剛經
諸行無相事 黃昏暮鐘聲

기원정사 그 옛터는 금강경 설하신 곳
범소유상 개시허망 제행무상 알리듯이
은은한 저녁 종소리 어디선지 울려오네

석존열반지(釋尊涅槃地)에서

在世八十年 濟衆四十五
無餘涅槃樂 沙羅雙樹間

팔십 세를 사시면서 중생 제도 사십오 년
인연이 다하심에 무여열반 이루셨네
사라쌍수 흰 꽃 피어 상복을 입었더뇨.

아소카왕 석주(石柱)를 보고

轉輪聖王阿育王 平定天下弘聖教[5]
若無英雄獅子吼 後世吾等誰知跡

전륜성왕 아소카 님 천하를 평정하고
인도 땅 넓은 뜰에 성교를 펼치셨네
만약에 그대 아니셨던들 부처님 자취 뉘 알리오.

1. 김익권은 칠언절구나 오언절구로 쓰고 이것들을 다시 시조로 번역하였다.—편자
2. 혜초 스님은 신라인으로, 인도 땅 부처님의 성지를 순례하신 분이다.
3. 인도교(印度敎)는 힌두교를 말한다.
4. 춘담(春潭)은, 나 시곡(柿谷)의 노처(老妻)이다. 1943년에 부부가 되어, 1993년에 소위 금혼(金婚)의 해를 맞았다. 일흔다섯 되는 음력 생일에 룸비니 동산을 찾게 되었다. 우연한 일이지만, 불연(佛緣)에 감사드린다. 룸비니는 네팔국 땅으로 인도와의 접경인데, 부처님이 출생하신 곳이다.
5. 아육왕(阿育王)은 아소카 왕을, 성교(聖敎)는 불교를 가리킨다. 아소카 왕은 인도 역사상 가장 광대한 천하를 통일한 성군으로, 치세기간은 기원전 268-232년이다. 불교에 귀의하여 무력에 의한 정복으로부터 불법의 홍포로 전환하면서 문화사업과 선정을 널리 베풀었다. 그에 관해 많은 유적이 남아 있다.

영취산(靈鷲山)에서

佛教聖地靈鷲山[6] 憧憬戀慕三十年

登頂讀誦法華經 黃昏歸路滿月明

靈鷲聖地行 戀慕半平生

登頂法華頌 歸路滿月明

인도 땅 영취산은 불교의 성지라네

한평생 그리다가 이제 올라 독경하니

황혼길 귀로 위에 보름달이 비치더라.

성도지(成道地)에서

菩提樹下成道地 大塔雄壯又燦爛

西藏紅僧香煙中 僥倖遇會幼法皇[7]

부다가야 보리수 아래 부처님이 깨치셨네

황금빛 솟은 탑은 웅장도 찬란하이

어린이 달라이 라마 이곳에서 뵈올 줄이야.

뉴델리 소감[8]

日出日沒地平線 印度大陸人口多

佛教開花衰殘地 宗教痲痺政治貧

지평선에 해가 돋고 지평선에 해가 지니

인도 대륙 넓을시고 팔억 인구 많을세라

불교 영화 사라지고 백성들은 가난하이

타지마할 왕비묘(王妃廟)에서[9]

大理石造如宮殿 天下第一王妃廟
美女傾國古今史 百姓血淚茶飯事

천하제일 왕비 묘 궁전같이 화려하이
미녀들의 경국천하는 어제 오늘 아니어든
백성들의 피와 눈물 대리석에 배어 있네

산치 대사리탑(大舍利塔)에서[10]

印度中原有吉地 阿育王妃出生處
說得夫君立佛國 聖業背後必婦德

인도 중원 노른자위 길지가 있었다오
아육왕비 태어나서 불교 입국 이루셨네
오호라 성군 배후엔 여걸군자 계셨고녀

6. 영취산은 영축산으로도 불리며, 라즈기르 왕사성(王舍城) 부근의 성산(聖山)으로 부처님께서 법화경을 설하신 곳이다.
7. 성도지인 부다가야는 부처님이 깨치시고 불도를 이루신 곳이다. 유법황(幼法皇)은 티베트에서 온 아기 달라이 라마로서, 후일 우리나라에도 온 바 있다.
8. 수도 뉴델리에서의 소감을 적었다.
9. 타지마할 왕비는 왕에게 사후 천하제일의 무덤(廟堂) 건물을 지어 안치해 달라고 소원했는데, 왕비묘는 그 소원대로 이루어진 웅장하고 아름다운 대리석 석조전이다.
10. 산치는 인도를 통일하고 불교 입국한 아소카 왕의 비(妃)가 출생한 고향인데, 왕비가 미녀였다고 한다. 아소카 왕이 왕비로서 구혼하자, 불교에 귀의하여 불교 입국을 해야 한다는 조건을 제시하고, 약속을 얻어 결혼했다. 그 후 아소카 왕이 불법(佛法)으로 천하를 통일하고 선정을 베푸는 데 내조자가 됐으며, 자기 고향인 산치 땅에 대불사리탑을 세우게 했다.

아잔타 대석굴(大石窟)에서[11]

雄壯斷崖十三窟 彫刻壁畫幾百年

宗教美術天一品 敦煌源流濫觴地

아잔타 여러 석굴 웅장도 하오이다

벽면에 아로새긴 조각과 그림들은

돈황의 원류인 양 부처님께 바쳐졌네.

간디 옹 기념관(記念館)을 보고

群鷄萬首必一鵬　印度近代有肝地[12]

英雄逝去幾十年　八億民衆尙塗炭

땅 넓고 인구 많아 영웅이 나게 마련

인도 땅 근대에는 간디 옹이 계셨구나

임께서 가신 후에 팔억 민중 길 잃었네

11. 아잔타 대석굴에는 몇십 년 정도로는 이룰 수 없는 큰 규모의 장대한 대석굴이 열세 개나 있다. 돈황(敦煌)은 중국에 위치한다.

12. 간지(肝地)는 간디를 가리킨다. 간디는 주로 뭄바이(전의 봄베이)에 살면서 인도 독립운동을 지도하셨다.

백두산의 혼을 찾아서

백두산! 천지! 그 말만 들어도 가슴이 설렌다. 우리 겨레의 성산(聖山)이요, 한반도라는 백두대간 몸체의 정수리에 해당하기에 그렇다.

'백두산 뻗어내려, 반도 삼천리'로 시작되는 옛 노래 속에 소년 시절을 보냈고, 국어를 빼앗긴 슬픈 식민지 백성으로서 그나마 잠시 배울 수 있었던 일제치하에서 지금의 초등학교인 보통학교의 조선어책에서 '백두산 천지'를 알게 되었다. 또한 나의 백형으로부터

白頭山石磨刀盡　백두산 돌은 칼을 갈아 없애고,
豆滿江水飮馬無　두만강 물은 말에게 먹여 없앤다.
男兒二十未平國　남아 스물에 난을 평정하지 못하면,
後世誰稱大丈夫　누가 후세에 대장부라 일러 줄 것인가

라고 읊은 남이(南怡) 장군의 시를 배웠다. 이 시는 장군이 북쪽 오랑캐 여진족을 정벌하러 가면서 지은 시로, 그의 큰 기상을 엿보게 한다. 간신배가 그의 시 가운데 '未平國(미평국)'을 '未得國(미득국)'으로 고쳐 무고함으로써, 나라의 역적으로 몰려 애석하게도 청년의 나이에 형장의 이슬로 사라졌다는 역사의 비극을 동정하게 되면서, 왜 그 시가 그 후 우리 조선인들 사이에 널리 애창되었는지 그 까닭을 알게 되었다.

대학 시절 가끔 종로거리에 나가 서점을 돌아보는 것이 습관처럼

되었는데, 한때는 그 당시 애국문인이셨고 경세가였던 민세(民世) 안재홍(安在鴻) 선생이 엮으신 『백두산 등반기』를 사서 읽고, 그 유려한 문장 뒤에 숨은 조국 강산에 대한 찬탄과 조국 역사에 관한 애착을 배워 안 선생을 흠모하게 되었으며, 백두산을 향한 동경의 염을 갖게 된 것이다.

팔일오 해방 후 대학을 마치고, 뜻이 있어 육사에 입교했다. 기초 군사훈련 중에는 "양양한 앞길을 바라볼 때에, 가슴에 파동치는 애국의 깃발…"이라는 노래와, "남아 이십 대장부 남이 장군이, 남겨 놓은 그 말씀 가슴 울리며…"라는 노래의 군가로 매일 가슴이 터지도록 불렀다.

육사 본과에 올라가서는[1] 그때까지 교가(校歌)가 없었으며, 우리들 오기생 중 한 사람이 작사한

태백산 삭풍 속에 정기 엄정타
영봉의 천지 바다 길이 흐름은
반만 년의 유구한 배달 민족성
천만 대의 핏줄 받은 청구의 건아
울창한 태릉 무대 우러러 서니
새 대한의 희망인 사관학교다.

를 교가로 삼아 행진 때마다 애창했으니, 백두산과 천지에 대한 애정

1. 당시 육군사관학교의 전신인 조선경비사관학교에 입교하면, 삼 개월간 훈련대에서 기초훈련을 마치고 사관학교 교사에서 육 개월간 교육 및 훈련을 받았다.—편자

과 연모의 정이 거의 신앙처럼 뼈에 사무치고 뇌리에 박힌 것 같다.

그러나 평생 동안 꼭 한번 가 보고 싶어도 그 꿈을 실천하기엔 역사적 환경상의 제약으로 그리 쉬운 일이 아니었다. 해방과 더불어 조국은 분단되었고, 그 후 육이오 전쟁을 겪었고, 조국의 통일은 요원했다. 근래 국내외의 정세가 많이 변화하여 냉전이 해소되어 여러 나라들이 자유로운 사회로 문호를 개방했지만, 아직도 유일하게 폐쇄된 북한 땅에는 자유로이 오고가기 어려운 노릇이다.

몇 해 안으로 물자교류와 경제협력뿐 아니라, 서신왕래·인적교류·친척상봉·상호관광 등의 국면이 전개된다면, 우리 땅 밟고 백두산에 가 볼 수 있겠지 하는 기대도 해 보았다. 그러나 요사이 같아서는 그것도 기대되기 어렵구나 하는 생각이 든다. 중국으로 만주를 휘돌아서 백두산에 더러 갔다 오는 사람이 있으니, 이 몸도 나이 일흔이 넘었기에 더 기력이 떨어지기 전에 기회를 얻어서 1993년 8월 순례길을 결행했다.

과거 이십여 년 전 육군에 재직 시 마지막으로 약 사 년 반 육군대학 총장을 지내는 동안, 그 당시로는 희귀한 백두산 천지의 사진 액자를 육사 교장실에서 보고, 선배이신 김희덕 교장으로부터 복제한 것을 한 부 기증받아 진해 육군대학 뒷산에 있는 도불장(道佛莊)에 걸어 놓은 적이 있었다. 도불장은 육대생들의 애국심과 무인으로서의 호연지기를 기르기 위해 진해만을 굽어보는 육대 뒤 도불산록(道佛山麓)에 지은 산장으로 학급 파티의 장소로 사용했었다. 어떤 해의 졸업생들은 졸업 기념으로 몇 편의 사진을 이어 파노라마식의 영상으로 만든 이 천지의 액자를 한 부씩 복사해서 나누어 가진 것으로 기억한다. 이런 일들은 우리들 평생군인의 마음, 조국통일의 정열과 꿈의 표현이었다.

이번 순례길에 오르게 된 계기는 서울 강남구 논현동에 소재한 한국CESP우주초염력연구소에서 백두산 순례 희망자 모집이 있어, 산제 지내러 가는 소장 이하 여섯 명에 끼어 간 것이다. 정명섭(丁明燮) 소장은 작년에 일차 순례행을 하고 오셨으며, 하늘에서 내리는 파워가 대단하다는 말씀을 그분으로부터 듣고 희망에 차서 따라갔다. 백두산은 동북아대륙인 만주벌판과 한반도 사이에 우뚝 솟은 영산으로, 성스러운 기상이 우리 겨레의 아버지 같고, 그 큰 산의 분화구에 고인 천지의 의젓한 덕성은 어머니의 품 같기에, 출발 전에 목욕재계 근신하면서 순조로운 기상과 청명한 날씨 속에 무사히 다녀올 수 있기를 천지신명과 제불보살님과 역대 조상님께 기도드리고 떠났다. 백두산정은 만주벌판의 구름과 바람을 막아선 크고 높은 산이기에, 그 정상은 기상의 변화가 심하여 일 주일에 하루 정도 청명할까 말까 하며, 하루에도 열두어 번 변하는 것이 보통이라고 한다.

일행은 1993년 8월 27일 아시아나 항공편으로 김포공항을 떠나 황해를 남쪽으로 휘돌아 중국 천진(天津)으로 올라갔다. 천진에서 마중나온 중국측 관광사의 봉고차 편으로 육로로 북경(北京)까지 갔다. 고속도로는 차가 붐비지 않았으므로 편했다.

공중에서 내려다본 광활한 평야는 경지 정리가 잘 되어 있으며, 농촌 농가들은 규격화하여 있는 것이 특색이다. 또한 육로의 천진-북경 간은 수 시간을 가도 수수밭과 옥수수밭이다. 마치 미국에 처음 가서 열차여행 중 느낀 넓은 대륙, 넓은 나라, 대국이란 인상을 이곳도 갖게 한다.

천진 시가는 산업도시라지만 보지 못했고, 북경 근처에 이르러서야 공장 같은 것이 띄엄띄엄 보였다. 그러나 중국의 성 하나가 우리 한반도보다 크고 넓으며, 이런 성의 수가 약 스무 개에 이른다. 그 땅은 인도나 미국보다 넓고, 영토 위의 인구는 십여 억, 과연 명실공히 대국이다.

우리 조상들이 중국의 영토와 인구, 문화의 광대심원함에 자연적으로 자기를 지키기 위해 사대(事大)한 역사를 관용으로 이해해야 할 것 같다. 이와 아울러, 이제는 우리 민족의 확고한 주체성을 자각 발휘하려는 의지와 함께, 중국의 위대한 잠재력을 가늠해 보아야 할 때다. 이를테면, 그들이 정치만 잘해서 한족(漢族)의 에너지를 제대로 발휘할 수 있다면, 21세기를 주름잡을 수 있는 세계적 강대국이 될 수 있다는 인식하에 숙명적인 한중친선(韓中親善)과 협력을 지성껏, 그리고 현명하게 펴 나가야 할 것이다.

당일로 북경에 도착하여 호텔에서 여장을 풀었다. 제이차세계대전 말기에 대학 재학 중 학병이란 명목으로 일군에 강제로 끌려가 화북지구 산동성에서 일본군에 종군할 당시 북경을 거친 바 있었는데, 그 당시보다 상당히 발전하여 고층건물도 많이 들어섰고 공사 중인 건물도 많았다. 예나 지금이나 자전거 이용자는 많았지만, 자동차 대수가 많이 늘어나 근대화의 파도를 체감했다. 해 저물 때까지 남은 시간은 청조(淸朝)의 고궁을 관광했다. 규모는 대국다웠으나 궁내 조경은 주로 인공적인 미에 치우쳐서, 우리 궁궐처럼 아기자기하고 오목조목한 자연미는 부족했다.

다음날 북경에서 중국항공 편으로 옛 봉천(奉天)인 심양(瀋陽)을 거쳐 장춘(長春)으로 날아갔다. 장춘에서부터는 야간열차 편으로 침대 칸에 몸을 싣고 자는 사이에 길림(吉林) 시가를 지나서 연변(延邊)

으로 향했다. 장춘은 일제 때에는 신경(新京)으로 불렸고, 괴뢰 만주국 수도로서 그 당시에는 매우 깨끗한 도시였다고 들었는데, 발전이 미흡하고 활기 없어 보였다.

열차는 약간 구식이었으나 견고해 보이고 참을 만했다. 만주지방의 농촌도 역시 중국 본토와 비슷하게 잘 개발되었으며 광활하다. 연변 일대는 조선족 자치주라서 그런지, 가옥 모습도 우리 옛 농촌 집과 유사한 모습이다. 연변 시는 우리 한인들의 인구가 거의 태반이 넘고, 우리나라의 비교적 큰 군청 소재지 같았다. 열심히들 살고 있지만, 근대화의 물결은 크게 일지 않은 것 같았다. 경제발전의 정도는 우리나라 오일륙이 시작되던 시절만 하게 보였다.

아침을 식당에서 먹고 백두산을 향해 봉고차로 떠났다. 연변시를 벗어나니 비포장도로였으나, 육이오 때 전방의 군사도로처럼 잘 정비 유지되어 있었다. 도중에 해발 칠백여 미터 되는 구릉지대를 약 두어 시간가량 서쪽으로 달리더니, 구릉지대를 지나서는 서남진을 약 네댓 시간가량 계속한 끝에 농촌지대를 지나 백양나무 숲 사이로 경사진 도로를 달린다. 그 사이 보았던 농가 인구의 반 정도는 조선족일는지 모르겠다. 드디어 백두산 고원지대에 들어선 것 같다. 연변을 떠나 약 예닐곱 시간 만에 팔백 미터쯤 되는 삼림 속에 자리한 천지(天池)호텔 도착하여 여장을 풀었다. 저녁때인데 늦가을처럼 기온이 차다. 고원지대라서 그렇다.

8월 30일 일찍 기상하여 조식 후 '長白山(장백산)'이란 글씨가 선명하게 쓰인 관문에서 중국 경비원의 허가를 얻은 다음, 그곳을 통해서 봉고차로 백두산 등정 길에 올랐다. 중국에서는 고래로 백두산을 장백산 또는 백산이라 불러왔고, 지금도 그리 부른다. 우리나라 팔팔

올림픽을 계기로 중국이 관광 목적으로 좁은 이차선 포장도로를 산정 부근까지 개발했다고 한다.

한참 달리다 보니 경사도가 점차 높아지는 것 같다. 모습은 보이지 않아도 이제부터 백두산이 시작되는 것 같다. 높이와 추위 때문에 수목들이 크게 자라지 못한 채 모진 바람에 한쪽으로 기울어져 있다. 대관령을 넘는 찻길보다 몇 배 정도 높은 굽은 길을 휘돌며 올라갔을까, 산정이 해발 이천칠백사십사 미터인데 이천 미터 정도는 올라온 것 같다. 아예 식물이라곤 눈에 뜨이지 않는 암석 산이다. 차츰 시야에는 자욱한 안개구름뿐 도로를 따라 조심조심 올라가니 급기야 정상 주차장에 도착했다. 먼저 와 있는 관광 봉고차가 서너 대가량 눈에 띄었다. 마음이 설레기 시작하여 차문을 열고 밖으로 나가니, 빙점 가까운 차디찬 안개바람이 휘몰아쳐, 몸이 가벼운 여인 정도는 바람에 날려갈 것 같다. 육중한 남자들도 허리를 구부리고 체중을 앞에 실어야 간신히 몸을 가눌 수 있고, 추위도 대단하다. 운전기사가 빨리 차 안으로 들어가 기다리라고 외쳤다. 우리들은 겁이 나서 차 안으로 뛰어들어 대피했다.

초속 삼사십 미터의 질풍이다. 가끔 안개구름 사이로 태양빛이 조금 환해지면 희망을 가져 보기도 하고, 다시 안개가 꽉 덮이면 실망하기도 하면서 기다렸다. 교포 기사는 "희망을 가져 볼 만하다"는 말을 남겨 놓고는 아예 운전대에 기대앉아서 느긋하게 잠들었다. 만약, 기사가 돌아가자고 결심하고 재촉한다면 어쩔 수 없는 노릇이다. 하산해서 내일 하루 더 시도할 수밖에 없다. 그러나 내일이라고 청명한 날씨를 기대할 수 있으랴. 마음속으로 빌었다. 옆 자리에 계신 정 선생도 눈을 지그시 감고 염력으로 하늘에 기도 드리시는 것 같았다. 나도 불교인답게 '나무관세음보살! 안개구름 거치게 하시어, 천지를 볼 수 있게 해주옵소서!' 하고 마음속으로 지성스럽게 빌었다.

약 한 시간쯤 차 안에 갇혀 있을 무렵, 구름 속의 햇빛이 점차 환해지더니 구름이 일부분 걷히고, 저쪽으로 눈앞에 쪽빛 같은 천지의 수면이 나타나지 않는가!

"천지가 보인다!"

무의식적으로 외치면서 차창을 열고 뛰쳐나갔다. 일행도 뒤따랐다. 평평한 언덕을 약 백오십 미터가량 천지 쪽으로 뛰어가니, 앞은 절벽이어서 더 못 가겠으며, 눈앞에 구름 벗겨지는 백두산정과 그 아래 잠긴 천지가 발 아래 보인다. 난생 처음 보는 웅장하고 신비한 모습에 황홀하다. 기쁜 흥분으로 몸이 떨린다. 그립고 그리던 성산이어라! 우주천지의 무궁하신 조화로 그 먼 태고 시절에 이곳에 큰 화산이 불꽃으로 솟아 백두산을 이루고, 그 거대한 화구에 주위 사십 리나 되는 천지를 만드시니 희유(稀有)하오이다. 이 백두산의 지맥 정기가 남으로 뻗어내려 백두대간 한반도 삼천리, 태백과 소백 등 여러 산맥을 이룬 것이다. 웅장하고도 수려한 산용(山容)과 수자(水姿), 백두산이 우리 겨레의 굳센 민족정기의 아버지라면, 천지는 우리 겨레의 모질도록 질긴 민족혼의 어머니인 것이다.

나는 일찍이 나이아가라 폭포의 위용을 보고, 그 웅장함에 감탄은 했지만 눈물은 흘리지 않았다. 그러나 천지 앞에서는 내 가슴은 감격의 희열로 눈물지었다. '내 평생 무엇이 더 부러우랴! 내일 고대 죽어도 여한이 없으렷다!' 이것이 말없는 심중의 혼잣말이었다. '천지신명이시여, 감사합니다! 불보살님이시여, 감사합니다! 구름 걷혀 천지 모습을 보여 주시오니 감사합니다!' 나는 마음속으로 기도드렸다. 문득 제정신으로 돌아와 바람에 날리지 않도록 조심하면서 우리들은 카메라의 셔터를 마구 눌러댔다.

언제 다시 안개구름 몰아칠까 걱정이 되어 서둘러서 일행은 천제를 지냈다. 백지를 땅에 깔고 오색 과일과 북어를 차려 놓고 술잔을 올려 정 선생이 떨리는 목소리로 엄숙하게 천부경(天符經)과 제문(祭文)을 읽으시고, 삼배 삼회 구배를 올리고, 제문을 불사르고, 대한민국 만세! 삼창을 가슴이 터지도록 불렀다. 제사지내고 음복술을 마시니 맛이 기가 막히고 복도 많이 받을 성싶다.

이리하여 목적 달성한 환희를 안고, 그래도 아쉬워서 뒤돌아보고 또 돌아보며 해 저물기 전에 하산 길에 올랐다. 오래도록 잊지 못할, 영화에서나 보는 스릴과 긴장, 희열과 흥분의 도가니 같은 한 장면이었다.

산을 휘돌아 내려오다 차를 멈추고 내려서 조금 모퉁이를 돌아가, 천지에서 북서쪽 낮은 골짜기로 떨어지는 천지폭포를 구경하게 되었다. 이곳에선 장백폭포라 부르기도 한다. 약 칠팔백 미터 떨어진 곳에서 바라보니 장관이었다. 이 폭포가 천지에서 직접 흘러내리는 유일한 물줄기인데, 송화강의 원류로서 멀리 만주평원을 휘돌아 시베리아의 흑룡강으로 합류한다.

생각해 보니, 이천 년 전 옛 고구려가 지배했던 무대이기도 하다. 시간이 허락지 않아 그곳의 뜨거운 온천물에 즉석에서 삶아서 파는 달걀을 사먹고 허기진 배를 달랬다. 온천은 지상 도로가에서 샘솟는 유황 냄새가 없는 담담한 냄새의 뜨거운 온천수였다. 온천산장 같은 것이 두세 채 보이는데, 사람도 보이지 않고 쓸쓸했다. 숙소인 천지호텔에 돌아오니, 안도와 성취감에 맥이 확 풀리며 피곤이 몰려왔다.

온천물을 차로 실어다 목욕물을 밤에 대 준다기에 기다려서 목욕을 하고 잠을 푹 잤다.

눈을 뜨니 8월 31일 새벽 세시이다. 방 공기는 싸늘한데도 춥지는 않고 오체가 편안하기 그지없다. 일종의 마음을 비운 신선한 행복감이랄까. 옆에서 정 선생이 주무시지만, 피차 '지성이면 감천' 이라는 신념을 사랑하시는 분이시다. 하늘이 우리의 지성을 받아주신 것이 고맙고 고마웠다. 기쁘고 기쁘다. 잠도 더 오지 않기에 벌떡 일어나서 시 한 수와 시조 한 수를 적었다.

백두영봉(白頭靈峰)

憧憬天地半百年
今日登頂白頭山
寒舞疾風暗然中
暫時雲開見壯容

백두산 영봉 천지 반백 년을 그리다가
칠십 넘긴 오늘에야 임을 뵈러 올랐더니
임께서 아시고서 안개 벗겨 뵈옵시네

바로 전날 백두산에 입산하는 관문 부근에 상점이 있었는데, 단장(短杖)이 눈에 띄기에 미화 십 달러를 주고 기념삼아 사 가지고 올라갔다. 점원에게 무슨 나무냐고 물었더니, 금강목(金剛木)이란다. 나무껍질을 벗긴 매우 단단한 흰 바탕의 나무에다 주홍색 명필로 '壽以白山 福臨天池(수이백산 복임천치)' 라고 글씨도 예쁘게 썼지만, 글귀가 멋있어서 중국인다운 운치를 느꼈다. '수명은 백두산처럼 오래하고, 복은 천지처럼 가득 받으시라' 고나 풀이할까. 단장보다 글이 좋아서 샀다. 자손대대 가보로 물릴 것이다.

또 하나 예기치 않았던 일이 있었다. 이번에 백두산정에 올라가면 돌을 주워다가 자손들과 다정한 친지들에게 선물하리라 마음먹었었는데, 막상 올라와 보니 매우 기쁜 나머지 마음의 겨를이 없었다. 우연히 질풍에 쓰고 간 모자를 날렸다. 내가 이곳에 온다니까 가까운 다정한 사람이 선물로 준 새 골프모자였다. 천지 쪽으로 날아갔다면 이백여 미터 절벽이니 별 수 없었겠지만, 풍향이 바뀌어 천지의 반대 쪽 육지의 사면이었다. 바람이 하도 세차서 옆에서 보고 있던 일행이 "포기하시지요"라고 말렸다. 순간적 상황 판단을 하고 말리는 말을 한쪽 귀로 흘리며, 게다가 선물 받은 모자이니 하는 생각에 내리 뛰었다. 성큼성큼 약 백오십 미터가량 내려가 바위에 살짝 걸려 있는 모자를 움켜쥐고 승리감을 자랑하듯 되돌아오는데, 숨이 찼다. 쉬엄쉬엄 단장을 짚고 올라오면서 용암풍화된 곰보돌과 비중 무거운 돌을 주워서 모자에 넣었다. 올라오는 길에 왕모래 속에 핀 이름 모를 고산화[2] 한 포기가 눈에 띄어 '이것은 압화(押花)로 만들어 딸에게 가져다 주리라' 하고 그것을 뽑아 상하지 않도록 불경 속에 끼워 왔다. 모자 날린 덕분에 근사한 백두산 선물을 구할 수 있었다.

또한 가능하다면 천지 물이라도 떠 가지고 와서 가족들에게 나누어 마시게 하고 싶었다. 하지만 그럴 기회가 없었다. 그런데 다행히 천지 호텔에서 조식 때 천지 물을 차로 실어온 것을 냉수로 공급하기에, 가

2. 에델바이스 같은 꽃.—편자

지고 간 가방 속의 플라스틱 물통에 넣어서 서울로 돌아왔다. 냉장고에 넣었다가 나중에 가족들과 함께 나눠 마셨는데, 생생했다.

돌아오는 길은 역순으로 연변-장춘-북경이었고, 북경에선 만리장성과 청조황제의 하계 별궁인 만수산 공원을 구경했다. 성곽도 별궁도 그 규모가 웅장했다. 그러나 백두산 천지를 보고 온 우리에게는 아무것도 웅장해 보이질 않는다. 다만 대국이니 규모가 크고 대국다웠다.

나는 오히려 규모는 작으나 자연미를 살린 아담한, 서울에서 보는 우리의 궁전이 더욱 정답고 사랑스럽다고 생각한다. 우리는 우리 풍토에 걸맞은 문화감각을 가지고, 굳세고 슬기롭고 어질고 착하고 참되고 아름다운 마음으로 겨레와 금수강산을 가꾸어 나가야 하리라고 믿는다.

시곡단상(柿谷斷想)

오월 수상(隨想)

오월은 계절의 여왕이라고 한다. 연중 계절 치곤 제일 쾌적한 기온이기에 그렇고, 주위 산천이 신록에 싸여 온갖 생물이 제각기 생명의 약동을 흠뻑 자랑하며 평화를 구가하기에 여왕의 화사함을 느끼게 한다.

어느덧 나이 칠십 고개를 넘은 몸으로 비교적 무병건강하고 집안 살림살이에도 큰 걱정거리가 없으니 마음이 자연 평온해진다. 밤 자정 머리에 잠을 청하느라 침대에 누워서 문득 인생이란 것을 생각하게 된다.

'안심입명(安心立命)' 이란 문자가 떠오른다. 과연 '나' 는 안심입명의 경지에 도달했는가 자문해 본다. '아니다! 아직 길은 멀고 멀다!' 해탈 자적(自適)을 목표로 삼고 걸어갈 따름이지, 인생 해탈이 그리 쉬운 일이라면 성인의 경지를 바라지 않을 사람이 어디 있을까? 그만큼 어려운 일이기에 희귀한 가치가 있는 것이다. 공자 같은 만고의 성인도 자기 인생역정을 회고하면서 '칠십이종심소욕불유구(七十而從心所欲不踰矩)' 라 말씀하지 않았던가? 우리 같은 중속(衆俗)이 나이 칠십에 감히 해탈 자재할 수 있으랴! 공자는 칠십삼 세로 타계하셨다. 우리네도 한 구십까지 살 수 있다면, 그리고 쉬지 말고 죽는 날까지 수양을 게을리하지 않는다면, 혹시 그 변두리 맛이라도 볼 수 있지 않을까? 그리되면 천행이 아닐는지.

나는 원래 근기가 부족하고 천부의 바탕이 뛰어나지 못한 까닭에,

우공이산(愚公移山) 격으로 나 대신 맏손자나마 할아버지의 미완성의 꿈을 이루게 해주었으면 하는 마음을 갖고 있었다. 따라서 나는 손자가 제 어미 뱃속에 있을 때부터 '성(聖)' 자를 넣어서 이름을 미리 지어 놓았으니 나 스스로 생각해도 부끄러운 일이지만, 다행히 손자가 태어났다. 매우 기뻐서, 이름을 '성규(聖圭)' 라고 지어 주었다. 반드시 그런 것은 아니겠지만, 이름은 우리네 인생에 대단히 중요한 역할을 한다고 믿었기 때문이다.

이름으로 인해서 이미지〔인상(印象)〕가 상당히 좌우되기 쉽고, 무의식중에 자아에 대한 반성과 분발의 역할을 한다고 본다. '聖' 자가 이름에 들어 있는 사람들 중에 인생에 성공한 분들이 많아 보인다. 나의 아버지께서도 아명이 '성재(聖哉)' 이셨는데, 만년에는 도통(道通)하시려고 무던히 애쓰셨건만, 도통의 언저리까지만 스치시고 미완성의 인생을 사셨다. 인생이란 누구에게나 그 태반이 미완성 교향곡이 아니겠는가. 저승으로 작별할 때에 가능하다면 "나의 인생은 아무 아쉬움도 없노라. 이승이여 안녕!" 하며 대왕생하고 싶다.

"인생은 나그네길, 어디서 왔다가 어디로 가는가."

최희준의 노래가 널리 애창되는 이유는 그 가사 자체가 인생의 진리를 철학적으로 꿰뚫은 시(詩)인 동시에, 음의 리듬이 우리의 심금을 울리기 때문일 것이다. 더구나 가수의 꾸밈새 없는 저음과 질그릇 같은 소박한 얼굴 표정이 구수하면서도 그윽한 매력을 풍긴다.

'나', 영혼과 육신의 융합체인 이 몸, 누구나 이 세상에 태어난 이상 머물다 모두 떠나야 한다. '생자필멸(生者必滅)', 이것은 지구상의 진리요 우주천도(宇宙天道)의 진리이다. 중국 당나라 때 시선(詩仙)이라고 일컬어졌던 이태백(李太白)도 "이 우주천지는 만물이 쉬었다 가는 여인숙이고 우리가 이곳에서 머무는 세월은 영원한 나그네 길"이라고 읊었는데, 강물처럼 굽이쳐 흘러갈 때에 어찌 정든 곳이 없겠느냐만, 최희준의 「하숙생」 가사처럼 정일랑 두지 말고, 미련도 두지 말고, 강물처럼 우주천지의 섭리에 따라 거침없이 흘러갈 것이로다.

나는 나이 오십이 되기까지 청장년 반평생을 육군의 장교로 지내는 가운데, 영관 시절에는 육이오 전쟁을 삼 년 넘게 겪고, 장군이 되어서는 사단장 등 지휘관과, 마지막 봉사로 육군대학 총장을 사년 반 동안 근무하고 군을 떠났다. 육대에 있는 동안 매년 한 차례씩 대학생들을 이끌고 신라 화랑도의 흉내를 내는 격으로 설악산을 찾곤 했다.

한번은 울산바위에 올라 합창을 하자고 제안했더니, 학생 교육을 지도하는 교수단장 변일현(邊日賢) 장군이 「하숙생」을 부르자고 제안하므로 "인생은 나그네길…" 하며 서울과 평양까지 메아리쳐 울리도록 멋지게 불렀다. 눈물이 나도록 가슴이 후련해지는 것을 느끼게 되니, 이것이 소위 맹자가 얘기하는 호연지기(浩然之氣)인지, 조국강산에 대한 애착심인지, '군인의 멋'을 한껏 부려 본 것이다.

그런데 우리 인생이 한번 가면 다시는 안 돌아오는 편도길 나그네라면 좀 섭섭하다. 티베트의 종교와 정치의 수령격인 달라이 라마 같은 분은 윤회재생을 실증해 주고 있으니, 모를 노릇이다. 나는 불교인으로서, 교리에 따라 영혼의 에너지의 불멸을 믿고 산다. 육체는 노쇠하면 멸하지만, 영혼〔불성(佛性) 또는 심령(心靈)〕은 본래 생사가 없는 존재, 끄집어 낼 수도 볼 수도 없는 존재인 것 같다. 있긴 있는데 육체 속에서 분리해서 볼 수도 만질 수도 없는 존재인 것이다. 부모님의 몸을 빌려 음양 세포가 결합할 때 태아의 육체에 영혼이 깃들어 영육이 혼연일체가 되고, 태아가 성장하여 세상에 태어나서 생성궤멸,

급기야 육체가 멸할 때 영혼은 한평생 닦은 그 정도에 따라 수료증을 갖고 저승으로 돌아가는 것 같다. 우리 조상들이 서거의 의미로 '돌아가셨다' 는 말을 쓰신 것을 보면 슬기로운 철학적 냄새가 난다. 기독교에서 '하늘나라로 가셨다' 또는 불교에서 '극락왕생' 이란 말은 모두 영혼의 윤회갱생을 의미하는 사상일 것이다.

이 세상에 사는 이것이 '나' 의 전부이고, 죽음과 더불어 아무 것도 없는 '나' 라면, 그것보다 섭섭한 일이 없고, 슬프기 짝이 없고, 두렵기 한이 없을 것이다. 나이 많은 노인들 가운데 "더 오래오래 사셔야죠" 하고 위로해 올리면 "이젠 그만 가야 할 때가 됐으니, 가야지" 하고 대꾸를 진지하게 하시는 분이 더러 있는데, 인생의 진리를 터득하고 인생의 도를 달관하신 경지라고 우러러 보이며, 그런 경지가 부럽다. 이승〔현세(現世)〕의 수료증을 지니고, 인과응보 즉 내가 지은 나의 업의 인연 따라 나의 영혼이 더 훌륭한 차원으로 전생하고 싶다. 이승에 태어나서 가족과 친척과 친지 등에 정들이고 살다가 저승으로 가는 것은 인간인 이상 서운하고 섭섭하지만, 저승에 가서 다시 부모님, 형제자매 등과 얼굴 못 본 조부모님들, 또 다정한 친구들을 만나볼 수 있는 재미 또한 크지 않겠는가? 저승은 갔다 온 사람이 없으므로 불확실하지만, 내세가 현세보다 화려하고 평화롭고 안온하며 행복할지도 모를 노릇 아닌가.

현재의 '나' 라는 존재는 영원한 시간적인 종선(X선), 무변광대한 대우주라는 공간적인 횡선(Y선), 즉 XY선의 교차점이며, 이 나의 좌표는 끊임없이 흘러가고 움직이고 있다. 현재의 '나' 의 육체는 가유(假有)이고 '참나〔眞我〕' 는 영혼이라고 믿고, 영혼의 불멸을 믿으며, 이 한평생을 나의 영혼을 닦는 하나의 과정이라고 보며, 육체가 소멸하는 날까지 공부하고 닦아야겠다는 생각이 든다.

옛 선현들이 '평생공부' 라고 일러준 말의 뜻이 이런 것일 게다. 한편 공간적으로 보면, 우리들 인간은 대우주의 힘과 부모님의 몸을 빌려 이 지구상에 태어났으나, 모두가 대우주의 진리, 즉 대우주의 묘법(妙法), 대우주의 힘, 생명의 진리 덕분으로 영겁의 시간 속에 생물로서 끊임없는 진화과정을 거쳐 오늘의 '나' 와 '너' 가 존재하고, 각가지 동식물도 함께 존재하는 것이니, 그 뿌리는 같은 것이 아니겠는가? 다윈의 진화론이 옳다면 말이다. 부모는 일촌이요, 형제자매와 조부모는 이촌이요, 숙질은 삼촌이요, 형제자매의 자녀들끼리는 사촌인데, 가족을 위시해서 친척을 사랑해야 하고, 친지 선후배를 사랑해야 하며, 부계와 모계를 동등이 따진다면 천년만년 같은 겨레끼리는 성이 달라도 모두 혈연이니, 한겨레끼리는 사랑해야 한다.

인류는 한 뿌리에서 나온 것이니, 인종의 구별 없이 서로 사랑해야 마땅하며, 좁은 지구촌에 사는 모든 인류는 모두 사해동포인 것이다. 지구상의 시급한 환경보존과 평화를 위해서도 장차 세계정부가 21세기 안으로 세워져야 할 것 아니겠는가?

지구를 공유하는 동식물을 비롯해서 모든 생물을 사랑해야 한다. 대우주의 자연법은 이 지구상의 모든 생물에게 공생공존의 법을 의무화했을 것이다. 약육강식, 적자생존의 면도 있지만, 모든 생물의 공생공존과 '조화의 묘' 야말로 '대우주의 묘한 법' 인 것이다. 개 · 고양이 · 말 · 소 · 돼지 · 닭 · 새 · 물고기 · 나비 · 벌 · 잠자리 등도 모두 같은 뿌리 근원에서 시발한 귀한 생명체이다. 길가의 나무 한 그루, 이름 모를 야생의 꽃 한 송이도 사랑하고 아껴야 한다. 풀 한 포기에도 원래는 애정을 느껴야 함 직하지 않은가?

아, '인생칠십고래희(人生七十古來稀)' 라고 했는데, 지금 세상은 과학 발전의 덕분으로 팔구십 사는 것이 흔한 일 같지만, 한편 질병으로 일찍 타계하는 사람도 많다. 언제 육체의 멸이 올지 모르니, 돌아갈 차비 차근차근 해 가면서 사는 날까지 열심히 살며, 더욱 더 나의 영혼을 승화시키고, 이웃과 인류를 사랑하면서 여생을 가꾸고 싶다.

유한의 몸으로 영원을 자각하고 동경하면서 무한대의 우주에로 동화하려는 노력, 그 자체가 성현들의 인생 살아간 모습이 아니었던가? 흘러가는 저 강물처럼, 발걸음을 멈추지 말고, 주야불사(晝夜不舍)[1] 하자.

1. '주야불사' 는 『논어(論語)』「자한(子罕)」편에 나오는 다음과 같은 구절에서 유래한다. "공자께서 시냇가에 계시면서 '가는 것이 이 물과 같구나. 밤낮을 그치지 않는도다' 라고 말씀하셨다.(子在川上曰 逝者如斯夫 不舍晝夜)"—편자

우리 풍토와 인성(人性)

고희(古稀)를 지나 나이가 여든에 접어드니 살 만큼 살았다는 자위(自慰)와 함께 세월이 너무나 빠르게 흐르는 것이 아쉽기도 하다. 젊었을 때는 그리 못 느꼈는데, 후딱 하면 세모, 크리스마스가 다가오고, 연하장 쓰기도 이젠 부담이 된다. 어수선하게 연말연시를 치르고 나면 눈이 오고, 또 눈이 녹아 입춘이다. 봄기운이 돌면 꽃이 피고, 꽃이 지다 어느새 녹음이 우거지고, 한여름 덥다고 바캉스 간다고 떠들썩하고 며칠 밤 열대야로 잠을 설치고 나면, 어느덧 산들바람이 시원히 느껴지고 추석 한가위다. 단풍 구경이라도 하고 나면 이내 입동이라 한겨울이 닥쳐온다.

일 년이란 세월이 짧은 세월이 아닐 텐데, 아마도 여생 길이 자꾸 줄어드는 인생 황혼의 노인 심리에서일 것이다. 우리 국토는 다행히 온대이므로 춘하추동 사계절의 구분이 너무나 뚜렷하다. 봄과 가을은 좀 짧은 듯하고, 여름과 겨울은 좀 긴 듯 느껴진다. 농사를 짓고 사는 백성으로서 몬순(monsoon) 계절풍이 몰아다 주는 비의 혜택으로 일 년 농사를 짓고 살아 온 것이 우리 조상님들이다. 수천 년 동안 이 땅에서 그리 살아왔다.

농사에는 제때 씨 뿌리고 가꾸고 거두는, 이른바 농시(農時) 맞추는 일이 매우 중요하다. 적기를 놓치면 농사를 망치기 때문에, '때'를 다투는 것이 농민의 심리로 굳어져 버리고, 위정자의 심리도 성격도 이에 따르게 된 것 같다. 이리하여 우리 겨레의 성격상 만사에 '빨리 빨리' 하며 서두르고 남에게 뒤질세라 앞 다투는 기질이 생긴 것 같다.

넓고 넓은 대륙의 동쪽 지평선에서 해가 떠오르고, 서쪽 지평선에 해가 지는 그런 토양에서 살아 온 중국인들처럼 느긋하지 못한 것이 우리들이다. 소걸음의 일보일보(一步一步)는 느리지만, 지구력으로는 천리만리를 갈 수 있는 모습이 중국인들에게서 볼 수 있는 대륙 기질이다. 청소년 시절 동양사를 배울 때, 서구 열강 세력이 동진하여 중국의 주권을 잠식할 무렵 홍콩이나 마카오를 아흔아홉 해 동안 조차(租借)한 사실을 보고 국력이 약한 탓으로 그런 굴욕을 당하며 감수하는 중국인의 입장을 동정하면서도, 어처구니없는 일로 치부해 버렸다. 그러던 것이 내 나이 좀 늙었지만 타계하기 전에 조약상 만기가 되어 서양 사람들이 백 년 동안 가꾸어 놓은 '아시아의 보석'이 중국으로 되돌아온 것이다. 전화위복이란 말이 바로 이런 것일 거고, 조상들의 '슬픔'을 참는 인내력이 그 후대 자손들에게 덕을 끼친 격이 되었다. 우리 얘기는 아니지만 '우공이산(愚公移山)'이란 중국의 우화에서 배울 바 있듯이, 성미 급한 우리네들로서는 중국인의 대륙적인 기질을 이해하는 데 참고가 될 인류사의 한 토막으로 인상 깊다.

우리 인생도 우리의 몸은 비록 육 척이 못 되고 생애는 백(百)을 채우기 어려운 노릇이지만, 자손들을 위해서는 거시적인 안목을 지니고 사는 것이 현명한 조상으로서의 덕목이 아닐는지!

해외식민지 덕분으로 약 이 세기에 걸쳐 지구상의 오대양을 누비던 대영제국의 영광이 황혼 길에 접어든 것은 주지의 사실이다. 그들은 1840년대에 아편전쟁을 겪은 뒤 "중국이 이때까지 잠자는 사자인 줄 알았더니 잠자는 돼지더라!" 하며 여러 열강과 더불어 뜯어먹으려 했었다. 그러나 이제 와선 중국이 진짜 잠 깬 '사자' 모양으로 훌훌 털고 일어서는 모습을 보이니, 과연 인류 문명의 중심은 '동에서 서로' 지구 자전의 방향과 정반대로 서진(西進)하는 것이 우주자연의 섭리일까?

서구문명의 원조는 지중해변에 싹튼 그리스 · 로마 문명으로, 이스라엘에서 발상한 기독교와 융화된 문명이다. 서구의 문명은 유럽에서 꽃 피었고, 몇 세기 만에 대서양을 건너 북미에서 더욱 크게 꽃 피어, 제이차세계대전 후 그 절정에 이르렀다. 더욱이 소련의 공산체제 붕괴 후에는 미국의 국력은 초강대국으로 세계에 군림하고 있다.

이런 세계문명의 중심 이동의 역사적 현실을 보면, 그 중심이 한두 세기동안 미국에 머물다가 과연 태평양을 건너서 아시아대륙으로 옮겨 올는지 흥미로운 일이다. 아마 그때쯤 되면 무엇보다도 지구 환경보존 문제 때문에 인류가 살아남기 위해 오늘날의 유엔이 세계정부로 개편, 강화되어 각 민족국가들은 그 주권의 상당 부분을 세계정부에 위촉할 시기가 오고, '인류는 한 가족' 이란 사상 아래 전 인류가 공존공영할 수 있는 꿈 같은 새로운 지구문명의 시대가 전개될지도 모른다.

일본은 제이차세계대전에서 패배한 잿더미 위에서 다시 일어나 세계에서 두번째 가는 부국이 되었다. 한국은 국토 분단으로 '반 조각 나라' 가 됐지만, 육이오 전쟁의 잿더미 위에서 일어나 세계 열강의 문턱에 진입했다. 중국대륙에서 중국은 정치체제의 큰 틀은 그대로 두면서 자본주의 시장경제 원리를 도입한 지 얼마 지나지 않아 다이내믹한 모습과 속도로 세계 경제대국으로 발전해 가고 있다. 지금도 강국이지만, 그 인구와 국토의 광대함을 고려한다면, 중국이 앞으로 머지않은 장래에 미국 버금가는 나라가 되겠다는 국가적 대망을 이룰

지도 모를 일이다. 옆에 있는 일본 역시 국토는 협소하지만, 인구는 일억 수천만이 넘고 현재도 산업이 고도로 발전하여 세계에서 미국 다음가는 자본을 가진 나라로서, 그 나라 국민의 과학수준과 경제력이 결합하면 강대국이 아니 될 수 없다.

우리는 불행하게도 남북이 정치체제가 다르고, 겨레와 국토가 양분된 상태에 놓여 있다. 하지만 장차 합리적이며 평화적인 과정을 거쳐 이해관계가 깊은 주변 열강의 합의하에 우리의 주체성을 살린 이상적 통일국가를 이룩하는 날이 반드시 올 것이고, 또 우리 스스로도 노력해야 한다. 그리하여 동북평화 유지의 중화적 요축(要軸) 역할을 다하면서 세계평화에 기여해야 한다.

우리나라는 계절의 변화가 산뜻 선명할 뿐 아니라 산천경개가 아름답고 오밀조밀 오목조목하게 예쁘다. 또 산 좋고 물 좋고 공기 좋고 땅 좋은 풍광에 인심마저 좋아서, 그곳에서 생산되는 주식인 쌀을 비롯한 오곡과 육류 · 어류 · 야채 · 산채 · 과실 등 그 맛이 별미이다. 그러니 신토불이(身土不二)라는 원리에서 보면, 한국인은 시각 · 청각 · 미각 · 후각 · 촉각 등 오각의 감수성이 뛰어날 수밖에 없다. 그래서 화가 · 음악가 · 조각가 같은 세계적인 예술가들이 특히 해방 후에 우후죽순처럼 배출되는 것 또한 우연이 아닌 필연인 것 같다. 경주 불국사(佛國寺) 석굴암(石窟庵)에 모셔져 있는 불상은 그 규모는 작지만 뛰어난 예술품이다. 고대 그리스인이 만든 비너스 여신상이 세계에서 제일가는 아름다운 여인상(女人像)이라면, 석굴암 불상은 세계에서 제일 원만하고 의젓한 이상적인 남인상(男人像)의 조각이라고 자부할 만하다. 늦게나마 유네스코의 세계문화유산으로 지정된 것은 의당한 일이다. 우리나라를 동방의 해 돋는 나라, '아시아의 등불' 이라고 인도의 시성(詩聖) 타고르가 칭찬했듯이, 우리의 선인(先人)들은 진선미를 추구하면서 예술의 극치와 종교를 잘 조화시켰다.

아름다운 풍토 속에서 살아온 우리 민족은 그 섬세한 감수성이 풍부하기 때문인지 우리말처럼 형용사가 다양하게 표현되는 나라는 없을 것이다. 음식의 '맛깔' 을 표시하는 말도 하도 많아 갖가지 뉘앙스로 표현한다. 이것이 세계 인류에게 사랑받을 수 있는 한국인의 예술성인 것이다. 우리나라 여성 한복의 아름다운 디자인과 색상이라든지, 오늘날 한국인이 먹는 김치의 독특함과 다양한 맛은 세계 사람들을 매료하고 있지 않은가!

또한, 두뇌도 명석하고 손재주도 좋아 기능올림픽에서 보듯이 발명도 많이 하고 창조력도 뛰어나 훌륭한 문명과 문화를 창조할 수 있는 자질을 갖춘 민족임에 틀림없다.

우리들은 조상들이 물려준 동양 윤리인 '어진 마음' '착한 마음' '의로운 마음' '자비로운 마음' '홍익인간(弘益人間)하는 마음' 의 바탕 위에다 서구 자본주의 내지 민주사회의 근간 철학인 '자유' '평등' '박애' '협동' 을 추구하는 합리주의 사상을 융합 조화시켜 살기 좋은 나라를 건설하려는 꿈을 지니고 살아야 할 것이다.

내 인생의 영원한 번호, 806번

내가 정명섭(丁明燮) 선생님을 통해서 우주초염력을 접하게 된 것이 이미 십 년이 넘은 것 같다. 그간 공사(公私)로 선생님의 높은 인격과 깊은 애정에 정이 들어 스승이자 형님처럼 사모 공경하는 심정으로 모시고 있다.

사람이 나이 칠팔십이 되면 사람됨이 원숙해지고, 인생이 무엇인지 알 만해진다고 한다. 사람들은 한평생 살아가는 길목에서, 미리 예측하지 못한 우연한 일로 자기의 운명이 뒤바뀌는 수가 많다. 그 우연한 계기가 바로 그 사람이 타고난 숙명적인 '필연의 길' 같이 느껴지곤 한다. 속된 말로 사람의 '팔자' 같은 것일까?

나는 한평생을 직업군인으로 보냈다. 전역한 뒤에 잠깐 동안 공직생활을 한 뒤 여생을 가꾸며 살아가고 있다. 지난 과거를 돌이켜보면 참으로 파란만장한 세월이 아닐 수 없다. 해방되기 전 서울에서 대학을 다니다가 강제로 일본군에 징집되었다. 중국 산동성 전투에 투입되어 사경을 헤매다가 해방을 맞아 극적으로 귀국할 수 있었다. 그 뒤 서울대 법대 일회생으로 졸업하고 후에 이 나라 국군의 모체가 될 조선경비사관학교(현 육군사관학교)에 오기생으로 입교했다. 고된 훈련을 마치고 임관하여 군번을 받았는데 10806번이었다. 말하자면, 장교로 임관된 순서가 806번째라는 의미의 고유번호였다.

그런데 이것이 무슨 인연인가? 십여 년 전 내가 우주초염력연구소로 정 선생님을 찾아뵙고 회원으로 가입했을 때, 그 회원증 번호가 바로 806번이었다. 나는 놀라지 않을 수 없었다. 군인으로서 일생을 바치겠다고 결심하고 받은 군번과 우주초염력 회원이 되어 받은 회원번호가 어쩌면 이렇게 똑같을까! 이것이 어쩌면 하늘의 암시가 아닐까 하고 정 선생님께도 우스개 삼아 말씀드린 기억이 난다.

원래 내 고향은 경기도 광주 언주면 학리인데, 지금은 서울시에 편입되어 강남구 논현동으로 바뀌었다. 부친으로부터 물려받은 땅이 조금 있는데 지금은 논현동의 요지가 되었다. 그곳에 건물을 지어 말년을 한가롭게 지내고 있던 참이었다. 우연히 길거리를 지나가다가 눈에 띄는 책이 있었다. 『초염력』이라는 제목이어서 괴력을 발휘하게 하는 책인가 싶었는데, 그 내용을 살펴보니 몸과 마음을 건강하게 해 주고 재앙을 피하게 해 주며 사업을 잘되게 해 주는 염력(念力)이라고 했다. 호기심이 일어 책을 구입해 그날 밤으로 다 읽었다.

그리고 며칠 지난 뒤 정 선생님의 사무실을 방문하게 되었다. 그때부터 정 선생님과의 소중한 인연이 계속 이어지고 있는 셈이다. "군자의 맺음〔交〕은 담담하기 물과 같다"라는 말이 있다. 십여 년 동안 정 선생님과 사귀어 오는 가운데 금전이나 물욕에 청렴결백하신 선생님의 인품에 감탄을 금할 수 없었다. 게다가 영리를 위해서 우주초염력을 보급하시는 것이 아니라, 오직 인류에게 도움이 되고자 여생을 전력투구하고 계신 선생님께 새삼 경의를 드리지 않을 수 없었다.

성자(聖者)나 고승대덕(高僧大德)에게는 후광(後光)이 따라다닌다고 한다. 부처님이나 예수님의 그림을 보면 후광이 나타나고 있는 것을 볼 수 있다. 그런 오로라를 나는 정 선생님에게서 자주 보곤 한다. 정 선생님께서는 명산명소에 가서 천제 지낼 때는 물론, 강연회장에서 염력을 불어넣어 주실 때도 어김없이 아름다운 광채로 오로라가 비춰지니 매우 감탄스럽다.

선생님께서 대중들에게 염력을 넣어 주실 때마다 나는 빠지지 않고 참석하는 편인데, 그때마다 계속 내 손이 떨린다. 마음을 비우고 청정한 상태로 있으니까 우주초염력이 내 몸에 스며들어와 육체가 공명진동하는 것이 아닌가 생각하고 있다. 지금도 잊혀지지 않는 감동적인 순간은, 선생님을 모시고 백두산에 올라갔을 때였다. 천지를 굽어보며 천제를 지내는데, 그때도 오로라가 나타났다. 함께 간 회원들과 함께 몹시 감격스러워했음은 물론이다. 선생님께서는 매월 회원들과 함께 강화도 마니산에 올라가 천제를 지내신다. 그때마다 산의 정기와 우주의 힘과 교합되는 정 선생님의 염력이 몸에 와 닿는 느낌이 너무나 뚜렷하다. 우리 조상님들이 현명하시게도 천제를 지낸, 이 유서 깊은 터는 역시 명산 중의 명산임을 느끼게 한다.

우주초염력은 종교가 아니다. 그 이념으로 하는 바는 참마음, 참된 마음을 기본으로 삼으며, 착하고 순진무구한 마음 상태로 직접 염력을 받거나, 염력이 녹음된 카세프 테이프를 듣거나, 염력이 들어가 있는 실(seal)을 아픈 부위에 붙이거나 하면 병이 깨끗이 낫는다. 또 위험한 재앙을 미연에 방지하거나 간절한 소원이 성취된다. 그러나 마음에 때가 많거나 의심하는 마음이 있다면 우주초염력의 효력이 없어지는 것으로 알고 있다.

우리 가족 대부분이 열성적인 우주초염력 회원이다. 나는 매일 잠자기 전이나 아침에 깨자마자 침대에 누워서 우주초염력 테이프를 듣는다. 잠이 안 올 때는 귀에 꽂고 자면 염력으로 저절로 잠이 들며 몸이 과로로 몹시 피곤할 때도 너댓 시간만 자면 피로가 말끔히 가신다. 신기한 일이 아닐 수 없다.

초염력 테이프는 지금 내게는 제일 소중한 재산이요 생명의 벗이라고 할 수 있다. 또 하나 신기한 것은, 회원 가입할 때 받은 테이프이기 때문에 십 년 정도 된 것인데 지금까지 단 한 번도 고장이 없다. 게다가 일반 테이프를 들을 때면 이삼 일에 한 번씩 배터리를 갈아야 하지만, 초염력 테이프를 들을 때면 그 몇 배로 쓸 수가 있는 것이다. 가히 우주초염력의 힘이 미치지 않는 범위가 없다는 말을 실감하게 되는 것이다.

부록

시로 읊은 역사와 풍류
못다 한 이야기

시로 읊은 역사와 풍류

여기에 수록한 시와 시조들은 청년 시절부터 노년에 이르기까지
주로 우리 역사와 풍류에 관하여 김익권이 지은 것이다. —편자

해방

전지(戰地) 생활 삼 년 만에 고국산천 다시 오니
꿈에 뵙던 우리 양친 더욱이나 늙으셨네
부모님, 나 돌아왔으니 부디 오래 사소서

행복[1]

날은 아직 새지 않은 이른 새벽,
노란 등잔불 밑에서
잠 없는 백발 아버지는
경(經) 읽듯이 글을 읽으시고,
어머니는 해진 버선을 기우시네.

사방은 아직 고요하고
방안에는 다만 양친과 나뿐,
아직 잠에 어린 아들의 귀엔
아버지의 글소리가 왜 그리 우렁차
공맹자(孔孟子)의 그 모습도 같고

심산(深山) 절간 고승(高僧)의 모습도 같다.

이 양친께서 영원히 해로하셨으면!
돈도 싫고 명예도 싫다.
다만 부모 곁에서 살았으면!

겨울 야반(夜半)[2]

회나무 가지에 걸린 반달도
양산(陽山) 봉우리에 기울어 가고
대기는 매우 쌀쌀하다.
밤은 고요히 잠들고
다만 고막에 감촉됨은
지구의 움직이는 소리인지
혈액의 흐르는 소리인지.

멀리서 순경(巡更) 도는 청년의 소리
버-헌-두--우--어-.
마을의 잠을 지키느라고
졸음과 추움을 싸우는 전사,
너희는 신성하다.
향토의 평화를 위하여
몸을 바치는 너희 젊은이들
얼마나 거룩하냐.

대대로 전통에 잠자는

소박하고 평화로운 농촌
사욕에 더러운 도회보다
그 얼마나 아름다우냐.
당쟁에 골몰하는 도회 인사들아
이 처량한 소리를 들어 보아라.

홀연히 적막을 깨트림은
마을의 닭 우는 소리.
점점 우는 소리가 멀어져 간다.
아마 개들도 코를 고나 보다.
밤은 다시 적막에 잠을 자네.

정당관(政黨觀)[3]

평화의 종은 울렸건만
왜 이렇게 어수선한가.
죄다 제각기 잘났다고
떠들기만 하오.

아직 젖냄새나고
주둥이가 노란 젊은이들아,
보신(保身)을 위하고 출세를 위해

1. 1945년 12월. 학리에서.
2. 1945년 12월 10일. 학리에서.
3. 1945년 12월 10일.

일제(日帝)에 절하던 노배(老輩)들아
썩 물러서라.

반세기 기나긴 청춘을 해외에서
조국의 해방을 위해
싸워 오던 그네들에게
다만 감사와 감격뿐이
이 땅에서 잠자던 우리의
마땅한 축복이리라.

경복궁(景福宮)에서 태극기 게양식을 보고[4]

삼십육 년 동안 일본인 더러운 발굽 밑에
짓밟힌 경복궁에 봄이 오니
내려졌던 태극기 다시 날린다.

올라가는 깃발!
쳐다보는 군중의 눈에는
눈물이 글썽글썽,
뛰는 가슴에선 저절로 애국가가 솟아
지휘자 없는 합창을 울린다.

지하에 잠자는 조상님들이여,
우리는 이 기(旗)를 영원히 간직하리라.

인생이란[5]

인생이란 두 글자의 그 의미를 모르노니
지나가는 그 나날이 식일사(食一事)뿐이로다.
이러다 영영 죽으면 안타까워 어쩌리.

궂은 비 내리는 여름밤[6]

궂은 비 내리는 여름밤은
왜 이다지도 쓸쓸하냐.
사나운 모기도 있다손 치더라도
홀로 잠 못 이루느냐.

동무는 옆에서 자니
외로운 것도 아니련만,
스스로 어쩐 이치인지
헤아릴 바 없건만은,
세상이 어지러워
그런 줄 알겠도다.

4. 1946년 1월 14일. 경성에서.
5. 제목은 편집자가 달았다.—편자
6. 1946년 8월. 학리에서. (제목은 편집자가 달았다.)

강릉 오죽헌(烏竹軒)에서[7]

烏竹軒裡拜影幀

樹間鳥啼歡過客

勿問古今賢夫人

師任大德永世芳

늦은 봄 오죽헌에 님 그려 찾아드니

주인은 간 데 없고 새소리만 반기누나

고금(古今)에 가인(佳人) 묻거든 님을 두고 일러라

강릉 경포대(鏡浦臺)에서[8]

第一江山鏡浦臺

雙雙白鷗悠悠飛

遠有來心去心無

優雅畵幅桃園夢

제일강산 경포대야, 갈매기쌍 한가롭다

멀리서 찾아온 몸이 가고 싶지 않은 것은

이곳이 도원경이라 꿈이 깨지 않더라

오대산(五臺山) 탐방[9]

遠來五臺月精寺

千年寺塔獨守址

上院高僧入滅久

紅顔比丘讀經淸

월정사 찾아드니 옛 모습은 간 데 없고

상원암 높은 스님 가신 지가 오래인데

홍안의 애기스님 염불소리 맑더라

서울로부터 진해(鎭海)로 가는 엘십구기상(L19機上)에서[10]

추풍령(秋風嶺) 넘어서니 영남 땅일세

멀리 바라보니 크고 높은 지리산(智異山)

덕유산(德裕山) 저 너머는 무주구천동(茂朱九千洞)

발 아래 굽어보니 성역(聖域) 가야산(伽倻山)

낙동강 칠백 리가 굽이치누나

아, 이곳 영남 땅

신라의 후예들이 살고 묻힌 곳

진주 촉석루(矗石樓)에 올라[11]

嶺南絶勝矗石樓

悠悠南江過晋城

7. 1966년 5월.

8. 1966년 5월.

9. 1966년 5월. 오대산에서. 일제 말년 사연이 있어 오대산 월정사에서 하룻밤을 묵은 일이 있는데, 불행히도 육이오 병화(兵火)를 입어 절은 소실되고 높은 신라 석탑만이 비스듬히 서 있어 섭섭했다. 삼십 리 남짓 올라간 곳에 상원암이 있어 근세의 고승 방한암(方漢岩) 스님이 계시던 곳인데 지금은 가신 지 오래다.

10. 1967년 10월 4일.

11. 1967년 10월 21일. 진주에 있는 촉석루는 영남 땅의 절승지(絶勝地)로서 임진왜란의 처절한 전적지이며 논개가 수절하여 남강(南江) 물로 투신한 곳이다.

壬辰受難斷腸恨
論介淸節千年香

영남 절승 촉석루에 옛님 그려 오르려니
수난 삼킨 남강 물은 유유히 흐르는데
가신 님 보이지 않고 향내만이 어렸어라

설악산(雪嶽山) 금강굴(金剛窟)에서[12]

千仞絶壁金剛窟
錯覺夢遊登仙飛
心中無一俗世塵
千年對話元曉聲

천인절벽 금강굴에 쉬고 쉬어 오르니
꿈인지 생시인지 신선되어 나르는 듯
심중에 티끌 없으니 원효 소리 들리도다

토왕성(土旺城) 폭포를 보고[13]

空中飛來土旺城
風吹絶壁雲霧散
疑訝此水何處源
仙女化粧餘滴落

하늘에서 날아오는 토왕성 폭포수여

모진 바람 불어오니 구름 되어 나부끼네
묻노라 온 곳 몰라라, 선녀 화장 여적(餘滴)인고

설악대화(雪嶽對話)[14]

摩登絶頂蔚山岩
山上合唱下宿生
音響傳播南如北
問汝雪嶽客如何

울산바위 상상봉에 기고 기어 올라서서
산상 합창 부른 노래 그 이름이 「하숙생」
설악아 말을 해 다오, 나그네들 어떠냐

설악추색(雪嶽秋色)[15]

雪嶽秋色勝於春
紅綠黃葉仙女繡
碧溪水邊忘俗世
陶醉暫時夕陽斜

12. 1967년 11월 2일. 설악산 금강굴은 멀리 신라 고승 원효대사가 수양하던 곳이라고 전해 온다.
13. 1967년 11월 3일.
14. 1968년 10월 19일.
15. 1968년 10월 19일.

설악의 가을빛은 봄꽃보다 낫습디다
파랑 노랑 분홍 잎은 선녀들의 수일는지
냇가에 세속 잊으니 석양 노을 지더라

춘우(春雨)[16]

春雨蕭蕭日
田園紅綠新
心無俗世塵
遠慕陶淵明

봄비 보슬보슬 소리 없이 내리는데
울긋불긋 푸른빛은 더욱더 새롭구나
마음에 티끌 없으니 도연명이 그리워라

한산만춘(閑山晩春)[17]

閑山新綠鮮
白鷺作巢奔
往年水軍樣
此禽戰士魂

한산섬 늦은 봄에 신록이 푸르른데
수상에 애오라지 집 짓기에 바쁘더라
지난날 수군(水軍)들의 그 모습 넋이런가

판문점(板門店) 유감(有感)[18]

同祖子孫犬猿間

彼眼如蛇我心傷

國土分斷百年恨

無心烏鵲飛去來

조상은 같다지만 이제는 원수인가

독사 같은 눈초리에 이 가슴이 상하누나

무심한 까막까치만 오고 가고 하더라

설악사차행(雪嶽四次行)[19]

往年雪嶽歡樂甚

今次行脚哀愁深

候鳥佳人[20]離巢久

秋雨雲霧壯容沈

왕년의 설악 길은 즐겁기도 하더니만

님 없으신 이번 길은 쓸쓸도 하오이다

가을 비 안개 구름에 산용(山容)마저 가렸어라

16. 1969년 4월 16일. 부마공로(釜馬公路) 상에서.
17. 1969년 5월 2일.
18. 1969년 6월 20일.
19. 1969년 10월 22일.
20. '후조가인(候鳥佳人)' 은 철새처럼 떠나 버린 아름다운 여인.

대만(臺灣) 상공에서[21]

遙望新高山

身在白雲中

心情無一塵

只思祖國情

신고산 바라보며 몸은 백운 중

심중에 쌓인 티끌 맑게 가시니

두고 온 조국 강산 더욱 그리워

독백(獨白)[22]

그 이름 시곡(枾谷)!

인연 따라

눈물과 낭만을 뿌리며

물과 같이 흘러가는

존재이더냐!

향수(鄕愁)

귀심여시(歸心如矢)!

양(梁) 양에게 준 글[23]

萬里他鄕白衣花

身在孤島風塵甚

何故自處千辛苦

還我河山每一般

만리 타관에 백의화야, 고도풍진 거셀러라

남 싫은 그 고생을 어찌 다 한다느뇨

조국 땅 되찾기는 매일반 하리마는

대만(臺灣)의 양 양에게[24]

去年金門逢娘子

今年歲暮對君墨

光陰如流生無常

客地鄕愁情如何

지난해 금문도에 그대를 보고

올해도 저무는데 그대 글 보니

세월은 물과 같이 덧없고 나야

객지에 고향 생각 얼마나 하리

21. 1969년 11월 26일. 신고산은 대만의 주봉으로서 해발 삼천칠백 미터.
22. 1969년 11월 26일. 대만 대중(臺中)에서.
23. 1969년 11월 26일. 대만 금문도(金門島)에서. 양 양은 이십오 세의 한국 여성으로 중국 금문 고도(孤島)에서 중학교 교사로 봉직 중인바 대만 여행 중에 우연히 상봉함. 〔이 시를 받은 양동숙(梁東淑)은 1969년 12월 18일 대만 금문도에서 「사고향(思故鄕)」이라는 다음과 같은 시를 읊어 답했다. "忽見故鄕人 鄕情繫我心 須臾言未盡 離別淚沾襟 (홀연히 고향 사람을 만나 / 향수가 복받쳐 오르는구나 / 미처 하고 싶은 말도 다 못 했는데 / 작별의 눈물이 옷깃을 적시네)" 다음 해 세모에 김익권은 다음의 시 「대만의 양 양에게」를 지어 보냈다.—편자〕
24. 1970년 12월 22일.

설악산(雪嶽山) 마등령(摩登嶺)에 올라[25]

마등령 넘는 길은 높기도 하오이다
십 분 걷고 오 분 쉬며 기고 기어 올라서서
외설악 바라보니 구름뿐일세

설악(雪嶽) 비선대(飛仙臺)에서[26]

대청봉(大靑峰) 내린 물이 비선대에 굽이치니
비취 같은 푸른 물에 속세를 잊겠노라
선녀여 다시 내려와 그대 몸을 감으소서

진해(鎭海) 회고[27]

三次來往宿世緣
多情有感八年餘
陶冶干城忘歲月
昨日紅顔已五十

세 차례 오가는 길 숙세의 연일런가
다정다감 간성교육 세월을 여엿더니
홍안은 어디 가고 오십 고개 넘었구나

경주 분황사(芬皇寺)에서[28]

파초(芭蕉)닢 감〔柿〕 붉은 골에 천 년 석탑 말해 다오
원효 스님 살아실 제 그 모습이 어떻더뇨

님께서 마시던 물〔井〕에 마른 목을 축이노라

첨성대(瞻星臺)에서[29]

서라벌 첨성대야 네 모습이 아리따워
별빛 보던 옛 조상들 그 슬기도 슬기려니와
의젓한 날씬한 몸매 신라 가인(佳人) 그 모습이

행주산성(幸州山城)에서[30]

사월의 산성 위에 꽃 피었네 꽃이 지네
유유(悠悠)한 한강 물은 말 없이 흐르는데
봄맞이 젊은이들 노랫소리 평화로워

첨성대(瞻星臺) 유감(有感)[31]

날씬한 첨성대에 선덕여왕(善德女王) 그 모습이
아리따운 그 몸매와 의젓하신 그 모습이
서라벌 슬기와 예술, 이 조국에 길이길이

25. 1970년 10월 20일. 마등령은 내설악에서 외설악으로 넘는 재로서 해발 일천삼백이십칠 미터임.
26. 1970년 10월 21일.
27. 1971년 10월 9일. 육대(陸大) 도불장(道佛莊)에서. 나그네 시곡(柿谷)은 이곳 진해에서 육사 교수부장, 육대 교수단장, 육대 총장 등 세 차례 오고 가며 흘러가노라.
28. 1972년 10월 17일. 경주(慶州)에 있는 분황사는 신라가 배출한 한국 불교의 조종(祖宗)인 원효대사(元曉大師)가 계시던 곳으로 전해 오고 있다.
29. 1972년 10월 17일.
30. 1974년 4월.
31. 1974년 10월 11일. 첨성대는 선덕여왕 재세 시에 이루어졌다고 전해 온다.

문총통장서이억우(聞總統長逝而憶友)[32]

還我何山身在莒

英雄長逝淚沾襟

九十平生唯革命

未盡遺業囑貴公

본토(本土) 수복의 꿈은 아득한 채 몸은 객지(客地)

영웅이 영원히 가시니 눈물이 옷깃을 적시네

구십 평생 오직 혁명 과업뿐이셨는데

미처 다 못 이룬 대업(大業)을 그대에게 위촉하시고

설악대화(雪嶽對話)[33]

雪嶽容古今同

流水過客不知數

問汝雪嶽客如何

幾許眞人於其中

말 없는 설악산은 고금에 장(壯)하건만

흘러간 나그네들 자취도 없단 말인가

설악아 말을 해 다오, 참사람이 몇이더냐

관악산(冠岳山)에 올라[34]

한강 물에 발 잠그고 서울을 바라보며

의젓이 앉은 모습 어제 오늘 아니어든
관악산 그대 알리라, 흐른 세월 어떻더냐

여생(餘生)의 소원[35]

세월을 잊은 채
마지막까지 달리다
비장(悲壯)하게 가는 사람도 있다
영웅의 최후처럼

차근차근 갈 차비 하고
소리 없이 살다
화로에 불 사위듯
조용히 가고 싶다

애석(哀惜)도 허무(虛無)도 모른 채
후회도 미련도 없이
황혼에 해 지듯이
아름답게 가고 싶다.

32. 1975년 3월 6일. 구우(舊友)인, 장제스(蔣介石) 총통의 차자(次子) 장웨이궈(蔣緯國) 장군에게 장 총통 애도시(哀悼詩)를 보내다.
33. 1975년 6월 13일.
34. 1976년 10월 16일.
35. 1976년 11월 25일.

고향의 봄〔강남춘(江南春)〕[36]

春雨桃花紅

草綠梨花白

去年在他處

今年在故鄕

봄비 내리는 속에 복숭아꽃 붉은데

초록에 어울린 배꽃이 희구나

지난해엔 타향에서 지냈더니

금년 봄은 고향에서 맞는구나

딸 형인(炯仁) 도미유학(渡美留學) 길에 부쳐[37]

벅차게

인생 길에 한 장을 넘기다.

어린 아기새 애지중지 품에 끼고 키워서

활짝 웃음 짓고 자유의 날개 치며

창공을 향해 고소(古巢)를 떠나는 모습

슬기롭구나 대견하구나

헤어지는 슬픔은 한때 깊어도

금의환향(錦衣還鄕)의 기대와 포부

그대 전도(前途)를 축복하도다

조상님들의 영혼이 그대를 보우하시고

조국의 동포들이 그대를 아낄 날이 오리니

부디 몸성히 정진하고 수학하여
대한의 여성답게 대기만성하여라

딸 형인에게[38]

인생이란
자기가 지닌 영원한 영혼을 맑혀 가는
현실의 과정이다.

먹고 마시고 쉬고 자고 일하면서
몸의 병 없이 마음의 여유가 있어야
자기의 영혼을 맑히기 쉬워…
그렇기 위해서 공부도 하고 일하는 거야

나만이 아닌 이웃들에게도
인간다운 그런 기회를 주기 위하여
우리들 다같이 노력하고 일해야 해…

그러한 인생을 살다 가는 사람을
행복된 인생이라 한다

36. 1977년 4월 24일. 논현동에 그전 해 가을에 집을 지어 이사와서 처음 봄을 맞으며.
37. 1977년 8월 11일.
38. 1978년 7월 10일. 고향에서.

추석에 딸을 그리며[39]

– 도미 중인 딸에게

一家會同仲秋節

闕汝此處 憶女情

客地何有八一五

望月慕親思故鄕

모두 모인 중추절에 너 없으니 네 생각이

그곳에야 어찌 음력 추석 있으련만

둥근 달 바라보면 고향 생각 나리라

축(祝) 회갑(回甲)[40]

老妻回甲日

幸遊東鶴寺

白雪滿乾坤

鷄龍玉水淸

노처의 회갑일에 동학사엘 오르니

입춘해동(立春解凍) 호시절에 건곤은 백설이라

그 속에 계룡옥수가 맑게 녹아 내리더라

송춘담수(頌春潭壽)[41]

柿谷殘雪盡

春潭水滿滿

日中風雨鎭

夕陽色華麗

시곡(柿谷)에 잔설 녹으니 춘담(春潭)에 물이 가득

대낮에 불던 비바람 고요히 잦아드니

석양에 노을빛이 더욱더 화려하이

속리산(俗離山) 등정[42]

俗離山頂文藏臺

兩道接境玉盤石

眼下萬峰雲霧中

華藏世界造化相

39. 1978년 추석.
40. 1979년 음력 1월 10일 기미(己未) 춘(春). 계룡산 동학사에서. 〔아내 한정희는 회갑을 맞아, 유성 온천을 거쳐 집으로 돌아가는 차에서 회갑의 소회를 「회갑 유감(有感)」이라는 시로 다음과 같이 읊었다. "六十平生風塵垢 今日洗滌於儒城 昨日紅顔去無影 會心微笑在其中 (육십 평생 묵은 때를 유성 물에 다 씻으니 / 홍안은 간 데 없고 백발이 늘었구나 / 인생길 회심 미소는 이제론가 하노라)"—편자〕
41. 1979년 음력 1월 14일 기미 춘. 서울 자택에서.
42. 1982년 8월 20일.

속리산 문장대는 양도(兩道) 접경 옥반석
안하의 일만봉이 운무 속에 솟았으니
부처님 화장세계[43] 조화 모습일러라

억우(憶友)[44]

暑中有閑解脫境이요
墨筆自在神仙界라
若人問我兄如何면
吾答陋巷隱君子이지

더위 잊고 한가로워 붓끝이 자재로다
신선놀음 해탈경계 이 어찌 아니이랴
만약에 묻는 이 있거든 은군자라 이르리라

유(兪) 장군 자당(慈堂) 안장(安葬) 귀로(歸路)[45]

鳥嶺關門殘雪淨인데
三月春風山氣淸이라
老將親喪歸葬路에
水安堡泉又加情이라

조령새재에 잔설이 희맑은데
삼월춘풍 산기운이 더욱 맑구나
노장 친상 장례 귀로에
수안보 온천목욕 그 정을 더하더라

출가송(出家頌)[46]

雲水行脚 本來願이요

七十平生 俗世夢이지

世間所有 我盡見하니

殘餘歲月 脫俗界하리라

운수행각[47] 하련 마음 본래부터 원한 바요

일흔 해를 살아온 삶 속된 세상 꿈이었네!

세상에서 있는 것들 내 모두 보았거니

남은 세월 얼마인가, 속세를 벗어나리

위국천추(爲國千秋)[48]

百尺竿頭祖國運

臥龍平生入岐路

大義爲本私情末

公先私後餘生樂

43. 화장세계(華藏世界)는 연꽃에서 태어난 세계 또는 연꽃 속에 담겨 있는 세계라는 뜻으로, 불교에서 그리는 세계의 모습을 이름.—편자

44. 1983년 7월 11일. 광명(光明) 박재곤(朴宰輥) 형의 묵화(墨畵) 「서중문안(暑中問安)」을 받고 회신.

45. 1984년 3월 6일. 조령새재에서.

46. 1985년 5월 18일. 출가를 결심하고 구룡산에서 즉흥으로 쓰다. (번역 김종서(金鍾西))

47. 운수(雲水)는 행운유수(行雲流水)의 줄임말로, 구름이나 물이 그 어디에도 걸림 없고 막힘 없이 흘러가는 것처럼, 일체의 경계나 대상에 집착하지 않고 구름이나 물처럼 자유로운 심경(心境)으로 살아가는 수행자를 일컫는다. 행각(行脚)은 여러 곳을 돌아다니며 도를 닦는 것을 이름.—편자

48. 1992년 11월말. 개포동에서. 김영삼 전 대통령이 대선 후보에 나올 때 종친의 선배로서 이 시를 보냈다.(번역 김종서)

백 자 되는 장대 끝에 조국 운이 달렸으니
누운 용의 한 평생이 갈래 길로 들어섰네.
큰 의리는 근본이요 사적인 정 말단이라
선공후사 하는 것이 남은 삶의 낙이로다

한강(漢江)의 노래[49]

내설악(內雪嶽) 고운 물이 오대산(五臺山) 맑은 물이
양수리(兩水里)에 함께 모여 한양 서울 감싸돌며
구원의 젖줄 되어 백의겨레 길렀도다.

백제 시조 온조왕(溫祚王) 님 잠실벌에 터를 닦고
고구려 온달(溫達) 장군 아차산(阿嵯山)에 눈물 뿌려
신라 성군 문무왕님 국토통일 이루셨네.

유구한 한강수야, 지나간 일 네 알리라.
흥망성쇠 희비애락 인간사를 네 알리라.
반만 년의 애환과 한을 길이 삭여 흐르거라.

올바르고 굳세고 어지신 그대[50]

올바르고 굳세고 어지신 그대
뵈온 지 하도 오래 보고 싶네요.
꽃피고 새 우는 봄이 오거든
내외분 손을 잡고 찾아 주소서.

剛直淡白心慈愛

積阻歲月戀慕情

花開鳥啼春來時

內外同伴尋訪何

어려서부터 몸을 닦아 일흔 살을 넘기시고〔修身幼稚越古稀〕[51]

修身幼稚越古稀

晩年僥倖遇知音

世人褒貶吾不關

敬頌思慕貴人德

어려서 몸을 닦아 일흔 살을 넘기시고

늘그막에 요행히도 날 알아준 벗을 만나

세상사람 칭찬 비난 나는야 관계없어

사모하는 귀인 덕을 공경히 칭송하오.

49. 1992년 12월 31일. 아차산성은 한강변 워커힐 북쪽에 솟은 군사상 요지로서, 고구려의 온달 장군이 신라군과 싸우다가 장열하게 전사한 곳이다.

50. 1995년 12월 29일. 개포동에서.〔이인재(李麟載) 장군이 1995년 연하장에 "아름다운 꽃피고 예쁜 새들 노래하는 / 고요하고 푸른 숲에 나는 가리라. / 세월 지나 무덤 속에 나 잠이 들면 / 내 눈과 귀 흙으로 뒤덮이려니, / 아름다운 꽃의 모습 내 어이 보랴! / 예쁜 새의 노랫소리 내 어이 들으랴!"라고 하이네의 시를 적어 보냈기에, 김익권이 즉흥으로 답한 시.—편자〕

51. 1996년 12월 16일. 개포동에서.(번역 김종서)〔용무(龍舞) 김용배(金容培) 대장이 병자년 세모에 "和氣自來君子宅 瑞光先到仙人家 從容矍鑠心身健 暢志悠然幸運多 (화기는 군자 댁에 저절로 찾아오고 / 서광은 선인 집에 앞서서 다다르니 / 조용하고 씩씩하며 몸과 맘이 건강하셔 / 활달한 뜻 여전히 행운이 많으소서!)"(번역 김종서)라고 정축년 연하시를 보내와, 김익권이 답한 시. 제목은 편집자가 달았다.—편자〕

조등소평(弔鄧小平)[52]

萬里長征青雲夢
波瀾風霜不到翁
以柔制剛天之理
五尺短身中和平

청운의 푸른 꿈을 품고 만리장정 이루고서
파란풍상 겪으면서 살아남은 오뚜기옹
부드러움 강(剛)을 이기니 하늘의 도리로다.
오척단구 그대 있기에 중화가 평화로워.

잡영(雜咏)[53]

人生無常如流水
昨日青春已八十
回顧平生哀歡事
錦錦追憶長恨夢

인간사 허무하여 세월은 유수같이
엊그제 청춘 몸이 어언 팔십 다 됐구나
어즈버 주마등처럼 지나간 추억이여

세모유감(歲暮有感)[54]

人生六十斷歲拜하고
老年八十絶年賀로다

壽命長短天地事요
寂靜閑居黃昏樂이지

인생살이 예순 살엔 세배를 끊었고
늘그막에 여든 되어 연하마저 그만뒀네.
수명의 장단이야 조물주의 주관이니
고요하고 한가한 삶 황혼의 낙이로다

백년탐물일조산(百年貪物一朝散)[55]

百年貪物一朝散
三日修身千載寶
空手來世身無衣
空手去世有壽衣

백 년 동안 물질을 탐해도 하루아침에 먼지로 흩어지지만,
삼 일 동안 수신하면 천 가지 보화가 쌓인다.
빈손으로 온 세상, 맨몸에 옷 한 벌 없었으나
빈손으로 가는 세상, 수의 한 벌 얻었구나.

52. 1997년 2월 20일. 등소평의 서거를 애석해 하며.
53. 2000년 11월 16일. 개포동에서.
54. 2001년 세모에.(번역 김종서)
55. 물질은 백 년을 탐해 봐야 허사이지만 삼 일 동안만이라도 수신하면 그 공덕이 크다는 불가(佛家)에 전해 오는 칠언절구에 마지막 두 줄만을 김익권이 재치껏 바꾸어 쓴 것이다.—편자

못다 한 이야기

아버지가 남기신 자서전 원고 초록에는 앞으로 완성될 그 책의 목차가 적혀 있었다.
그 목차에는 각 장의 제목이 명시되어 있는데, 각 장의 내용을 아버지께서는 대부분
스스로 집필하시어 완결해 놓으셨다. 그러나 그 중 세 편만은 목차에
제목만 적어 놓고 미처 쓰지 못하셨거나 완결하지 못하셨다. 그 세 편은 각각
「가훈(家訓)」「나의 역사관과 조국의 미래상」「인생과 인연」이다.
아버지께서는 원고를 집필하시기 전에 때로는 '잡기장'이라는 노트에 앞으로 쓰실 것에 대한
구상을 메모해 놓으셨으며, 그렇게 여러 해 동안 메모해 놓으신 잡기장이 여러 권 남아 있다.
아버지께서 남기신 잡기장이나 다른 기록들에 따라, 그리고 평소의 언행으로 미루어,
아버지께서 미처 완성하지 못하셨던 세 편에 무슨 말씀을 남기려고 했을까를
가늠해 보며 이 부록을 엮었다.
—김형인

가훈(家訓)

여러 권의 잡기장에는 '가훈'이라는 제목으로 키워드나 짧은 문장들이 메모되어 있다. 이를 정리해 보면 다음과 같다.

지성위락(至誠爲樂)

아버지께서는 자서전의 목차를 만들 때 「가훈」이라는 글의 부제를 '지성위락(至誠爲樂)'이라 달아 놓으셨다. 이는 자손들에게 매사에 지극한 정성으로 열심히 임하는 한편, 자족할 줄 아는 삶으로 기쁨을 누리라고 남긴 말씀으로 해석된다.

이와 비슷한 맥락에서 아버지께서는 1989년부터 2002년 사이에 사용하던 잡기장에 '지성감천(至誠感天)'이야말로 아버지 시곡(柿谷)

이 할아버지 학산(鶴山)에게서 배운 가르침 가운데 제일 소중한 인생 교훈이라고 씌어 있다. 이어서, "하늘의 그물은 촘촘하여 새는 법이 없다(天網恢恢 疎而不漏)"라는 공자(孔子)의 말씀을 인용하면서, "지극 정성스런 마음에는 하늘도 감응하므로 정성스럽게 사는 사람에게는 길이 열리는 법이다"라고 부연설명하였다.

인연의 소중함

위에 언급한 잡기장에는 '인생의 교훈'이라는 제목과 함께 '인연의 소중함' '선인선과(善因選果) 선연선보(善緣善報)'라고 적혀 있고, "한평생 살아감에 남과의 만남을 착하고 어진 마음으로 살아갈 것, 그러면 불가사의한 행운과 길운(吉運)이 다가오리라! 인간의 한평생이란 인연이 엮어 주는 일장의 파노라마다. 윤회전생하는 것이라면, 현세에서의 운명은 다분히 전세의 업의 과보일 것이다"라는 말씀이 씌어 있다.

지천명(知天命)

아버지께서 돌아가시기 육 개월 전인 2006년 4월 17일에는 '교훈(教訓)'이라는 제목 아래 "어려운 인간사가 있어 진중을 기해야 할 때에는 하늘〔天〕의 뜻이 과연 무엇일지 생각하고 또 생각한 후에 실천할 것이다. 그러면 십중팔구는 후회가 없을 것이다"라는 말을 잡기장에 남겼다.

젊은 시절의 가훈

위에 언급한 세 가지 말씀은 아버지께서 노년이시던 여든 전후에 남긴 것이다. 그보다 앞서 예순여섯 되던 해인 1988년에는 아래와 같은 내용의 '가훈(家訓)'을 써서 액자로 만들어 안방에 걸어 놓고 자손들이 방을 드나들며 자연스레 익히도록 했다. 이 가훈의 내용은 위에 언급한 세 가지 말씀을 상당 부분 내포하지만, 그 외에도 여러 가지 다양한 삶의 지침을 제시한다.

孔子: 興於詩하고 立於禮하며 成於樂이니라. 文質彬彬하고, 知天命하라. 己所不欲을 勿施於人하며 以直報怨하고 以德報德하라.

忠武公: 死生有命하나니, 用則以死孝忠하고 不用則耕野足하라.

釋尊: 應無所住 以生己心하고 應無所住 行於布施하라.

이것을 해석하면, 다음과 같다.

공자: 시(詩)로 정서를 함양하고 예(禮)로 바로 서며 음악으로 인품을 완성하라. 학문을 갈고 닦아 빛내고, 천명(天命)을 알아라. 내가 하고 싶지 않은 것을 남에게 시키지 말 것이며, 원한은 곧음으로 갚고 덕은 덕으로 갚으라.

충무공: 죽고 사는 것은 하늘에 달렸으니, 나라에서 써 주면 죽도록 효와 충을 바치고, 나라에서 안 써 주면 밭을 갈며 만족하라.

석존: 머무름 없이 마음을 내며, 머무름 없이 보시하라.

나의 역사관과 조국의 미래상

이 제목의 글을 아버지께서 어떻게 집필하려 하셨는지 가늠하는 것은 쉬운 일이 아니다. 아버지께서는 이 부분을 쓰시기 위해 이십 년이 넘는 세월을 매일 신문을 정독하고 좋은 부분이 있으면 스크랩하였다. 아버지께서는 팔순이 넘도록 농사를 짓는 틈틈이 독서를 하셨는데, 어떤 때는 하루에 여덟 시간 이상 독서를 하던 노익장이었다. 이렇게 끝없이 배움의 자세를 갖고 정보를 정리하며 스크랩을 한 것은, 당신의 역사관과 조국의 미래상을 집필하기 위한 준비작업이 아니었나 생각된다.

1989년의 한 잡기장에는 '나의 사상(思想)'이라는 제목 아래 '자유와 평등에 대하여' '상대주의와 중용사상' '역사관과 문화관' '조국의 평화통일' '이상국가의 표본' '동북아의 공존과 공영' '지구촌의 여명' 등의 소제목을 열거해 놓으셨다. 이 책에는 이미 아버지께서 지녔던 유교적 사상이 많이 실려 있다. 그리고 자유와 평등이나 상대주의, 세계정부에 관해서도 약간이나마 언급되었다.

아버지께서는 이 글을 집필하시지는 못했으나 두 가지 주제에 많은 관심을 기울이셨다. 그 하나는 네 강국 사이에 끼어 있는 우리나라의 미래가 스위스처럼 영세중립국이 되어야 국익에 보탬이 되고 영원한 평화를 보장받을 수 있다고 믿었다는 것이다. 그래야만 중국과 일본, 우리나라를 포함한 동북아에 공존공영의 길이 열릴 것이라고 보셨다. 다른 하나는, 요즈음 물질만능주의로 도덕적 가치가 땅에 떨어지고 있는 것을 개탄하셨다. 그리하여 훌륭한 정신적 지도자가 나와 우리나라의 정치를 쇄신하고 사회를 올바른 길로 이끌어 갈 수 있기를 염원하셨다.

인생과 인연

아버지께서 남긴 자서전 목차 중에는 '인생과 인연'이라는 제목이 있다. 거기에는 이 책의 앞부분에 실린 북지(北支) 전장에서 만났던 두 학도병의 이야기가 포함되어 있고, 이와 더불어 그 제목 옆에 박경호(朴景浩), 신응호(申應鎬), 정명섭(丁明燮)의 존함이 씌어 있다. 이로 미루어 보면, 이 세 사람에 관한 이야기를 '인생과 인연'의 장에 더해서 우리의 인생에 인연이 얼마나 소중한 것인지를 보여 주려 했음에 틀림없다. 아버지께서는 시무라(志村) 군의 이야기에서 피할 수 없는 인과응보의 원리에 대해, 또 806번이라는 숫자가 우연히 자신의 군번과 우주초염력연구소 회원 번호로 일치한 데서 깨달은 인연에 대해 이야기하려고 하였을 것이다. 위의 세 사람은 나름대로 도(道)를 닦은 이들로 도력(道力)이 상당히 높았으며, 아버지께서는 이들과 서로 존경하거나 마음이 통해 교류가 깊었다. 시곡은 이 도인들과의 교분도 당신의 인생이 구도자의 길에 항상 매력을 느끼도록 어떠한 인연이 맺어져 있다고 믿으셨음에 틀림없다. 시곡은 사람 사이〔人間〕의 인연을 몹시 중요히 여기고 한번 인연을 맺은 사람과는 그 관계를 소중하게 아끼셨다. 그리고 인생은 인연 따라 순리대로 살아가야 된다고 믿으셨다. 여기에 이 세 사람들에 대해 내가 아는 만큼만 간략히 적는다.

박경호(1889-1961) 선생은 강원도 평창면 하리 오번지에서 태어났으며, 시곡이 학병 나갔을 때 북경에서 처음 만난 분이다. 블라디보스트크 한인촌에 정주하여 독립운동을 도왔고, 전통 한학(漢學)의 학식이 높아서 그곳에서 의술을 행하며 많은 사람의 생명을 구해 주었다. 박 선생의 큰 아들 박상국(朴相國)의 말에 의하면, 박 선생은 한학 중에서 특히 주역(周易)과 천기(天機)를 공부했는데, 금강산에 입산하여 삼 년 이상을 관상 · 천문 · 지리 · 의학에 대한 공부를 하였다고 한다. 천기에 관한 공부는 비밀스러운 것으로 말씀을 아꼈으나, 이 공부는 천부적 체질을 타고나야 할 수 있으며, 율곡(栗谷)이나 이순신 장군도 이 공부를 한 것으로 믿었다고 전한다. 하산 후 일제강점기가 되자 망명길에 올라 해삼위(海蔘威, 블라디보스토크)로 갔다가 만주에서 독립군에 협력하였다고 한다.

그 후 북경으로 이사 와서 박 선생은 양복 원단을 생산하는 방직공장인 대동상공(大東商工) 주식회사에 다니며 가족이 풍족하게 살았고, 가끔 상해의 임시정부 측과 연락이 되어 비자금을 제공했다고 박상국은 전한다. 시곡이 언급하던 바로는, 박 선생은 한국 학도병들 몇 명을 매주 댁으로 초청하여 좋은 음식을 배불리 먹여 주었다. 박 선생은 당신이 갖고 있던 『황석공소서(黃石公素書)』를 시곡에게 전수해 주면서 다른 학생들보다 각별히 아꼈다고 한다.

해방 후 피차 소식을 모르다가 어느 날 서울에서 시곡과 박 선생이 재회했는데, 북경에서 귀국하여 박 선생과 그 가족이 기거할 곳이 마땅치 않아 후암동의 우리 집에서 몇 년을 같이 살았다. 그러던 중 시곡이 신경쇠약에 걸리거나 이질에 걸렸을 때 손수 약을 짓고 달여 주어서 병환이 나았다. 시곡의 아내도 집에서 첫 딸을 낳을 때 혼절 상태에 놓였었는데, 시곡이 놀라서 동네 의사를 부르러 간 중에 박 선생이 응급처치를 해주어서, 차후 출두한 의사가 아이를 기계로 빼내어 산모의 생명을 건지고 태아도 건강하게 출산하여서 현재도 둘 다 잘 살고 있다. 그러니 박 선생은 우리 가족의 생명의 은인이라고 할 수 있다. 우리 집에서 이사 나간 후에도 소식이 간혹 이어졌고, 현재도 박상국 씨와 우리 식구는 교분이 두텁다.

박경호 선생은 김구(金九) 선생이 운명할 것이라든가 육이오가 날 것도 미리 예측하였다고 박상국은 전한다. 후암동에서 우리 아랫집에 산 적이 있었던 과학기술처 장관을 지낸 정근모(鄭根謨) 박사도 자신의 자서전에 박 선생이 높은 도력을 갖고 있어서 동리의 큰 어른으로 존경받았다는 이야기를 실었다.

신응호 선생은 타계한 지 오래되고 그 가족들과도 교류가 끊긴 지 이십여 년이 되어 애석하게도 자세히 기록을 못 한다. 단지 아버지보다 몇 해 연배로 일본 메이지 대학을 졸업하고 대한민국 정부 수립 시에 젊은 나이로 국회의원 선거에 출마하였다가 낙선하고, 한치 앞을 못 보는 자신의 무지를 한탄하며 도(道)를 닦기 시작하였다고 한다. 예전에 아버지 어머니께서 다니시던 학송사(鶴松寺)의 신도로 서로 인연이 닿아 아버지와 절친한 사이가 되었고, 우리 가족들이 그분이 조제해 준 한약을 먹고 건강에 많은 도움을 받았다. 그의 아버지가 한의사였다고 한다. 한때는 아버지께서 재직하던 중경고등학교에서 한 학생이 어머니에게 발병한 암 때문에 장기 결석하는 딱한 사정을 알고 정성들여 약을 지어 주어서 완치된 일도 있었다.

정명섭(1918-) 선생은 현재 한국CESP초염력연구소 소장으로 계신 분이다. 이 연구소는 우주의 초염력(超念力)을 연구하는 곳으로, 자신의 염력, 즉 생각의 힘으로 우주의 기를 받아 실생활에서 다방면으로 이롭게 쓰는 것을 수련하는 곳이다. 예컨대, 사람들이 참마음으로 무엇인가를 골똘히 염원하면 원하는 바가 실현된다는 '생각의 힘'을 전파하고 연구하는 곳이다. 아버지가 정 선생이 집필한 책을 읽고 연구소로 찾아가 알게 되었고, 노년에 생을 마감할 때까지 한 이십 년간 친분을 두텁게 쌓았다.

정 선생은 전남 장흥(長興)에서 태어나 서울에서 고등학교를 다녔고 일본 외무성 장학생으로 선발 되어 북경대학교에 입학하여 철학을 전공하였다. 졸업 후 해방을 맞아 귀국하여 서울대학교 상과대학에서 오 년 동안 고대문화사를 비롯한 강의를 하였다. 교과서 집필을 위한 자료수집 차, 대만, 홍콩, 일본의 방문 일정 중, 홍콩에서 육이오 전쟁이 일어났다고 한다. 귀국도 어렵고 하여 홍콩에서 전쟁을 지켜보다가 예정대로 일본을 향했고, 그곳에 체류하며 상하이 대학을 졸업한 김보금(金甫檎) 여사와 결혼하여 가정을 꾸렸다. 그러던 어느 날 초염력에 접하게 되었으며, 그 순간 젊은 날에 심취했던 삶, 종교, 죽음 등 정신 문제에 대해 다시 한 번 몰두하고 싶은 정열이 생겨 초염력에 몰입했다고 한다. 1970년대초에 귀국하여 부인 김 여사와 함께 오늘날 한국CESP우주초염력연구소를 설립하고 이끌어 왔다. 김 여사는 2011년 2월 4일에 타계하였다.

발문

고전(古典)의 페치카는 꺼지지 않았으니

1964년 7월 강원도 김화(金化)에서 김익권(金益權) 장군을 처음 만났다. 아르오티시(ROTC) 훈련을 마치고 육군 보병 소위로 임관된 각종 병과(兵科)의 동료 장교 백여 명과 함께 나는 무개(無蓋) 군용트럭에 실려 휴전선을 향해 강원도 첩첩산중을 흙먼지를 일으키며 달렸다. 거의 하루 종일을 달렸다. 흙먼지를 하얗게 뒤집어쓴 우리는 강원도 김화군 동송면 와수리에 자리한 열쇠부대 육군 오사단 사령부 연병장에 도착했다. 그곳이 우리들의 첫 임지(任地)였다. 그때 우리들은 스물서넛의 나이였다.

우리 일행을 맞아 주는 사단장 김익권 준장은 놀랍게도 콧수염을 하고 있었다. 지금도 그러하지만, 당시의 상식으로도 매우 의외였다. 별 넷의 참모총장이 있고, 별 셋의 군사령관이 있고, 별 둘의 군단장이 있다고 하자. 그보다 계급이 높은 장군들이 수두룩한데, 별 하나인 그만이 유독 콧수염을 하고 있다면 상급자 앞에서 어떠할까. 어색하지 않을까. 김 장군을 처음 만나는 거의 모두가 그런 걱정스런 생각을 적어도 한 번쯤은 했을 것이다. 그러나 장군은 당당하고도 자연스럽게 행동했다. 뿐만 아니라 그분은 여러 가지로 뭔가 매우 달랐다.

사단장은 신고하기 위해 연병장에 도열(堵列)한 백여 명의 우리 앞에 놓여 있는 연단 위로 성큼 올라섰다. 긴장할 대로 긴장한 우리 일동에게 벼락 같은 음성으로 외치듯이 말했다.

"나는 제관(諸官)들을 믿지 않는다. 아르오티시들, 두 해 동안 우물우물 적당히 시간을 때우려고 한다면 가만두지 않겠다. 각오들 하라."

그의 말씀 한마디 한마디는 단호하기 이를 데 없었다. 놀란 나머지 하늘이 노오랬다. 장군 앞에 그냥 서 있는 것만으로도 긴장되는 일인데, '가만두지 않겠다' 는 날벼락 같은 말은, 그 이유야 어떻든 어린 내 가슴에는 청천벽력이었다.

장군의 이런 염려스런 생각은 다음과 같은 사정에 연유한 것이었다.

당시 우리나라는 군(軍)의 증강 계획에 따라 이를 지휘할 장교가 절대적으로 부족하므로, 미군(美軍)의 아르오티시(학군사관) 제도를 모델로 하여, 대학의 학사(學士)들을 단기간의 훈련을 통해 유능한 초급 장교로 확보하는 계획을 세웠고, 우리는 그 계획의 시행 초기에 임관되었다. 따라서 정규 사관학교 출신들로서는 지극히 염려스러울 수밖에 없었다. 말하자면, 군교육과 훈련을 제대로 받지 않은 이들이 군의 전력(戰力)을 높이기는커녕 기강만 흐트려 놓지나 않을까 염려하는 분위기가 팽배했던 것이다.

연단의 장군은 말씀을 잠시 멈추었다가 이어 나갔다. 다소 누그러진 그의 말씨에는 어쩐지 자상함과 인자함까지 깃들여 있는 듯 느껴졌다.

"제관들은 이제 아버지이다. 각자 부대에 도착하면 자식들이 기다리고 있을 터이다. 자식들을 잘 보살펴야 한다. 그들은 늘 춥고 배고프다. 따뜻하게 해주고, 흡족할 수는 없겠지만, 잘 먹이도록 힘써라."

아, 나는 그때의 장군의 말씀 한마디 한마디를 지금까지 생생하게 기억한다. 그분의 진정한 생각과 말씀은 그때로부터 서서히 내 부족한 생각을 채워 주고, 비뚤어질 수도 있을 내 삶을 잡아 주었다고 생각한다. '자식보다 먼저 잠들지 말며, 새벽엔 그들보다 일찍 일어나라' 는 그의 엄격한 명령은 평생토록 내 인생의 지침이 되었던 것이다.

일찍 깨는 애기가 나왔으니 말인데, 나는 그때의 장군의 말씀을 좇아 '장교(將校)다운' 삶이랄까, 뭐 그런 책임감을 걸머진 평생을 살려 애썼다고 생각한다. 그때 병사들과 함께 날마다 부르던 노래가 그 분위기를 대변한다. 지금도 그 노랫말을 자주 입 속에서 웅얼거린다. 내 회사를 경영할 때나 사회생활 어느 분야에 부딪히거나, 그리고 출판도시 건설에 매진하면서 힘들고 고통스런 일을 마주할 때마다 이 행진가를 부르곤 했다.

동이 트는 새벽꿈에 고향을 본 후
외투 입고 투구 쓰면 맘이 새로워.
거뜬히 총을 메고 나서는 아침
눈 들어 눈을 들어 앞을 보면서,
물도 맑고 산도 고운 이 강산 위에
서광을 비추고자 행군이라네.

이 노랫말 가운데 '고향을 본다' 는 구절을 나는 '역사를 본다' 는 말로 바꿔 놓곤 한다. 그러니까, '고향을 믿는다' '고향을 지킨다' 라는 소극(消極)한 의미보다는 '역사를 믿는다' '역사를 지킨다' 는 적극적인 소명의 의미를 은연중에 부여하고 있었던 기억이 새롭다. 군생활을 하건 직장생활을 하건 출판도시를 하건, 이 노랫말의 행진곡은 김익권 장군의 이미지와 함께 내 인생을 이끌었던 것이다.

그때 내 옆에는 대학 때부터 학업을 함께했으며 평생동지였던 박의서(朴義緖) 소위와, 전역 후 방송 기자로 이름을 날린 바 있는 하순봉

(河舜鳳) 소위가 서 있었다. 하 소위와 내가 두 해 동안의 군복무를 마치고 1966년 전역할 때, 중위로 진급한 박 소위는 장기복무를 신청해 군의 길을 걷게 되는데, 그의 남다른 결심에는 김익권 장군의 영향이 컸으리라 짐작하고 있다.

오사단 삼십오연대 삼대대 십중대 일소대장으로 부임한 내가 만난 또 하나의 충격은 '가난'이었다. 1960년대의 우리에게 가난은 무엇이었던가. 그것은 어린 나의 체험 속에 남아 있던, 저 절제(節制)로서의 가난이라든가 긴장(緊張)으로서의 가난이 아니었다. 그동안 철없었던 내가 경험하고 느낀 가난하고는 사뭇 달랐다. 참으로 놀라운, 슬프기까지 한 가난이었다. 그때의 가난은 우리에게 재앙과도 같았지만, 한편 지금 생각하면 경험으로서의 축복을 가져다 준 고통이었다는 느낌이 있다.

말단 소총소대(小銃小隊) 소대장으로 부임한 첫날, 나는 대한민국 팔도(八道) 곳곳에서 모여든 병사들의 얼굴에서 깊고 쓰라린 '가난'을 보았다. 힘있는 집의 자식들은 후방으로 빠지거나 편하고 유식한 보직을 받거나 아예 면제받지만, 힘없거나 무식하거나 가난한 집 자식들은 최전방 악조건의 근무지로 끌려끌려 이곳 오지에 옹기종기 모여들었던 것이다. 가난들이 모였으므로, 이 집단의 가난은 우리나라 온 가난의 모습을 그려내고 있었다. 팔도에 흩어져 살고 있는 사람들 가정의 가난이 병사들 얼굴을 타고 그 풍경을 묘하게 합성해 연출해내고 있었다.

그런 풍경 속에서도 삼십오연대 십중대 일소대 착한 '나의 자식들'은 아버지인 나를 따뜻하게 맞아 주었다. 그날부터 이태 동안 사단장 김익권 장군을 모시고, 그리고 가난에 찌든, 그러나 순박하기 이를 데 없는 나의 병사, 자식들과의 생활이 시작되었다.

부임한 날 나의 수행비서 격인 전령(傳令)의 안내를 받아 비오큐(BOQ, 독신장교 숙소)에 짐을 풀었다. 비오큐는 병사들의 막사 뒤로 한참 깊숙한 계곡에 자리하고 있는 토막(土幕)이었다. 나는 전역할 때까지 이 토막에서 지냈다. 이 토막 방의 등피(燈皮) 아래서 쓴 내 젊은 날의 몇 낱 시편(詩篇)들이 있는데, 그 중에서 그때의 스산한 내 심경이 토로된 한 편을 꺼내 본다.

고전(古典)의 페치카는 식었다
어딜 봐도 누추한 곰팡내
한겨울 숨어산 나방이
날개를 치며
오동나무 궤짝 틈을 기어나온다

도처에 좌절
도처에 실의
도처에 된장국 비린내

이 구절은 읽으면, 뭔가 그 시절의 풍경이 감정(感情)을 타고 지금의 내 앞으로 다가온다. 여기서 '고전'이란 무엇이었을까 곰곰 생각해 본다. 그때의 내가 무심코 꺼내 쓴 단어가 무의미한 게 아니었음은 분명하다. 그렇다. 저 중세(中世)에서 꽃핀 빛나는 지성의 체계들, 그간에 익혔던 동서양의 고전을 비롯한 여러 종교의 경전에서 불뚝불뚝 솟구치는 말씀들, 노장(老莊)을 비롯한 선인의 말씀들이 그제나 이제나 한

가지임을 다시 깨닫는다. 이 나라가 이미 고전의 힘, 그 아름다운 말씀의 힘을 잃고 있는 모습을 개탄하고 있었던 것이다.

김익권 장군을 만났을 그때, 당장은 몰랐으되 나는 이미 내 가슴 한 귀퉁이에서 타오르고 있는 페치카의 열기와 불빛을 보았던 셈이다. 아, 식을 대로 다 식어 버린 썰렁한 페치카 속에 아직까지도 꺼지지 않고 타고 있는 불빛을 보았던 것이다. 김 장군이 말씀이 되어 타고 있었던 것이다. 나는 그것을 보았다. 아무도 보지 못할 때 나는 보았다.

그분은 고전에서 태어났고 고전에서 살았던 분이었다. 그때의 그 사실을 누가 알았겠는가. 아주 가까웠던 사람들, 가족마저도 그가 고전의 샘을 마시며 자라왔고 살아왔음을 몰랐을 게다. 아마 스스로도 매몰찬 현실의 환경에 둘러싸여 미처 느낄 수 없었는지도 모른다. 이 자서전은 이런 사유로, 이런 나의 깨우침과 용기에 따라서 출간되는 것임을 나는 감히 밝히고자 한다.

내가 전역한 후 장군의 근황은 알지 못했다. 그 세월은 내겐 먹고살기 참으로 바빴던 시간들이었다. 그러다가 1976년 1월 18일, 나의 육촌 아우인 양숙(良淑)이 매부 될 이진환(李鎭煥)과 결혼식을 올리는 정동(貞洞)의 엠비시 회관에서 십 년 만에 장군을 뵙게 되었다. 신랑 신부가 중경고등학교(中京高等學校) 교사였는데, 육군대학 총장으로 계시던 장군이 갑자기 전역하시면서 이 학교의 교장으로 부임하시어 이 혼례식의 주례를 맡게 되셨다는 것이다.

나는 반가운 얼굴로 그에게 다가가 인사드렸다. 알 듯 모를 듯한 미소로 반기셨다. 그래서 나는 다음과 같은 옛 이야기를 장황하게 설명드리게 되었다.

십여 년 전, 장군과 내가 오사단의 현역이었을 때였다. 우리 사단 예하부대 대항(對抗) 군가경연대회가 있었다. 이런 대회는 매우 독특해서, 아마 사단장인 김익권 장군이 창안했거나 아니면 과거 군사경험 또는 교육경험에서 깊이 우러난 발상안이라고 믿어지는 독특한 대회였다. 즉 완전편제(完全編制)의 일개 소대가 제식동작(制式動作)을 하면서 힘차게 군가(軍歌)를 부르는 경연(競演)이었다. 우리 부대인 삼십오연대 삼대대장 이 중령은 나의 소대를 우리 대대의 대표로 선발하여, 한 달 동안 합숙훈련을 하도록 했다. 사단 군악대 나팔수인 병사 하나를 붙여 주기까지 하면서 집념을 보였다. 나는 밤마다 막사에서 나팔수의 반주에 따라 음악성을 돋우는 군가연습을 했다. 우리 대대 한 귀퉁이의 우리 막사에서는 밤마다 트럼펫 소리가 울려 퍼졌고, 병사들의 합창소리가 뒤따르곤 했다. 대대장은 귀한 간식을 보내 오곤 해 배고픈 병사들의 의욕을 돋워 주었다. 낮이면 밤에 익힌 음악성을 바탕으로 하여 제식동작을 하는 연습에 열중하였다. 제식동작은 묘해서, 강인한 군인의 절도를 보여 주면서도 집단이 갖는 유연한 통일성을 음악에 의탁해 갖추도록 하는 훈련이었다. 여기서 중시되는 것이, 병사들이 흥겨워야 한다는 사실이었다. 그것이 적중했고, 우리의 힘모은 노력은 크게 효과를 내었다. 가난하고 무지스럽게 보이던 병사들에게도 잠재능력은 충분히 있었던 것이다. 육사 출신인 대대 작전관 이삼석 중위는 수시로 드나들면서 감독하고 독려했다. 그런 끝에 나의 소대는 우승하게 되었다. 나는 영광스럽게도 경연대회가 끝난 연병장의 시상식에서, 사단장 이하 온 병력들이 환호하는 앞에서 사단장으로부터 우승상을 받았다. 그때의 사진 한 장을 지금까지 귀하게 간직하고 있다. 사단 연병장으로부터 대대로 귀환하는 우리 소대를, 대대 병사들은 도로 연변에 도열해 서서 환영해 주었다.

이와 같은 설명을 듣고 나자, 장군은 확실히 기억을 돌이키시었다. 짧은 십 년의 세월이었지만, 변화가 많았던 셈이었다. 결혼식 주례사를 말씀하는 품새나 사복을 하신 차림이나 나의 생각을 착잡하게 했다. 청청한 군인의 길을 걸었어야 할 그분이 결국엔 옷을 벗으셨구나 생각이 들었고, 내 나름으로 '참군인'의 얼굴로 삼았던 장군의 쓸쓸한 운명을 생각하였다.

그 후 나는 몸을 크게 다치어, 고향인 강릉을 위시하여 강원도 지역에서 요양을 하고 있을 때였다. 우연히 본 부고란에서 장군의 별세 소식을 알게 되었다. 전화로 조문을 하면서, 그때 둘째따님인 김형인(金炯仁) 교수와 첫 대화를 나누었다.

그후 김 교수와 첫 대면하는 자리에 그는 한 권의 책을 가지고 나왔다. 『우리 아버지』였다. 장군은 당신의 아버지이신 김용대(金溶大) 옹의 전기를 독특한 구성으로 집필하여 출간해 놓고 있었다. 이 책은 1984년 장군께서 비매품으로 자비출판해서 집안 친지들과 함께 나누어 보기 위해 만드신 책인데, 공교롭게도 이 책을 위해 이름을 빌려드린 출판사가 내가 잘 아는 을지출판사 서정연 사장이었다. 이 책을 입수한 얼마 후였다. 사업을 접고 고향 여수로 내려가 있는 사장과 전화 연락이 되어 이 사실을 물었더니, 전혀 기억을 못 하는 것으로 봐서, 어느 인쇄업자에게 출판사 이름을 빌려준 것이 아닌가 짐작되었다. 이러나 저러나, 이 책이 아니었다면 오늘의 이런 기회, 곧 김 장군의 자서전을 낸다든가 하는 기회는 다시 없었을 것이었다.

『우리 아버지』를 읽는 순간, 이 책이야말로 김 장군 자신의 자서전의 앞부분에 해당하는 것이었으므로, 이것에 이어 장군 스스로의 부분이 분명히 기록돼 있을 것이란 확신이 들었다. 그리하여 김형인 교수에게 아버지의 유품 속에 자서전 기록이 있지 않나 찾아봐 달라고 부탁했고, 이내 자서전을 정리해 놓으신 원고 더미를 내게 보여 주었다. 물론 다소 완성도가 떨어지고, 자서전이라는 기본원칙이 지켜지기엔 모자랐지만, 나름대로 김 장군의 얼굴을 보여 주는 성실한 기록임에는 틀림이 없었다. 또한 육사 생도시절 기록한 일기(日記)도 있었고, 사진 앨범도 정갈하게 정리돼 있었다. 자신의 존재는 스스로 책임진다는 결의가 이렇듯 정리된 모습에서 느껴지고 있었다.

나는 이 원고를 정리해서 '김익권 자서전' 을 내자고 김 교수에게 단호히 제의하였다. 그러하기 위해 많은 선행 작업이 필요하다는 것을 역설했다. 김 교수는 동의했고, 그래서 이 어려운 작업이 시작되었던 것이다.

김형인 교수로부터 정리된 원고가 최초로 넘어온 것이 2009년 3월이었다. 그것도 내가 유럽 출장 동안에 읽을 수 있게 정리해 달라고 김 교수를 졸라 받은 원고였다. 조용한 여행 동안 비행기 안에서, 기차 안에서, 배에서, 그리고 호텔방에서 읽었다. 이 원고의 마지막 부분을 에스토니아의 아름다운 고도(古都) 탈린의 호텔방에서 마저 읽었다. 남다른 감회였다. 나는 이 원고의 독후 감회를 비망록에 다음과 같이 기록해 놓았고, 그후 이 기록은 한 일간지(日刊紙)의 컬럼으로 발표되었다.

나는 지금 에스토니아 탈린에서 이 글을 쓴다. 에스토니아의 아름다운 고도 탈린에서 이번 여행의 동반자인 나의 아들과 함께 알렉산더 네브스키 교회 앞을 지나 '긴 다리 거리' 를 걸어 시청광장에서 잠시 쉬다가 유서깊은 '비루 거리' 의 풍광을 만끽하면서, 그 거리에 자리한 아폴로서점을 찾았다. 그곳에서 에스토니아의 역사, 종족, 언어와 예술에 관한 책들을 한보따리 사 들고 숙소로 돌아왔다.

책이란 무엇인가. 땅의 반영이고, 인간의 반영이고, 역사의 반영 아닌가. 오늘 내가 관심 둔 책 모두를 훑어보니, 에스토니아와 탈린의 모든 반영이나 다름없었다. 나는 그 책들을 쌓아 놓고 한 권씩 훑어 읽으면서 그 나라 역사의 울림을 가슴에 담아내며 밤을 지새웠다. 가장 큰 울림은, 우리글이 창제되고 '훈민정음 해례'를 비롯한 한글 책들이 출판될 즈음에 이 나라에서도 에스토니아의 언어로 최초의 출판물이 만들어졌다는 사실이었다. 누군가가 우리의 세종 임금처럼 이리저리 흩어져 모습을 갖추지 못하고 있던 말의 형체를 모으고 가다듬어 올바른 글자를 갖추는 혁명적 일을 해내었던 것이다. 바로 책을 만드는 일이었다.

지리적 숙명과 역사의 사실들을 중심으로 발틱의 이 작은 나라와 분단된 우리나라의 운명을 비교해 보면서, 이 모든 기록들이 어쩌면 이렇듯 교훈적일까 싶었다. 역사의 교훈은 제것에서만 찾을 일이 아니었다. 이 지구상의 다양한 민족이 겪었고, 하고많은 인간들 개개인이 겪어냈던 증거들에서 찾아지는 것임을 다시금 깨닫는 것이었다.

이번 여행에 큰 숙제 하나를 안고 길을 떠났다. 인천공항에서 뜨는 순간부터 에스토니아에 이르기까지 틈틈이 김익권(金益權)이라는, 이제는 고인이 된 한 장군의 자서전 원고를 읽으면서 출간을 준비하는 일이었다. 그분과 무언의 약속처럼 느껴지는 작업이기도 하다. 지금으로부터 마흔다섯 해 전 스물세 살의 내가 소위 계급장을 달고 장군이 사단장으로 있던 중부전선의 한 부대에 배속되면서 그분을 만났다. 사단 연병장엔 사단에 배속된 장교 백여 명이 사단장에게 신고하기 위해 도열해 섰다. 콧수염에 강인한 인상의 김 장군이 간결하면서도 차

가운 음성으로 준 교훈의 말씀은 세월을 넘어 지금의 내 가슴에 각인돼 있다. "오늘부터 제관(諸官)들은 병사의 아버지이다."

청천벽력과 같은 그분의 말씀엔, 그러나 따뜻하고 온유한 철학과 아버지 같은 인자함이 배어 있음을 지금 크게 깨닫고 있는 것이다. 그와의 첫 대면 이후 그는 나의 아버지였다. 그런 인연이 아주 은밀하게 진행되었음을 깨닫기 시작한 것은 그로부터 훨씬 뒤 철이 들어 가면서부터였다. 그 무렵 나의 내부로부터 일어나던 '젊은 생각'은 우리나라 현실의 불합리성과 충돌하기도 하고 타협하기도 하면서 나의 이십대를 키웠다. 1960년대의 한국은 내게 고통이었으나, 자양(滋養)이 되기도 했다.

김 장군의 자서전 원고는 내겐 큰 감동이다. 왜냐면 1960년대 그 삭막하고 가난했던 나라에서 우연히 만난 그가 내 아버지였음이, 그가 기록한 자서전 문맥의 도처에서 확인되고 있기 때문이다. 그는 독농가(篤農家)의 아들이었고, 참된 가정교육을 받았다. '말'과 '글' '문자'의 존귀함을 철저히 배웠다. 책으로써 공부하고 인격을 닦는 방법을 알았다. 그는 고전(古典)으로써 오늘의 삶을 살았다. 그런 바탕으로 그는 참군인이 되었고, 장군이 되었다. 일제 때 학병으로 중국에 강제 종군했다가 해방을 맞았다. 서울대 법대 일회 졸업생이었고, 1950년 한국전쟁 발발 당시 육군 소령으로 내내 치열했던 전장에 있었다. 소장으로 예편할 때까지의 그의 역사는 우리 현대사 바로 그것이었다.

파주출판도시에서 기획하고 있는 '영혼도서관(靈魂圖書館)'은 자서전으로 채워질 도서관이다. 장군의 자서전 만드는 일이 마치 영혼도서관의 첫 작업으로서 계시를 받은 듯 느껴진다.

나는 자서전 쓰는 일이야말로 결과보다는 그 쓰는 과정이 더 중요하다는 사실을 역설해 왔다. 참으로 옳았다. 이 책을 완성하기까지 그 과정은 힘들고 곤고(困苦)했지만, 내게나 김형인 교수를 위시한 가족들에게, 한 가족의 뜻깊음, 한 가족을 이끌었던 가장(家長)의 소중함을 일깨우면서, 한 개인의 역사와 가족사(家族史)와 사회사(社會史)와 국가사(國家史), 그리고 인류의 역사가 이루어진다는, 그런 소중한 깨달음을 가족에게 드렸다고 생각한다. 이것이 역사 공부요 역사의식이며, 역사관(歷史觀)이 터득돼 가는 과정이 아닐까 한다.

영혼도서관을 꿈꾼 지 벌써 육칠 년은 되는 것 같다. 작년에 용기를 내어 건축가 민현식(閔賢植) 교수의 부친이신 민영완(閔泳完) 목사의 회고록을 출판한 바 있다. '시작이 반' 이라는 격언을 믿었기에 그 일이 가능했다. 다시 한번 이런 믿음으로, 부족함이 분명 있으나 용기내어 이 책의 출간을 서둘렀다. 잘못됨은 전적으로 나의 책임임을 밝혀둔다.

김형인 교수와의 우정은 무엇보다도 소중한 자산이 되었다. 그의 아버지이지만 나의 아버지이기도 한 김익권 장군의 영전에 삼가 이 책을 상재해 올린다.

김 장군이여, 영원하시라.

2011년 6월

1960년대 김익권 장군의 부하였던

예비역 육군 소위 이기웅(李起雄) 삼가 씀.

수록문 출처 및 집필연도

*수록문 제목, 원제목, 출처, 집필 또는 출판연도 순임.

나의 전사(前史), 그리고 청년 시절

뿌리를 찾아서 「조상님들의 이야기」, 2001. 2. 22.

출생에 얽힌 이야기 「출생과 소년 시절」, 2002-2006.

사랑, 결혼, 그리고 징병 「청춘회고(青春回顧)」, 2001. 11. 29.

군인이 되어 한국전쟁을 겪다

학도병 시절 집필연도 미상.

사관생도의 병영일기(兵營日記) 「반성록(反省錄)」, 1947. 10. 23-1948. 3. 8.

한국전쟁의 사선(死線)을 넘나들며 「육이오 때 국군으로 봉사」, 1 · 20 학병사기 간행위원회 편, 『1 · 20 학병사기—제3권 광복과 홍국』, 1 · 20 동지회 중앙본부, 1990, pp. 570-600.

육이오에 관한 나의 견해 집필연도 미상.

고전(古典)의 가르침을 따라

가치관에의 성찰 「가치관에 대한 반성」, 『문헌연구』(1974학년도 서울특별시 학교장 연수 세미나 자료집), 서울특별시 교육연구원, 1974. 8. 15, pp. 31-40; 1 · 20 학병사기 간행위원회 편, 『1 · 20 학병사기—제3권 광복과 홍국』, 1 · 20 동지회 중앙본부, 1990, pp. 921-928. 2000년대초에 개고(改稿)함.

공자(孔子), 그 영원한 고전의 발견 「공자의 풍모(風貌)」, 1975. 2000년대초에 개고함.

중용(中庸)의 덕(德) 「중용은 지덕(至德)이런가」, 2001. 11. 1.

불도(佛道)에 뜻을 두고

불교와의 만남 「불교 특히 법화경과의 만남」, 1987.

아버지의 기도 2005. 1.
시곡농장(柿谷農場)에서 2006.

여행과 순례(巡禮)

시(詩)로 노래한 인도 불교성지 순례「인도 불교성지 순례」, 1993. 1-2.
백두산의 혼을 찾아서「백두산 순례기」, 1993. 9. 10.

시곡단상(柿谷斷想)

오월 수상(隨想) 1992. 5. 3.
우리 풍토와 인성(人性) 1997.
내 인생의 영원한 번호, **806**번『우주초염력』, 진세계사, 2002, pp. 165-168.

김익권 연보

1922(1세)

3월 14일(음 2월 16일), 경기도 광주군(廣州郡) 언주면(彦州面) 학리(鶴里) 129번지(지금의 서울시 강남구 논현동)에서 선정릉(宣靖陵) 참봉(參奉)을 지낸 부친 학산(鶴山) 김용대(金溶大, 1883-1963)와 모친 박용인(朴容仁, 1881-1959) 사이에서 사남이녀 중 막내로 태어났다.

본관은 김녕(金寧)으로, 중시조(中始祖) 문열공(文烈公) 김시흥(金時興)의 이십삼세손이며, 세종 12년(1430) 예문관 검열(檢閱) 및 정언(正言), 함길도관찰사를 역임하고 공조판서(工曹判書)를 지냈으며 사후 사육신(死六臣)으로 현창(顯彰)된 충의공(忠毅公) 백촌(白村) 김문기(金文起, 1399-1456)의 십오세손이다. 김녕김씨는 18세기 후반부터 학리의 집성촌에 모여 살았는데, 고조부 김덕록(金德祿, 1790-1849)은 가선대부(嘉善大夫) 한성부좌윤(漢城府左尹)에 증해졌고, 증조부 김치영(金致英, 1823-1867)은 동지중추부사(同知中樞府事) 겸 오위장(伍衛將)을 역임한 무장이었고, 조부 김봉성(金鳳聲, 1840-1901)도 덕포진관(德浦鎭管) 주문도(注文島) 수군첨절제사(水軍僉節制使)를 지낸 절충장군(折衝將軍)이었다. 김익권의 집안은 증조부 김치영 대부터 천 석의 부농이 되었다.

부친 김용대는 김봉성의 다섯째아들로 태어나, 어려서 서당에서 공부하고 장성하여 스스로 한학(漢學) 공부에 정진하여, 광주군 일대에서는 빼어난 지식인이었다. 막내아들이라 물려받은 재산은 많지 않았으나, 농업과 여러 가지 사업으로 자수성가하였다. 오랫동안 학리 이장을 지냈고, 아무도 돌보지 않던 왕릉에 예를 다해 참배한 공덕으로, 이왕직(李王職)으로부터 선정릉 참봉에 제수되었다.

1929(8세)

청운공립보통학교(淸雲公立普通學校, 지금의 청운초등학교)에 입학했다. 당시 김익권은 서울 통인동 집에서 홀로되신 큰어머니의 보살핌을 받으며 세 형 김일권(金一權), 김재권(金再權), 김중권(金重權), 작은누나 김언례(金彦禮)와 함께 자랐다. 모친은 큰누나 김언렴(金彦廉)과 학리에 남아 농사를 거들며 살림을 하였고,

부친이 주말에 농산물을 싣고 서울로 올라와 자식들의 생계를 돌보았다. 김익권은 주말과 방학마다 학리 고향집에 내려와 머물렀다.

1935(14세)

2월, 청운공립보통학교를 졸업했다.

3월, 경성제이고등보통학교〔京城第二高等普通學校, 지금의 경복고등학교(景福高等學校)〕에 입학했다.

1940(19세)

경복공립중학교(경성제이고등보통학교의 교명이 1938년 4월 바뀌었다)를 졸업하고 일 년간 재수(再修)하였다. 이 무렵부터 서울 상왕십리에서 일신당(日新堂) 약국을 경영하던 큰형 김일권의 집에 살았다.

1941(20세)

경성제국대학(京城帝國大學) 예과 법과에 입학했다. 백 명 정도의 학생 가운데 조선인은 십분의 일이었고, 김익권은 광주군에서 유일한 대학생이었다. 재학시절 같은 과의 민족주의적 성향이 뚜렷한 두 친구 서장석(徐章錫), 나상조(羅相朝)와 교분이 두터웠고, 문과의 이기영(李箕永)과도 조선 역사에 관해 관심을 가지며 친분를 나누었다.

이 무렵, 작은누나 김언례의 소개로 한정희(韓貞姬)를 만나 교제하기 시작했다. 당시 한정희는 배화고등여학교(培花高等女學校)와 공주여자사범학교(公州女子師範學校)를 졸업하고, 인천 영화여자국민학교(永化女子國民學校)의 교사로 근무하고 있었다.

1943(22세)

제이차세계대전의 확산으로 삼 년에서 이 년 반으로 단축된 예과를 수료하고, 본과인 법문학부 법학과에 진학했다.

일학년 이학기가 시작될 무렵, 학도병 징집영장을 받고 오대산으로 도망했다가, 한 달가량 후에 생활비가 떨어져서 상왕십리 큰형 집으로 돌아왔고, 큰형의 권유로 학도병 입대를 지원했다.

12월 17일, 입대를 한 달쯤 앞두고 한정희와 결혼식을 올렸다. 이듬해 1월 김익권이 입대한 이후 한정희는 광복을 맞아 김익권이 돌아올 때까지 상왕십리에 살면서 무학국민학교(舞鶴國民學校)에서 교사로 근무했다.

1944(23세)

1월 20일, 대구의 일본군 부대로 입영, 중국 산동성 전선에 투입되어 포병으로 일 년 칠 개월간 복무했다. 하지만 징집을 피해 도망했던 기록이 남아서, 많이 맞으며 고된 생활을 했다.

1945(24세)

8월 15일, 소련의 한반도 남하를 저지하기 위해 소속 부대가 함경도 함흥으로 이동한 직후 해방을 맞았다. 이후 아내가 살던 상왕십리 집으로 돌아왔다.
9월, 미군정하에서 개편된 경성대학(京城大學) 이학년으로 복학했다.

1946(25세)

이 무렵, 아내와 용산구 후암동 1-40번지에 있는 삼광국민학교(三光國民學校) 교사 관사인 적산가옥(敵産家屋)에서 살았다. 나중에 부친이 그 집을 아내 명의로 불하받아 주었다.
9월 29일(음 9월 5일), 난산 끝에 후암동 집에서 큰딸 형열(炯烈)이 태어났다.

1947(26세)

7월 1일, 새로 세워진 나라에서 군인이 가장 중요하다고 생각하여, 육군사관학교(陸軍士官學校)의 전신인 조선경비사관학교(朝鮮警備士官學校)에 입교하였다. 입교 후 처음 삼 개월 동안 훈련대에서 기초훈련을 마치고 사관학교 교사로 옮겨 육 개월 동안 교육 및 훈련을 받았다.
7월 10일, 서울대학교 법과대학을 일회로 졸업하였다. 미군정하에서의 학제 개편으로, 일본에서 대학이나 전문학교를 다니던 학생, 조선에서 전문학교를 다니던 학생을 경성대학에 편입시켰는데, 1946년 8월 다시 서울대학교로 통폐합되었다.

1948(27세)

4월 6일, 조선경비사관학교를 졸업했다. 후에 조선경비사관학교가 육군사관학교로 개칭되면서 육사 5기생이 되었다.
4월 11일, 육군 소위로 임관하여 삼 개월간 1연대 소대장으로 근무했다.
7월 25일, 육군사관학교 교관으로 발령받았다.
8월 15일, 대한민국 정부 수립 기념식전에 사관생도들과 함께 참석했다.
9월 17일, 육군사관학교 교무장교로 발령받아 일 년 오 개월간 복무했다. 이 무렵 가족들은 태릉 육사 장교 관사에 잠시 살다가 다시 후암동으로 이사했다.

11월 24일, 대한독립촉성국민회(大韓獨立促成國民會)의 간부이자 민보단(民保團) 성동분단(城東分團) 총무부장, 상왕십리동 동장으로 활동하던 큰형 김일권이 자택에서 암살되었다. 대한독립촉성국민회는 조국의 완전독립을 달성하기 위해 기존의 반탁운동(反託運動) 기관인 이승만(李承晩) 중심의 독립촉성중앙협의회와 김구(金九) 중심의 신탁통치반대국민총동원중앙위원회가 통합하여 1946년 2월 발족한 단체로, 범국민적인 반탁운동과 미소공동위원회의 활동 반대, 좌익운동의 봉쇄 등을 목표로 한, 좌익진영에서 가장 두려워하던 우익진영의 대표적인 정치 단체였다.
11월 28일, 큰형 김일권의 장례가 서울시 민보단과 성동구 민보단의 민보단합동단장(民保團合同團葬)으로 상왕십리동 자택 앞 광장에서 성대히 치러졌다.
12월 15일, 중위로 진급했다.

1949(28세)
3월 1일, 대위로 진급했다.
4월 2일(음 3월 5일), 둘째딸 형인(炯仁)이 세브란스 병원에서 태어났다.

1950(29세)
2월 15일, 용산에 있는 육군본부 작전국으로 발령받았다.
3월 1일, 소령으로 진급하고, 작전국 교육과 편찬위원회 편집관으로 미국 전투교범(戰鬪敎範, Field Manual)의 번역 및 교열 작업을 했다.
6월 25일, 한국전쟁이 발발하자, 원고를 파기하고 작전국의 철수작전에 따라 대전, 대구를 거쳐 부산까지 육군본부와 함께 후퇴했다. 부산에서 연락장교와 장교척후의 역할을 맡으면서 낙동강 전선에서 적의 남하 저지작전에 참여했다.
12월, 부산의 통신망이 회복되면서 연락장교가 필요 없게 되자, 동래 육군종합학교(陸軍綜合學校)에서 편찬과장으로 일했다. 전투교범의 번역 편찬 및 전사(戰史) 편찬을 위해 설립된 전사편찬위원회를 이끌었다. 편집위원으로는 민간인 이십여 명을 영관급(領官級) 대우로 선발하였는데, 이 가운데는 후에 저명한 역사학자가 된 고병익(高柄翊), 이기백(李基白), 같은 과 동기인 서장석 등이 참여하였다.

1951(30세)
1월, 일사후퇴 때 가족들이 부산으로 피란 와 같이 살았다.
10월 20일, 중령으로 진급하였다.
11월 21일, 육군종합학교에서 분리된 광주(光州) 보병학교(步兵學校) 고등군사반 교육담당으로 발령받아, 가족과 함께 광주로 이사하여 이듬해 1월 7일까지 근무했다.

1952(31세)

3월 12일, 9사단 30연대 대대장으로 발령받았다. 당시 9사단장 박병권(朴炳權) 장군은 김익권을 무척 아꼈고, 김익권은 평생 상관으로 존경했다.

5월 18일, 9사단 29연대 부연대장으로 발령받았다. 이 무렵 가족들은 광주에서 서울로 이사하여 돈암동에 임시로 마련한 한옥에서 일 년 십 개월 동안 살았다.

9월 23일, 미국 조지아 주 베닝(Benning) 요새에 있는 보병학교의 고등군사반 과정에 입교하여 이듬해 2월까지 유학했다. 크리스마스 휴가 기간에는 뉴욕과 워싱턴을 관광하였다.

1953(32세)

2월 25일부터 3월 28일까지, 제주도 모슬포 육군 제1훈련소 교수부장으로 복무했다. 그 뒤 열흘간 베트남 하노이 등지를 시찰했다.

4월 25일, 대령으로 진급하면서 강원도 양양에 창설된 22사단 69연대장으로 발령받아 12월 3일까지 근무했다.

6월, 22사단이 강원도 화천 사창리(史倉里)로 이동했다.

8월, 22사단이 강원도 인제 원통리(元通里)로 이동했다.

12월 20일, 경남 진해에 사년제로 재개교한 육군사관학교에 교수부장으로 전속되어, 가족과 함께 진해로 이사했다.

1954(33세)

봄, 육군사관학교가 태릉으로 이전하여, 가족과 함께 서울 후암동 집으로 이사했다.

이 개월 동안 육사 교관 세 명과 함께 미국 뉴욕 주 웨스트포인트(West Point)에 있는 육군사관학교(US Military Academy)를 시찰했다.

1955(34세)

1월 3일(음 1954년 12월 10일), 셋째딸 형의(炯義)가 태어났다.

6월 25일, 미국 캔자스 주 레븐워스(Leavenworth) 요새에 있는 지휘참모대학(US Army Command & General Staff College)에 입교하여 고급군사학을 수학하기 위해 미국으로 건너갔다. 한국의 육군대학과 같이 지휘관의 역량을 향상시키기 위해 마련된 일 년여 간의 유학 일정에는 김종오(金鍾五) 중장, 박현수(朴鉉洙) 소장, 민병권(閔丙權)·서정철(徐廷哲)·유양수(柳陽洙)·최갑중(崔甲仲) 준장 등 여섯 명의 육군 장성과 최세인(崔世寅)·장우주(張宇疇)·황인권(黃寅權)·정인완(鄭寅脘)·배덕진(裵德鎭) 대령 등 다섯 명의 영관급 장교가 함께했다. 이들 중 김익권은 유양수 준장, 배덕진·황인권·최세인 대령과 친분이 두터웠고, 함께했던 이들 모두 훗날 장군으로 진급한 육군의 엘리트들이었다.

1956(35세)

7월 12일, 지휘참모대학을 졸업했다.

귀국하여 육군본부 작전국 원자무기연구위원회 위원장으로 발령받았다.

이 무렵, 고향에서 부친이 평생 아껴 가꾸던 감나무밭에서 '柿'자를, 고향 학골에서 '谷'자를 따서, 스스로 시곡(柿谷)이라 호를 지었다.

1957(36세)

3월 25일, 육군본부 작전국 교육과장으로 전보 발령받았다.

7월 19일(음 6월 22일), 아들 형신(炯信)이 태어났다.

12월 19일, 진해 육군대학 학생감으로 발령받았다. 당시 육군본부의 잡다한 업무로 신경성 위장장애가 생겨, 증세가 심화하여 퇴역까지 고려하던 중, 상관이던 정래혁(丁來赫) 장군, 박병권 장군, 육군대학 총장 이종찬(李鍾贊) 장군의 배려로 근무지를 옮길 수 있었다.

1958(37세)

봄, 육군대학에서 수월하게 근무하며 건강이 많이 회복되었고, 또 세 딸 이후 뒤늦게 얻은 아들도 건강히 자라 심신이 안정되었다. 그동안 미진했던 가족을 보살피는 데 힘썼다. 이 무렵 개통된 서울 부산 간 비행기 편으로 부친을 모셔와, 주변의 명승지를 함께 유람했다.

8월 23일, 교수단장으로 전보 발령받았다.

1959(38세)

여름, 모친이 진해를 방문하여 여러 달 머물렀다.

12월 18일, 준장으로 진급했다.

1960(39세)

1월 15일(음 1959년 12월 17일), 모친이 별세했다.

4월 1일, 큰딸 형열이 숙명여고로 전학 가고, 둘째딸 형인이 숙명여고에 입학하게 되면서, 가족들이 서울 후암동으로 이사했다.

7월 5일, 육군정훈학교(陸軍政訓學校) 교장으로 발령받아 후암동 집에서 함께 지냈다.

12월 20일, 육사 생도대장으로 발령받았다.

1961(40세)

5월 18일, 오일륙 군사 정변이 일어나자, 재량에 맡긴다는 육사 교장 강영훈(姜英勳) 장군의 지시를 받고 사관생도를 인솔하고 '군사혁명 환영시위'에 나갔다. 시위가 끝나자 반혁명 혐의로 체포되어 서대문형무소에서 십육 일간 구류되었다가, 무혐의로 판명되어 원대 복귀하였다. 당시 교장을 비롯해서 참모장 교수부장 등 육군사관학교 임원진은 모두 옥고를 치른 후 전역하였다.
5월 30일, 육군본부 군수참모부 인사교육처장으로 발령받아 삼 개월간 복무했다.
9월, 국방대학원(國防大學院)에 연수과정으로 입교했다.

1962(41세)

7월 20일, 국방대학원을 졸업하고, 충북 증평의 37사단장 겸 충북지구 계엄사령관으로 임명되었다.

1963(42세)

6월 12일, 육군 최초의 예비군 훈련인, 충북지역 예비사단 긴급동원 예비군훈련을 성공적으로 수행하였다.
8월 18일, 강원도 철원군 김화(金化)의 5사단장으로 발령받았다.
10월 22일(음 9월 6일), 부친이 별세했다. 장례식의 우인대표(友人代表)는 유양수 장군, 배덕진 장군, 백석주(白石柱) 장군과 서울대학교 졸업동기인 박광호(朴光鎬)였다.

1965(44세)

1월 15일, 소장으로 진급했다.

1966(45세)

5월 14일, 6군단 부군단장으로 발령받았다. 당시 군단장 김희덕(金熙德) 중장은 김익권이 사관생도일 때 구대장으로 만나 군생활 동안 가까운 인연을 이어 갔다.

1967(46세)

9월 1일, 육군대학 총장으로 발령받았다.김익권은 총장 재임기간 동안 학생들의 교양 증진을 위해, 때때로 명사 초빙 강연을 열었다.
가을, 도불장(道佛莊)을 보수했다.〔도불장은 1959년 9월 전임총장 이종찬 장군이 도불산(道佛山) 부처골에 건립한 것이다.〕 도불장은 여러 행사의 연회장으로 사용되어 학생과 교관의 육군대학 생활에 활력을 주었으며, 체력단련 코스로 이용되기도 했다.

1968(47세)
이 무렵, 육군대학 내에 태릉선수촌과 YMCA 이후 최신 설비를 갖춘 수영장을 개장했다.

1969(48세)
11월, 대만 육군지휘참모대학(陸軍指揮參謀大學)을 방문하였다. 그때 알게 된 장제스(蔣介石) 총통의 차남 장웨이궈(蔣緯國) 장군과 교분을 쌓고 오랫동안 친분을 나누었다.

1970(49세)
가을, 이십여 년을 살면서 자녀 넷을 모두 낳아 기르던 후암동 집에서 성북구 장위동 230-26번지로 이사했다.
11월 7일, 이화여대 교육학과를 졸업하고 초등학교 교사로 근무하던 큰딸 형열이 한국전력에 다니는 김경진(金慶鎭)과 결혼했다.

1971(50세)
가을, 육군대학 장교 아파트를 신축했다. 이는 우리나라 최초로 지어진 군인 아파트였다.
10월, 육군대학 개교 이십 주년 기념행사에서 재래식무기를 국내에서 생산할 것을 촉구하면서, 솔선수범하여 애국함에 자신의 물품을 기부하여 기금을 만들 것을 제안했다. 이 기부운동은 후에 방위성금 모금운동의 불씨가 되었다.

1972(51세)
1월 14일, 육군대학 총장직에서 물러났다.
2월 1일, 이십사 년간의 군인 생활을 마치고 육군 소장으로 정년 퇴역했다.
4월, 용산구 서빙고동에 있는 중경고등학교(中京高等學校) 교장으로 부임했다. 당시 중경고등학교는, 자주 전속 발령되어 꾸준히 교육하기 어려웠던 현역 군인의 자녀를 위한 학교였다.
5월 22일, 외손녀 김수연(金秀蓮, 형열의 큰딸)이 태어났다.

1974(53세)
3월 11일, 외손녀 김지연(金志蓮, 형열의 작은딸)이 태어났다.

1976(55세)

10월 6일, 일곱 해 동안 살던 장위동의 구조를 본뜬 집을, 고향인 학동 산23-2번지(지금의 논현동 115-11번지)에 새로 지어 이사했다. 반슬라브 지붕을 얹고 벽돌로 쌓아 평생 살 계획으로 튼튼히 지은 집이었다. 너른 정원에는 제2회 한국석조전시회에 출품된 석불, 석탑, 석등을 안치했다. 이 석조물들은 각각 석굴암(石窟庵) 본존불, 불국사(佛國寺) 석가탑(釋迦塔), 불국사 석등을 팔분의 일 크기로 축소해 만든 것이다.

1977(56세)

3월, 중경고등학교 교장에서 은퇴했다.

8월 15일, 둘째딸 형인이 미국 뉴멕시코 주 앨버커키(Albuquerque)에 있는 뉴멕시코대학교(University of New Mexico) 역사학과로 유학을 떠났다.

1978(57세)

5월 20일, 학동 115-14번지(지금의 논현동 115-14번지)에 이층 빌딩을 짓고, 시곡빌딩이라 명명했다. 빌딩이 들어선 관세청 사거리 근처의 땅은 1950년대에 부친에게 감나무밭을 증여받은 것이다.

1980(59세)

봄, 관세청 사거리 북동쪽 모퉁이의 학동 115-13번지(지금의 논현동 115-13번지)에 부친의 호를 딴 삼층의 학산빌딩을 준공했다.

1984(63세)

관세청 사거리 북서쪽 모퉁이 백오십 평의 땅을 팔아 경기도 광주군 목리(木里)(지금의 광주시 목동) 일대의 약 일만팔천 평의 땅을 매입하여 시곡농장(柿谷農場)을 마련했다. 농장은 농장관리인 겸 운전기사, 밭일 하는 이, 식사 준비하는 이 등 세 사람의 도움으로 운영되었다.

이 무렵, 김익권은 주로 농장에 살면서 일 주일에 한두 번 서울 논현동 자택에 머물렀고, 아내 한정희는 한 달에 열흘 정도 농장에 와 머물렀다.

봄, 시곡빌딩을 삼층으로 증축했다.

9월 5일, 부친의 가르침을 추억하며 집필한 『우리 아버지』를 을지출판사에서 출간했다.

1985(64세)

5월 28일, 아들 형신이 현기옥(玄基玉)과 결혼했다.

이 무렵, 집 주변에 상가가 밀집되어 소란해지면서 이사를 계획했다. 논현동 집 정원에 있던 석불, 석탑, 석등을 농장으로 이운(移運)하여, 시곡농장 한곳에 시곡도장(枾谷道場)을 마련했다.
8월 8일, 강남구 개포동 653번지 현대아파트 103동 606호로 이사했다.

1986(65세)
1월 17일, 손자 성규(聖圭, 형신의 큰아들)가 태어났다.
5월 27일, 재향군인회가 주관한 육이오 참전 장군들의 구미 참전국 순방에 동참하여, 영국, 프랑스, 네덜란드, 이탈리아, 캐나다, 미국 등지를 이십팔 일에 걸쳐 다녀왔다.

1990(69세)
7월, 아내와 함께 일본을 여행했다.
8월 8일, 손자 현규(賢圭, 형신의 작은아들)가 태어났다.
12월 15일, 둘째딸 형인이 미국에서 미국사(美國史)로 박사학위를 받고 귀국했다.

1991(70세)
3월 31일(음 2월 16일), 칠순을 맞아 리버사이드 호텔에서 친지들을 초대하여 연회를 열었다.

1993(72세)
1월, 불교방송국 주관으로 일연(一衍) 스님이 이끄는 인도 여행을 아내와 함께 십구 일 동안 다녀왔다.
8월, 정명섭(丁明燮) 소장의 인솔하에 CESP우주초염력연구소 회원들과 함께 중국 천진, 북경을 거쳐 백두산 여행을 했다.

1994(73세)
3월 1일, 은모래 피아노학원을 운영하던 셋째딸 형의가 개인사업을 하던 유공식(劉公植)과 결혼했다.
5월, CESP우주초염력연구소 회원들과 함께 한라산을 여행했다.
12월 12일, 외손자 유성훈(劉城勳, 형의의 큰아들)이 태어났다.

1998(77세)
4월 28일, 아내가 뇌경색에 걸렸다. 김익권은 그동안 아내에게 소홀했던 점을 뉘우치며 정성껏 돌보았다.

2006(85세)

9월 29일, 갑자기 뇌경색 및 뇌출혈이 발병하여 분당 서울대학교 병원에서 수술 준비 차 엠아르아이(MRI)를 찍는 도중 혼절하여 수술을 받았으나, 마취상태에서 깨어나지 못했다.

10월 1일(음 8월 10일), 아침 일곱시 오분에 영면했다.

10월 3일, 발인 후 유언에 따라 시신은 화장하여 이천의 가족묘원에 안치됐고, 골분(骨粉) 일부를 시곡농장에 수목장(樹木葬)으로 장사하였다.

김익권은 생전에 충무무공훈장(忠武武功勳章), 화랑무공훈장(花郎武功勳章, 두 차례), 삼등근무공로훈장(三等勤務功勞勳章), 공비토벌기장(共匪討伐記章), 미국동성훈장(美國銅星勳章), 중화민국운휘훈장(中華民國雲麾勳章) 등을 서훈(敍勳)받았다.

2010

2월 2일, 시곡농장에 있던 석불과 석탑이, 육군 3군수지원사령부 11보급대대의 호국안국사(護國安國寺)로 이운되었다.

9월 28일, 육군 12연대 201대대의 포교당인 호국석불사(護國石佛寺)가 개축되어, 석불을 호국안국사에서 다시 이운했다. 이 석조물들은 군대의 불교 포교에 큰 역할을 하게 되어, 보병 1사단장 서형석 소장이 유족대표에게 감사장을 수여했다.

2011

10월, 열화당에서 '김익권 장군 자서전'이 세 권으로 출간되었다.

찾아보기

ㅂ

ㅅ

ㅈ

김익권(金益權, 1922-2006)은 경기도 광주(廣州)에서 태어나
서울대학교 법과대학(1회)과 육군사관학교(5기)를 졸업했다.
육이오 때 육군본부 소속 연락장교로 참전했으며, 육군본부 작전과장,
육군대학 교수단장, 육군정훈학교 교장, 육사 생도대장, 37사단장,
5사단장, 6군단 부군단장 등을 거쳐 육군대학 총장을 마지막으로
이십사 년간의 군 생활을 마치고 육군 소장으로 정년 퇴역했다.
이후 오 년간 중경고등학교 교장을 지냈고,
은퇴 후 시곡농장(柿谷農場)에서 농사를 지으며 노후를 보냈다.
*세부 약력은 pp.323-333의 '김익권 연보'를 참조하십시오.

145

김익권 장군 자서전 1
참군인을 향한 나의 길

초판1쇄 발행 2011년 10월 1일
발행인 李起雄 **발행처** 悅話堂
경기도 파주시 교하읍 문발리 520-10 파주출판도시
전화 031-955-7000 팩스 031-955-7010 www.youlhwadang.co.kr yhdp@youlhwadang.co.kr
등록번호 제10-74호 **등록일자** 1971년 7월 2일
편집 조윤형 백태남 박세중 **북디자인** 공미경 황윤경 엄세희 **인쇄 제책** (주)상지사피앤비

*값은 뒤표지에 있습니다.

ISBN 978-89-301-0402-9 ISBN 978-89-301-0405-0(전3권)

이 도서의 국립중앙도서관 출판시도서목록(CIP)은
e-CIP 홈페이지(http://www.nl.go.kr/ecip)와
국가자료공동목록시스템(http://www.nl.go.kr/kolisnet)에서
이용하실 수 있습니다.(CIP제어번호: CIP2011003673)